Dwysâ fy nghariad gyda'th glwyf
A dynion oer, dideimlad sych
A ddywed im mai ynfyd wyf,
Mai marw a fyddi dan dy nych.

Waldo Williams ('Yr Iaith a Garaf')

MEWN BAG PLASTIG amgylcheddol anghyfeillgar, cyn bod sôn am blastig sy'n pydru, roedd plethi ei mam.

Estynnodd Efa i bellafion y drôr a chlywodd ei bysedd grensian y bag y tu hwnt i fwndeli o sanau wedi'u gwasgu'n dynn, dynn i'w gyfaint prin. Tynnodd.

Ni allai agor y bag ar unwaith. Haws fyddai edrych i mewn ar garcas hen lygoden fawr neu sgerbwd cath. Roedd y meirw'n perthyn i le gwahanol, lle pell o gyrraedd ei chwilfrydedd.

Teimlodd hwy'n arw ac yn llyfn rhwng ei bysedd, yn ddeuddeg ac yn drigain a phum mlwydd oed yr un pryd. Y digyfnewid wallt. Dwy blethen gywrain, berffaith i ennyn cenfigen meidrolion.

Unwaith eto, ystyriodd eu taflu i'r bin, a gwybod yr un pryd mai ym mhellafion y drôr y byddent tra byddai hi.

'Beth yw'r rheina?' holodd Ceri, na welsai berchennog y plethi erioed, heblaw mewn lluniau.

'Gwallt dy fam-gu,' meddai Efa wrth ei merch. 'Gath hi dorri'i phlethi pan oedd hi'n ddeuddeg oed, fel o'n nhw'n neud y dyddie 'ny.'

Ffieiddiodd llygaid Ceri wrth sganio'r hen raffau praff rhwng dwylo ei mam. Gall gwallt nad yw'n sownd wrth ben rhywun ennyn teimladau o gyfog gwag.

Llithrai'r gair 'mam-gu' amdani yn rhyfedd oddi ar dafod Efa. Dynes ifanc oedd hi, mam-gu na fu'n fam-gu chwaith. Roedd Efa eisoes dros bymtheg mlynedd yn hŷn nag y bu ei mam hi erioed.

'Afiach!' meddai Ceri. Gwelodd Efa ffieidd-dod yn nhro ei gwefus uchaf a chrych ei thrwyn. Hyffiodd y ferch ei ffordd o'r ystafell.

Teimlodd Efa'r plethi'n rhaffau amdani wrth i 'Afiach!' Ceri barhau i atseinio yn ei phen.

Gosododd y ddwy blethen yn ôl yn y plastig nad oedd yn marw a chau'r drôr arnyn nhw.

1

A R BEN MYNYDD roedd Efa a'i merch yn byw – er efallai fod cydfodoli'n agosach ati na byw. Heb fod cweit ar ben y mynydd chwaith. Gwallgofrwydd fyddai hynny, creu magned i'r gwynt a'r mellt. Twtsh o dan yr ysgwydd, lle mae strap y bra'n tueddu i lithro. O fewn pellter clyw i'r pentre'n aml, ac o fewn pellter clyw beunyddiol i Mr Mukherjee yn y tyddyn nesaf led llyfiad o gae i ffwrdd.

Daeth Ceri wyneb yn wyneb â'r dydd braidd yn rhy sydyn pan gamodd allan o'i hystafell wely i ganol yr haul a ddeuai fel llafn drwy ffenest fach y gegin a thrwy'r llwch byw a roddai drwch i'r golau.

'Ffac off, Mam,' meddai Ceri heb hyd yn oed godi ei llais pan holodd Efa hi i ble roedd hi'n mynd. 'Jyst ffac off a gada fi fod.'

'Os bydden i'n ffacio off a gadel ti fod, pwy fydde'n dod i dy godi di o dŷ Shelley?'

Ceisiodd Efa osgoi edrych ar ei merch fel na welai Ceri fod ei llygaid yn wlyb gan rwystredigaeth.

'Gelen i fŷs. Fydden i ddim yn gofyn i ti, y fuwch.'

Anelodd Ceri'n ôl am ei hystafell i wisgo'i hesgidiau.

'A phwy fydde'n talu am y bŷs – y fuwch?'

'Ffac off, Mam!'

Poeri, yna slamo drws ei hystafell ar gau nes bod y pren oedd yn weddill yn ei baneli'n bygwth rhoi'r gorau i'r ymdrech, fel y lleill. Yn anarferol i Efa, fe giliodd rhag y cweryl. Aeth allan o Dŷ'n Mynydd at yr haul.

A nawr, safai Mr Mukherjee o'i blaen yn gwenu dros ffens yr ardd.

'Bore da, Mrs Williams.'

'Bore da, Mr Mukherjee. Yw'r fuwch wedi domi?'

'Mae'n ddrwg gen i...?' Diddeall.

'Has the cow... did the cow shat?' Ceisiodd Efa roi trefn ar ei Saesneg peth cyntaf yn y bore wrth lygadu'r fuwch a safai yng nghysgod Mr Mukherjee yn llowcio glaswellt Ty'n Mynydd drwy'r ffens rydlyd. 'Shat the cow? Did it shit?'

Difarodd siarad Saesneg. Roedd Cymraeg Mr Mukherjee yn hen ddigon da iddi fod wedi siarad Cymraeg ag ef.

Parhaodd Mr Mukherjee yng nghyffordd usrwydd cymharol ei ail iaith yn hytrach nag ymroi i'w drydedd.

'She. Did *she* shit, Mrs Williams. No. As a small matter of fact, she didn't. She kept it within her until she passed your beautiful abode and excreted within the limits of my own land.'

'Falch o glywed, Mr Mukherjee. Fydd dim angen i fi fod yn ofalus lle dwi'n troedio, felly,' meddai Efa, yn benderfynol o siarad Cymraeg ag e unwaith eto.

'We venerate our cows, Mrs Williams. They are the subject of our worship.'

Meddyliodd Efa am Ceri.

'Dwi'n cofio addoli fy un inne unwaith hefyd, Mr Mukherjee.'

Atgoffodd hyn ef.

'Noson... fywiog neithiwr.'

Rhoddodd Mr Mukherjee ystyriaeth ddwys i'w ddewis o ansoddair cyn ei ynganu.

'Cwyno am y sŵn ydech chi.'

'Ddim yn... anarferol.' Pwysleisiodd yr ansoddair hwn eto.

'Dewch, dewch, dwedwch y gwir, Mr Mukherjee. Fe gadwon ni chi'n effro.'

'O na, na, na, Mrs Williams. Roedd hi'n oriau cyn fy amser gwely.' Heb adael i'w wên lithro unwaith.

'Felly pam cwyno?'

'Cwyno, Mrs Williams? Fyddwn i ddim yn breuddwydio cwyno.'

Gadawodd Efa ef i barhau i wenu drwy ei ansoddeiriau a'i ferfau a throi ei chefn arno a'i fuwch er mwyn mynd yn ôl i mewn i'r tŷ.

'Y treigladau!' gwaeddodd ei chymydog cyn iddi allu cyrraedd y drws. Anadlodd Efa'n ddwfn cyn troi'n ôl i'w wynebu. 'Anodd, 'fy ng... fy ngh... chi'n gwbod, *the ones where it feels like chewing a brick.*'

'Fy nghariad, chi'n feddwl,' meddai Efa.

'Ie, dyna fe. Beth yw'r rheolau?'

Does dim rheolau'n perthyn i gariad, ystyriodd Efa ei ateb. Ond bodlonodd ar gadw at y treigladau.

Efa oedd yn dysgu Cymraeg i Mr Mukherjee. Roedd e'n ddisgybl penigamp, doedd dim dwywaith am hynny, ond roedd ei drylwyredd a'i angen i ddeall yr holl reolau yn destun rhwystredigaeth gyson i Efa. Pe bai mor drylwyr ei oruchwyliaeth o'r bylchau yn y ffens rhwng ei dir ef a'r clwt o dir a berthynai i Dy'n Mynydd (ble bynnag oedd y ffin), fe fyddai Efa wedi treulio oriau lawer yn llai yn sychu'r dom buwch oddi ar wadnau ei hesgidiau.

Wedi'r cwbl, meddyliodd wrth baratoi am wers anffurfiol arall, roedd hi wedi gobeithio gadael y cachu o'i hôl wrth symud lan i Dy'n Mynydd i fyw.

*

Glaniodd Ceri yn ei hôl rywbryd yng nghanol y bore, wedi cerdded lan y rhiw o'r pentref, felly doedd yr hwyliau ddim yn dda cyn dechrau.

'Ysgol...?' cyfarchodd Efa hi ar ei gwaethaf, yn methu bod yn ofalus rhag cymell y fflamau.

Pwten fach denau, gwallt sbeics oedd Efa, yn bum troedfedd

a modfedd yn nhraed ei sanau. Câi ei chysgodi, yn y golau iawn, gan Ceri yn ei sodlau uchel.

Wnaeth Ceri ddim trafferthu dweud 'Ffac off', ond roedd ei ystyr wedi'i beintio'n glir ar ei hwyneb ac yn atseinio hefyd yng nghlep drws ei hystafell wely yn wyneb Efa.

'Dy flwyddyn ola di…!' dechreuodd honno brotestio. Methodd ag ymatal rhag plygu i weiddi ar ei merch drwy'r paneli sigledig. 'Be nei di heb Dy-gáus? Ei di ddim i unman heb Dy-gáus! Pryd ti'n mynd i sylweddoli 'ny?'

Dim ymateb.

'Drycha ar Shelley! Sdim Ty-gáus 'da *hi*! Sdim *gwaith* 'da hi 'fyd. Ti ddim yn gweld patrwm?'

Daeth ei llaw drwy'r bwlch yn y drws a gwthio wyneb ei mam allan. Crafodd ei hewin foch Efa. Sythodd Efa a thynnu ei bys dros y crafiad, nad oedd wedi tynnu gwaed, a theimlodd ei thymer yn gymysg â dagrau anghyfiawnder hallt yn codi o'i hymysgaroedd.

'Shwt alli di drin dy fam fel hyn? Shwt *alli* di? Dyw mame erill ddim yn gorfod diodde beth wyt ti'n neud i fi! Y bitsh fach!'

Daliodd Efa ati am funudau cyn ildio am nad oedd Ceri'n cyfrannu at y ddeialog, yna aeth i'r lolfa gan ddal i fytheirio. Hen ast oedd Ceri nawr. Llwyddai i drawsffurfio o fuwch i ast, o ast i fuwch yn barhaol, gan oedi dim ar y ffordd i fod yn ferch i Efa.

Astudiodd Efa'r crafiad yn y drych ar wal y lolfa a'i ewyllysio i wthio gwaed i'r wyneb. Ond wnaeth e ddim. Doedd dim yno ond ôl bychan pinc lle roedd craith i fod.

*

Pan oedd byd Ceri heb ei agor, ac yn llawn o bosibiliadau, fel winwnsyn a phridd yr ardd yn dal ar ei war, pan oedd hi'n dal yn sownd wrth Efa fel drogen neu fel gefel, cludai Efa hi o gwmpas y tŷ mewn sling. Gwnaethai honno o un o garthenni'r gwely fel y gallai Ceri ddal i sugno'n fodlon heb i Efa orfod ei chynnal drwy'r amser â'i breichiau. Fyddai'r fechan byth yn sgrechian yn ystod y dyddiau hynny. Daliai'r sling hi'n agos ac yn dynn at ble roedd hi eisiau bod. Pe bai Efa wedi cael ei ffordd, fyddai hi byth wedi colli'i gafael.

Pedair wythnos oed oedd Ceri pan wenodd hi gyntaf. Rhywbeth tebyg i hanes pob babi mae'n siŵr, meddyliodd Efa. Ond i'w mam, doedd dim babi arall tebyg wedi bodoli erioed, nac yn mynd i fodoli. Daethai haul canol gaeaf i chwarae cuddio o'r tu ôl i'r cymylau, estyn i mewn trwy ffenest fach y tŷ a chusanu ei gwefusau, gan eu hymestyn, gwneud iddyn nhw ymateb i wynebau dwl Efa o'i blaen hi a'u troi'n wefusau go iawn yn lle'r gwefusau doli a fu ganddi ers ei geni. Haul i'w cusanu a gwneud iddyn nhw wenu.

Fe wenodd hi, ac fe wenodd Efa. Llamodd calon Efa mewn llawenydd i geisio cyffwrdd â'r haul. A daeth dagrau i wlychu'r fflamau ohono, dagrau llawenydd y fam.

'Brian, Brian, Brian!' galwodd Efa. 'Dere i'w gweld hi! Ma hi'n gwenu! Cwic!' Heb dynnu'r wên oddi ar ei hwyneb ei hun rhag i wên Ceri lithro. 'Brian!'

Clywodd Efa ef yn grwgnach yn ei wely.

'Dere! Cwyd! Ma hi'n gwenu!'

Eiliad brin. A dim mwy o fodd o ddal y wên nag oedd gan Efa o ddal iâr fach yr haf led gardd oddi wrthi.

'Dere, Brian! Ma hi'n dal i wenu!'

Rhagor o rwgnach wrth iddo godi'n drafferthus o'i gwsg.

'Ma hi'n gwenu! Ma hi'n gwenu!'

Aeth yr haul yn ôl y tu ôl i'w gwmwl. Llithrodd y wên reit i lawr wyneb Ceri, ac Efa wedi ceisio'i gorau glas i dawelu'r cyffro y tu mewn iddi a denu ei gŵr i'r ystafell yr un pryd. Glaniodd cysgodion wrth i Ceri fygwth llefen, yr un pryd ag y glaniodd cysgod Brian yn nrws yr ystafell.

'Beth nawr?' diamynedd.

'Rhy hwyr.'

Erbyn hyn roedd Ceri wedi dechrau llefen o'i hochr hi, llefen dagrau'r môr.

'Gwenu?' cyfarthodd yntau'n sarcastig gan ei throi hi'n ôl i'w wely.

Syllodd Efa ar ddagrau ei merch. Doedd babis ddim yn gallu llefen dagrau, dim ond llefen sych, sŵn a dim sylwedd. Ond roedd Ceri'n llefen dagrau.

Ei dagrau cyntaf hi.

*

Aeth Efa i'r cwt ieir i chwilio am wyau. Hi fyddai'n gwneud cinio i'w merch, siŵr dduw, er i Ceri ymosod arni – byseddodd Efa'r patsyn llosg ar ei boch, nad oedd yn llosgi mwyach chwaith – a hi fyddai'n clirio ar ei hôl. Rhoi, rhoi, rhoi a chael dim yn ôl. Ei bwydo, ei dilladu, cadw to dros ei phen. Oll yn orchwylion i'w cyflawni gan Efa. A chael crafiad yn ddiolch. Doedd y gweiddi ddim yn mynd i newid y drefn, ddim mwy nag y gwnaethai erioed.

Torrodd wy yn llaw Efa wrth iddi ystyried yr anghyfiawnder. Sychodd ei lysnafedd ar ei chardigan. Ble roedd y synnwyr? Fel pe bai Israel a'r Palesteiniaid yn cael toriad yn eu hymladd i eistedd i lawr gyda'i gilydd dros ginio bach wrth fwrdd y gegin – reit 'te, bois! Brêc am ginio!

Gwnaeth Efa omlet llawn gelyniaeth i Ceri a'i adael wrth ddrws ei hystafell wely.

Roedd golwg y diawl ar y gegin. Llestri'r oesoedd heb eu golchi, dillad brwnt a glân yn un bwndel digalon, y lloriau'n drwch o friwsion a llwch. Beth oedd pwynt trafferthu?

Llyncodd Efa weddill ei homlet stwnsiog hithau heb ei flasu a gadael y plât yn gwmni i'r gweddill ar y bwrdd coffi.

Palu! Syrcas o balu, dyna oedd ei angen ar Efa. Tynnodd ei welintyns am ei thraed a throi allan i'r ardd.

Roedd ganddi flodau gwyllt, na'd fi'n angof a briallu, blodau'r drain, llygad y dydd a blodau menyn, yn gwthio allan trwy'r craciau yn y concrid a amgylchynai'r tŷ, ond ni allai feddwl am eu chwynnu.

Ac roedd ganddi datws, moron, sbrowts, winwns, shlots, cabej, ffa, pys, gwsberins, mafon a letys i ddod yn barod ar wahanol adegau o'r flwyddyn. Roedd angen palu patsyn i'r pannas y bwriadai eu hychwanegu at y rhestr. Edrychodd am y fforch wrth geisio cofio pa adeg o'r flwyddyn oedd hi a phryd y dylai pannas gael eu hau. Dim ots. Câi balu, i'r diawl â hi. Chwysu ei thymer a'i rhwystredigaethau lu o'i system.

Ebrill. Fe wnâi'r tro. Eu sodro nhw yn y ddaear a gobeithio'r gorau. Câi'r rhew wneud fel y mynnai â nhw os dôi yn ei ôl. Gwell oedd gan Efa eira na haul beth bynnag, lluwchfeydd o eira gwyn heb ei dwtshyd, a hwnnw'n eu cloi nhw yn Nhy'n Mynydd gyda'i gilydd, gorfodi Ceri a hithau i fod ynghyd, ei chlymu fel babi mewn siôl wrth y fron, fel na wnâi'r haul byth.

Ond dyw hi byth yn bwrw eira fel 'na, meddyliodd Efa wedyn.

2

ROEDD PATRICK WEDI cyrraedd o fewn un poerad i oed yr addewid, ar ôl treulio'r rhan fwyaf o'i oes ddim yn gallu dirnad ei hun yn cyrraedd y fath oed.

Pwmpiodd ei goesau'n gyflymach ar y beic llonydd. Rhaid fyddai dal ati gymaint â hynny'n fwy cydwybodol nawr. Ac roedd troi'n chwe deg naw wedi ailddeffro rhyw feddwl ynddo'r bore 'ma am un naw chwe naw...

Dileu'r meddyliau negyddol! Teimlai ei anadl yn ymdrechu'n galetach i ddal i fyny â'i goesau. Hoeliodd ei olwg ar ei adlewyrchiad yn y drych o'i flaen. Roedd gweld ei hun mewn drych bob amser yn brofiad melysach nag y dylsai fod iddo, yn ei atgoffa bod yr holl ymarfer corff a rhedeg hyd strydoedd Caerdydd a cherdded yn y Cotswolds yn werth yr holl ymdrech. Yn ei feddwl, deugain oed oedd e, ac er bod y drych yn gwrthod gadael iddo dwyllo'i hun cweit i'r graddau hynny, onid oedd pob cylchgrawn yn honni'n ddiweddar mai deugain oedd y chwe deg newydd? Os felly, gallai basio'n ddeugain a naw ar binsh – yn ei feddwl e os nad yn y drych. Bu natur yn hael wrtho. Llwyddai rhai i drechu rhywfaint ar orthrwm amser ac roedd e'n un o'r rheiny.

Ystyriodd eto. Os oedd e'n ddeugain a naw, byddai'n hanner cant y flwyddyn nesaf, ac roedd hynny hyd yn oed yn codi arswyd arno. Cofiai ei angst pan oedd e'n wynebu'r hanner cant go iawn, ac yntau bryd hynny'n teimlo nad oedd e eto wedi troi'n ddeg ar hugain. Nawr, roedd yr addewid yn wincio arno drwy gil y drws ac yntau ond yn hanner cant o ran cyflwr ei gorff. Damia blydi amser!

Wel, roedd ganddo flwyddyn cyn hynny ta beth.
Pwmpiodd yn galed.

*

Roedd Sheila wedi bod braidd yn amharod i wneud rhyw sbloetsh
fawr er mwyn dathlu ei ben-blwydd. Gwyddai y byddai'n rhaid
paratoi dathliad mawr y flwyddyn nesaf wrth iddo gyrraedd
degawd arall (stwffio oed yr addewid, dylai fod wedi cael ei godi
i gant gyda throad y mileniwm) felly i beth oedd angen ei gor-
wneud hi eleni? Ffafriai hi ginio bach tawel iddyn nhw ill dau yn
yr Hilton neu allan yn un o'r gwestai gwledig, potel o siampên,
noson gymharol gynnar. Gallai geisio cael gafael ar Sophie ac
Alan i'w gwahodd i ymuno â nhw, er mai go brin y dôi Marcus
yr holl ffordd o'i ddigs yn y Waun Ddyfal. Noson fach deuluol
heb fawr o ymdrech, dyna oedden nhw wedi'i drafod.

Ond erbyn diwrnod ei ben-blwydd, roedd gan Patrick
syniadau eraill.

'Rhaid i ni gael James a Phillippa draw, siŵr.'

'I beth ei di i'w tynnu nhw yr holl ffordd o Lundain?'

'Twt. Fe fydd e'n disgwyl cael gwahoddiad i barti pen-blwydd
ei frawd. Roedd e draw 'ma y llynedd, a'r flwyddyn cynt.'

'Hei, dal dy dir am eiliad. Beth oedd y gair 'na ddwedest ti?
Parti? O'n i'n meddwl 'yn bod ni wedi cytuno taw'r flwyddyn
nesa y bydd y parti.'

'Noson fach neis 'da ffrindie, dyna dwi'n feddwl. Galli di daro
chydig o fanion yn y ffwrn.'

'Patrick King, y babi mawr!' chwarddodd Sheila. 'Yn methu
ystyried dathlu'i ben-blwydd heb gael parti.'

'Ti'n gwbod beth 'wy'n feddwl,' gwingodd Patrick. 'Noson
fach dawel…'

'Gyda hanner Caerdydd yn bresennol.'

'James a Phillippa, dyna i gyd. A Sophie ac Alan os nad oes

dim byd arall ymlaen ganddyn nhw.' Oedodd, cyn ychwanegu: 'A Sy a Lydia wrth gwrs, allwn ni ddim peidio gofyn i Sy a Lydia.'

'Pryd o fwyd i wyth, dyna sy 'da ti mewn golwg? Dyna sy o 'mlaen i heddiw?'

Daliodd Sheila ei hun yn gwenu wrth ei wylio'n ceisio'i orau i feddwl am ffordd arall o'i roi, er mwyn rhoi siwgwr ar y bilsen.

Roedd e'n edrych gymaint yn iau na'i oed wrth iddo sefyll o'i blaen yn ei grys. Llwyddasai'r awr yn y *gym* i roi gwrid o bincrwydd iach ar ei fochau, a gwelai y diferyn lleiaf o chwys yn gwlitho'i wallt brith. Corff dyn hanner ei oed oedd ganddo, fe wyddai Sheila, ac am hynny roedd hi'n methu'n llwyr â chredu ei lwc, er ei bod hithau'n para mewn cyflwr digon da ei hun – diolch eto i'r *gym* a osodwyd yn yr estyniad bum mlynedd yn ôl.

'Wel…' dechreuodd Patrick gan wisgo'i drowsus amdano. Hofranai o un goes i'r llall yn ddiawledig o atyniadol hyd yn oed cyn gwisgo siaced ei siwt. 'Rhyw fanion…'

Aeth Sheila ato i'w gofleidio.

'Wrth gwrs, 'y nghariad i. Os taw parti mae Patrick moyn, parti geith e. Fe a' i i newid y dillad gwlâu i James a Phillippa. Ac wedyn fe a' i i siopa am fanion.'

Pwysleisiodd y gair, cyn ei oglaish yn chwareus. Pwysodd yntau ei ben i wallt ei wraig – a arogleuai o fwyar yr haf a lliw y lle trin gwallt yn gymysg – cyn codi ei gên â'i fys at ei wefusau.

'Pryd mae dy ddarlith di?' gofynnodd Sheila braidd yn gryg a'r gwrid yn codi i'w gwddf. 'Oes amser 'da fi i roi presant pen-blwydd bach arall i ti cyn i ti fynd?'

Gwenodd Patrick yn awgrymog arni. 'Beth oedd gen ti mewn golwg?'

'Hm,' cododd Sheila ei haeliau. 'Beth fyddai'n gwneud presant da i ddyn sy'n chwe deg naw mlwydd oed heddiw…?'

3

'MA HI! 'MA ddyfodol yr iaith!' cyhoeddodd Morwen wrth alw i'w gweld nhw ill dwy yn yr ysbyty pan gyrhaeddodd Ceri'r byd. Gwasgodd y bwndel bach ati'n dynn heb adael i'w masg lithro unwaith i fradychu cenfigen yn sgil y blynyddoedd hir o drio'n ofer am fabi ar ei rhan hi a Huw. Hi'n ddifabi a finnau'n ddiriant, meddyliodd Efa wrth wylio'i chyfyrderes yn ymroi i'w greddfau mamol, a oedd yn prysur fynd yn wastraff.

'Falle daw dy gyfle di 'to,' meddai Efa wrthi gan chwalu, ar amrantiad – heb iddi fwriadu gwneud hynny – rith yr eiliad i Morwen.

'Falle,' meddai Morwen, gan fwytho gwar y babi â'i thrwyn.

Magodd Morwen lawer ar Ceri. Ei magu yn y bylchau rhwng y sugno, er nad oedd cymaint â hynny o'r rheiny. Ei magu wedyn pan fyddai Efa'n rhy brysur yn ceisio patsio'i pherthynas â Brian – neu'n rhy brysur yn ei chwalu: gweiddi, p'run bynnag, dramatics, hysterics, yn gwneud y drwg yn waeth yn lle'i wella, un cowdel anniben o eiriau dolurus, clepio drysau a cherdded i ffwrdd.

Ac wedyn, fe adawodd Brian beth bynnag, a'r tro hwnnw ddaeth e ddim yn ôl atyn nhw. Gadael Efa a'r babi, yn ddieithr yn y dref, yn ddieithr i hen ffrindiau, yn ddieithr iddi hi ei hun. Fe arhosodd Morwen. A deuai i fyny i Dy'n Mynydd droeon wedyn, yn syth wedi i Efa godi'i phac – yna ymweld o bryd i'w gilydd, nes dechrau peidio â galw, fel diferion tap cyn sychu. Roedd ganddi hi a Huw eu gofidiau eu hunain, heb fynd i gario rhai Ceri ac Efa hefyd.

Roedd i'r tyddyn bach tila ei rinweddau. Yn un peth, roedd yn ddigon pell o'r dref ac oddi wrth Brian, ac o fewn pellter cerdded i bentref bach Pen-cwm, er bod llethr go serth rhwng y tyddyn a'r pentref.

Ymneilltuo. Gwyrdd oedd y label arno. Ceisio byw rhyw freuddwyd o led hunangynhaliaeth heb allu ei chynnal hi ei hun heb sôn am Ceri hefyd. Ond fe lwyddodd Efa, os mai hyd a lled llwyddo oedd bod y ddwy yn dal yn fyw ac o dan yr un to.

Tan i Ceri gael ei tharo gan flynyddoedd ei harddegau gallai Efa ddweud eu bod nhw ill dwy yn ddigon bodlon. Sylweddolodd hi ddim, wrth iddi groesi trothwy Ty'n Mynydd am y tro cyntaf, y byddai yna wyro oddi ar lwybr ei huchelgais dros Ceri. Beth oedd mor anarferol o anodd ynghylch mynd i goleg, er enghraifft? Dyna a wnaethai Efa ei hun, heb gyfarthiad mam i'w hel hi yno. Dyna a wnaethai, heb feddwl, am mai dyna oedd llwybr ei thad-cu ar ei chyfer, a'i mam-gu cyn i honno ei gadael.

A dyma Ceri nawr yn gwneud ei gorau i adael yr ysgol heb gymwysterau o gwbl.

Fforchiodd Efa'r tir caled yn ffyrnicach a theimlo'i hanadl yn llosgi gan yr ymdrech. Fe gymerai lai o ymdrech ar ran Ceri i gydymffurfio na gwrthsefyll. Pam na allai hi weld hynny? Dim ond ildio, a dibynnu ar y gallu digamsyniol oedd ganddi i'w chario drwy'r arholiadau, yn lle'r cau drws diddiwedd ar unrhyw gyfle a rôi ei drwyn heibio i'w chymell.

Roedd Ty'n Mynydd yn nefoedd unwaith. Nefoedd i ddwy.

Clywodd Efa glecian sodlau ar y lôn ar waelod yr ardd a chododd ei phen i weld Shelley'n nesu. Hi a'r olwg wag barhaus honno ar ei hwyneb a wnâi iddi edrych fel pe bai hi newydd lanio ar y ddaear a heb ddechrau cofnodi'r hyn oedd yma.

Fel arfer, câi Efa hi'n anodd ymwrthod â'r ysfa i fynd wyneb yn wyneb, drwyn yn drwyn â Shelley a gweiddi 'Bw!' Roedd Efa'n rhyw led amau na fyddai hi hyd yn oed yn blincio.

'Shelley. Ti'n iawn?'

'Y… ie.'

Math o ateb, mae'n debyg.

'Pentre'n dal 'na, odi fe? Dim êliyns wedi glanio a'i ddwyn e bant i neud tests arno fe?'

'Na.'

Heb fflinsio modfedd. Cyfan gwbl o ddifri. Fel pe bai Efa wedi gofyn a oedd hi'n bwrw glaw lawr 'na.

'Falch o glywed.'

'Paid neud sylw ohoni.' Clywodd Efa lais ei hepil o gyfeiriad carreg y drws. 'Ma hi'n ca'l *hissy*.'

'*Fi*'n ca'l…'

Clepiodd y drws ar gau rhyngddi a'r ddwy ferch wedi i Ceri dynnu Shelley drwyddo.

'… *hissy*?'

Gwrthododd y drws â'i hateb. Dychmygodd y fuddugoliaeth y byddai'n ei theimlo wrth weld yr epil a'i chydymaith yn gorfod cerdded i lawr i'r lle bỳs yn eu sodlau pan wrthodai Efa roi lifft i'r ddwy. Ond sut gallai hi deimlo buddugoliaeth, meddyliodd wedyn, a hithau ddim hyd yn oed yn cael cyfle i wrthod rhoi'r lifft os na fyddai Ceri'n gofyn amdani? Gallai fynd atyn nhw a dweud 'Na, ddim tro 'ma' heb i Ceri ofyn, a gwylio'r ddwy, yr epil a'i seid-cic, yn pigo'u ffordd rhwng lympiau o ddom buwch Mr Mukherjee, ac efallai y gallai hithau fynd i mewn i'r car a'i yrru fe heibio iddyn nhw, gwenu'n llydan wrth eu pasio cyn troi rownd ar waelod y lôn a'u pasio am yn ôl gan wenu'r un fath yr eildro. Nawr 'te, byddai hynna'n siŵr o wylltio Ceri.

Ond nid eisiau ei gwylltio hi oedd Efa, lawr yn nyfnder ei chalon. Eisiau iddi ddifaru oedd hi, difaru'r holl bethau cas roedd hi wedi'u dweud, teimlo euogrwydd y canrifoedd yn gwibio trwy ei gwythiennau, gwneud iddi gyrlio'n ffetws o gywilydd, dyna'r cyfan, a…

A beth?

Daliai Efa i bwyso ar ei fforch a'r tŷ'n ei gwylio'n dwp reit ei olwg o dan ei guwch, yn debyg iawn i wyneb Shelley.

*

Bu ganddi ddelfrydau unwaith. Delfrydau fel trysorau roedd hi'n barod i aberthu llawer drostynt. Gwnaeth ei siâr o weiddi a phrotestio dros yr Hi arall honno cyn i Ceri hawlio'r cyfan ohoni. Ni phoenai ddim am sefyll yn llwybr ceir a phlismyn, a phoenai lai am eu rhegi. Yr hyder ei bod hi'n iawn fel llong fawr oddi tani. Aeth Ceri â hwnnw oddi arni. Troi cefn ar y protestio am funud fach tra'i bod yn magu, dyna'n unig oedd ei bwriad, ond fe drodd y funud yn flynyddoedd. Blynyddoedd o beidio protestio, dim ond magu. Magu'n esgus, ond magu'n rheswm hefyd, a Morwen wedi dweud mai Ceri oedd dyfodol yr iaith.

Aeth i mewn i'r tŷ ar ôl taflu'r fforch ar y pridd caled. Roedd Ceri'n peintio'i hwyneb yn y drych a Shelley'n ei gwylio'n gegrwth, wag.

'Mynd i'r ysgol, wyt ti?' holodd Efa gan geisio tynnu'r coegni oddi ar ei llais, ond wrth wneud hynny swniai'n sylw mwy sarcastig byth.

'Ffac off, Mam.'

'Ysgol Pen-cwm?' holodd Shelley o rywle.

'Ysgol Pen-cwm? Nage, Shelley fach, ma Ceri wedi gadel Ysgol Pen-cwm ers pum mlynedd, cofia. A tithe 'fyd. Ysgol dre. Lle ma hi fod yr eiliad 'ma.'

Hofranodd y geiriau dros ben Shelley, ond roedd llygaid Ceri'n berwi magma am i Efa feiddio bychanu ei ffrind, er nad oedd Shelley ei hun ronyn callach.

'Ma'n nhw'n cau Ysgol Pen-cwm,' meddai Shelley wedyn yn ddidaro fel pe na bai Efa wedi agor ei cheg.

'Beth?'

'Lle ti'n byw, Mam? Ma pawb yn gwbod bod hi'n mynd i gau.

23

Pawb ond *ti*. A gore po gynta 'fyd, o'n i'n hêto'r ysgol fach. Blydi twll o le, 'na beth o'dd hi.'

'Pryd? Pwy wedodd? Pryd benderfynon nhw hyn?' saethodd Efa y cwestiynau at Shelley, a oedd yn Fastermind Plant Cymru bellach.

Câi Efa waith credu iddi fod yn byw dan garreg i'r fath raddau fel nad oedd hi wedi clywed gair. Roedd hi'n ymwybodol bod 'na gweryla wedi bod yn y sir a bod y fwyell yn hofran uwchben yr ysgol ers amser maith, ond doedd hynny'n ddim byd newydd. A dweud y gwir, doedd hi ddim yn cofio adeg pan na fu'r fwyell uwch ei phen.

'Darllena'r papur,' gwawdiodd Ceri'n drwynsur. 'Fel 'na ddysgi di.'

Fyddai Efa ddim yn sychu ei phen-ôl â'r *Cambrian Mail* gwrth-Gymreig, ac roedd Ceri'n gwybod hynny wrth iddi wawdio ei mam.

'Dy'n nhw ddim yn ca'l. Ddim tra bo gwyntyn ar ôl yn 'y nghorff i!'

'Ti off dy ffacin ben 'te,' meddai Ceri. 'Dere Shelley, ma hi off 'i ffacin phen. Wastad 'di bod.'

'Lle ti'n mynd?' galwodd Efa ar ei hôl. 'Ti'n mynd i'r ysgol?' A gwybod ar yr un pryd nad oedd hynny'n debygol, a hithau wedi sbeicio'i gwallt a gwisgo'i sodlau a'i mini a'i ffishnets a'r holl weddill du a *sequins*. 'Dere 'nôl fan hyn, 'wy'n siarad 'da ti!'

Anelodd y ddwy am y drws.

'Paid ti meiddio mynd mas drwy'r drws 'na!' gwaeddodd Efa ar ei hôl. Clepiodd y drws ar gau. Dilynodd Efa.

'So ti'n mynd mas o'r tŷ 'ma!' gorchmynnodd yn uwch wrth sodlau'r ddwy. Roedd Ceri gryn chwe modfedd yn dalach na'i mam yn nhraed ei sanau, felly pa obaith?

'Paid ti meiddio mynd mas drwy'r iet 'na!' bloeddiodd Efa ar ei hôl oddi ar garreg y drws.

Aeth y ddwy drwy'r iet i'r lôn.

'Y fuuuuuuuuwch!' sgrechiodd Efa.

Daeth bref o'r drws nesaf lle roedd buwch Mr Mukherjee yn ei gwylio'n gwylltio gan gnoi ei chil fel pe bai wedi hen arfer.

Y tu ôl iddi, gwenai Mr Mukherjee ar Efa fel pe bai holl ogoniant y cread wedi'i ymgnawdoli ar ei gwedd.

Dechreuodd y dagrau bowlio.

*

'Rhaid i chi beidio cynhyrfu am bethau bach, Mrs Williams.' Llafarganai ei lilt Indiaidd o gwmpas ei phen wrth iddo estyn cwpanaid o de camomeil i'w dwylo. Ciliodd yr hyrddiadau o lefen yn raddol.

Ceisiodd Efa ei ddychmygu'n gorfod dioddef eu sŵn nhw ill dwy'n crasio drwy'r waliau i'r gegin fach ddiddos hon. Llwyddai'r ystafell i dynnu'r bustl o'i thymer yn well na'r unlle yn ei thŷ hi.

Doedd ganddo ddim llawer o eiddo i gyd. Cadair freichiau a soffa fach bwt, sinc, cwpwrdd, stôf a ddechreuodd ei hoes yn ystod y 50au a lle tân agored lle llosgai frigau a'r tamaid lleiaf o lo, y byddai'n ei gario fesul sachaid y mis yn sedd gefn ei gar bach o'r dref. Ni wnâi Mr Mukherjee lawer o arian o'i swydd ran-amser y tu ôl i ddesg y ganolfan hamdden yn y dref dri phrynhawn yr wythnos, lle byddai'n prosesu taliadau am wersi nofio'r plant, ac weithiau y tu ôl i gownter y caffi. Gwnâi ddigon mewn cwta bymtheg awr yr wythnos i'w gadw'n rhydd am weddill yr amser i ddilyn ei drywydd ei hun drwy fywyd, heb gymhlethdod.

'Does 'da chi ddim merch yn 'i harddege, Mr Mukherjee, â phob parch.'

'Digon gwir, Mrs Williams. Digon gwir.'

Sut ddiawl gallai e ddeall? A dyn oedd e.

'Parch.' Eisteddodd gyferbyn â hi ar y stôl wrth y tân, yn barchus o bell oddi wrthi. 'Mae e wedi mynd ychydig bach yn hen ffasiwn, rhaid i fi gyfadde.'

Pe bai Efa'n gallu canu ei geiriau fel y gwnâi hwn, meddyliodd, fyddai Ceri byth yn dweud 'Ffac off' wrthi.

'Maen nhw'n mynd i gau'r ysgol yn y pentre, Mr Mukherjee.'

'Ysgol Pen-cwm? Pwy sy'n gwneud y fath beth?'

Pefriai ei lygaid fel soseri uwch ei gwpan te.

'Y rhai sy bia hi,' meddai Efa, cyn cywiro'i hun. 'Ddim nhw pia hi 'waith, nage fe? Y bobol sy, y pentre. Meddwl mai nhw sy pia hi ma'r cyngor.'

'Bydd hynny'n drueni mawr.' Edrychodd i mewn i'w de.

'Mwy na thrueni, Mr Mukherjee.' Teimlai Efa ei gwaed yn codi i'r berw wrth feddwl am y peth eto. 'Byddai'n drasiedi. I'r plant, i'r pentre – mae'n marw ar ei draed – ac i'r iaith. Mae honno'n marw ar ei thraed hefyd.'

'Ie, ie.' Swniai ei gytundeb yn ddiamynedd, ond roedd y truan wedi hen glywed y dadleuon ganddi yn y dosbarthiadau Cymraeg.

'Ma'r lle 'ma'n llenwi â Saeson,' meddai Efa heb allu atal y llif, 'yn llawn o *white settlers.*'

Roedd y geiriau allan cyn iddi allu rhoi rhwymyn am ei thafod. Doedd ei wyneb lliw lleder hen bwrs ddim yn bradychu dim malais er hynny. Prin y llithrodd ei wên o gwbl. Pe bai hi wedi llithro, go brin y byddai Efa wedi nabod y dyn. Fyddai e byth yn dod i'r golwg heb ei wên. Anodd ganddi gredu ei fod e'n ei diosg hi i fynd i'r gwely hyd yn oed.

'Ddim hynna 'wy'n feddwl,' dechreuodd hithau eto fel llo. 'I mean…'

''Wy'n gwbod. That is why I decided to learn your beautiful language, Mrs Williams.'

Cymerodd sip o'i de, a llwyddo eto fyth i gadw'r wên hyd yn oed wrth sipio.

'Y lleill yw e…' Dechreuodd ei athrawes Gymraeg geisio dringo allan o'r twll roedd hi newydd ei balu iddi hi ei hun.

'It's always *y lleill*,' ategodd Mr Mukherjee a theimlodd Efa frath cydwybod. Rhoddodd yntau y cwpan yn ôl yn daclus ar y soser yn ei gôl. 'Fe ddes i o India i Lundain yn y flwyddyn mil naw cant wyth deg a phump,' meddai. 'Ond doedd Llundain ddim at fy nant. The life, you know.'

'Ie, 'wy'n gwbod.'

Roedd hi'n gwrido o gywilydd bellach, gan wybod mai ei geiriau hi oedd wrth wraidd ei ysfa i esbonio.

'Dyna pam ddes i i'ch gwlad fendigedig chi ym mis Gorffennaf mil naw cant wyth deg ac wyth. A dwi ddim wedi difaru.'

Teimlai hithau fod yn rhaid iddi ddal ati i geisio egluro nad beirniadaeth ohono fe – o bawb – oedd ei geiriau.

'Ar yr iaith mae'r bai, Mr Mukherjee.'

'Wrth gwrs, Mrs Williams. Yr iaith. Rydych chi'n gywir. Yn llygad eich lle. Ar ôl iddi fynd, fydd hi ddim yn dod 'nôl. Rhaid i ni ofalu amdani, ei pharchu a'i charu. Mae hi fel merch i ni.'

Roedd y creadur bach yn deall yn iawn, a'i lygaid annwyl yn dangos nad oedd e wedi gweld yn chwith wrth iddi fwrw drwy ei phethau.

'Hi sy'n 'y ngwneud i'n grac,' meddai Efa.

'Indeed,' atebodd Mr Mukherjee a sychu diferyn o de oddi ar ymyl y soser â'i fawd.

4

'BETH WNEI DI o'r toriadau diwetha 'ma i gyllid yr adran?' gofynnodd Sy gan estyn am *canapé* bach eog a *brie* oddi ar y bwrdd coffi llawn danteithion lliwgar 'aros pryd' o'u blaenau.

Gwyliodd Patrick e'n llowcio'r danteithfwyd yn gyfan cyn iddo ei ateb. Roedd Sy yn dechrau magu bol ac yntau ddeng mlynedd yn iau nag ef. Magodd Patrick ei wydr gwin.

'Nid fy lle i yw dweud y dyddiau hyn,' meddai. 'Dwi allan ohoni.'

'Go brin,' chwarddodd Sy. 'Fe fyddi di gyda ni tan y diwedd un – pryd bynnag fydd hynny.'

Meddyliodd Patrick am y wasgfa ariannol y bu'r adran astudiaethau geneteg yn ei hwynebu bron ers cyn cof. Doedd gan wleidyddion, na'u gweision bach yn adran gyllid y Brifysgol, ddim oll i'w ddweud wrth wyddoniaeth – a llai byth wrth wyddoniaeth enynnol. Philistiaid oedden nhw, Philistiaid gwrthwyddonol. Heb ddim iot o gefndir gwyddonol, credent mai'r celfyddydau oedd yn rhoi'r polish ar feddyliau, yn rhoi lliw i fywyd, yn cadw'r olwynion i droi. Tueddai gwleidyddion i hanu o gefndir celfyddydol, nid o gefndir gwyddonol, a dyna oedd wrth wraidd eu penderfyniadau wedi iddyn nhw ddod i rym. Diolchodd unwaith eto nad oedd hi mor wael yn y wlad hon ag roedd hi yn America, o leiaf, er bod pethau'n gwella yno ers i'r Bush neanderthalaidd 'na fynd.

'Ar lawr y labordy mae arian yn cyfri.' Ailadroddodd Patrick ei bregeth fel mantra. 'Y gwneud sy'n cyfri, nid y siarad amdano. Ymchwil, ymchwil a rhagor o ymchwil. Rhyw fymryn o ddarlithio fydda i'n ei wneud nawr, ychydig o siarad am y gwneud. Nid fy mhroblem i yw cyllido ymchwil rhagor.'

Teimlodd y pwl o chwerwedd a ddôi drosto'n gynyddol wrth iddo dyfu'n hŷn na welsai'r Brifysgol yn dda, hyd yn hyn, i roi cadair er anrhydedd iddo, ond gwthiodd y teimlad o'r neilltu. Roedd gan Patrick King bob dim roedd ei angen arno heb fynd i chwenychu rhyw drimins bach ychwanegol felly. Ac roedd y Brifysgol wedi bod yn ddigon hael i'w gadw fel darlithydd achlysurol rhag ei droi allan i bori.

Daeth Lydia atyn nhw i siarad am ysgolion. Pa bryd y câi waredigaeth rhag y fath sgyrsiau, meddyliodd Patrick. Un gwendid o fod yn hŷn na'i gyfeillion oedd bod ei blant e wedi hen orffen eu haddysg ysgol, ac epil ei ffrindiau'n dal yn gymharol ifanc. Pam na allai Lydia weld nad oedd ganddo ddiddordeb bellach yn rhagoriaethau'r sector preifat dros y sector cyhoeddus, na manteision addysgol ysgolion Cymraeg y ddinas dros rai o'r lleill?

'Y peth ydi,' daliai Lydia i rygnu yn ei blaen. 'Mae Annabel ni'n cymysgu'n well 'da'i ffrindiau yn Cardiff High nag y byddai Richard. Ac mae ffrindiau Richard â'u llygaid ar Lantaf. Wel, allwn ni ddim â'i anfon e i fan 'ny, allwn ni, a fynte a ninne heb air o Gymraeg, er bod yr addysg yn well yno. Dyna'r peth. Ry'n ni'n cael ein cosbi am nad y'n ni'n siarad Cymraeg, on'd y'n ni? Mae pawb yn dweud mai nawr yw'r amser, ac yntau'n un ar ddeg, i wneud y newid a'i anfon e i ysgol breifat. Beth yw ychydig o aberth ariannol er mwyn addysg y plant? Ond ydi hynny'n mynd i elyniaethu Annabel yn y tymor hir, dyna'r cwestiwn: ydi hi'n mynd i deimlo'i bod hi wedi cael cam os caiff Richard addysg breifat? Ydyn ni'n gwahaniaethu ar sail rhyw os eith Richard i ysgol breifat a ninne heb roi addysg breifat i Annabel?'

'Dim ond chi all benderfynu,' meddai Patrick gan sganio'r

ystafell am ei frawd neu Sheila. Gwelodd fod ei wraig wedi mynd allan i'r cyntedd i agor y drws. 'Esgusodwch fi,' meddai wrth Sy a Lydia gydag anadliad o ryddhad nad oedd yn rhy amlwg, gobeithio, ac anelu am y cyntedd. Gadawodd y pâr yr un mor ddryslyd eu meddyliau ynghylch pa lwybr addysgol i'w ddewis i Richard bach.

'Sophie.'

Cofleidiodd ei ferch yn dynn, a rhoi pat bach i ysgwydd ei fab yng nghyfraith. 'Dowch i mewn, dowch i mewn.'

Estynnodd Sophie becyn bach a rhuban coch arno a'i roi yn ei ddwylo.

'Pen-blwydd hapus, Dad. Dyw e fawr o beth. Beth y'ch chi'n brynu i'r dyn sydd â phopeth ganddo, e?'

Agorodd Patrick y pecyn bach yn awchus. Tynnodd goil metel lliwgar allan, a'i adnabod yn syth.

'Yr helics dwbwl!' chwarddodd.

'I ti ei osod ar dy ddesg,' meddai Sophie.

'Ydi e'n gwneud rhywbeth?' holodd Patrick yn chwareus.

'Yr helics dwbwl?' tynnodd Sophie ei goes. 'Dim ond cynnal pob ffurf ar fywyd ar y ddaear 'ma! Galli di ddala pensiliau ynddo fe am wn i,' ychwanegodd.

Cofleidiodd Patrick hi'n gynnes.

'Gwmws beth ydw i wedi bod eisie erioed.'

Gosododd y coil metel a'r cwdyn y daeth ynddo ar y ford fach yn y cyntedd ochr yn ochr â'r pedomtr arian a gafodd gan James a Phillippa a'r llyfr ar ffiseg gwantwm gan Sy a Lydia.

'Drychwch pwy sy 'ma!' cyhoeddodd wrth weddill y cwmni gan arwain Sophie i mewn. Trodd pawb i gyfarch Sophie drwy ei chofleidio neu ei chusanu ar ei boch, a rhyw 'Helô' bach wysg eu hochr neu ysgwyd llaw bach sydyn ag Alan. Doedd e erioed wedi perthyn yn iawn, efallai am na allai drafod unrhyw fater gwyddonol, a daliai i deimlo fel pysgodyn allan o ddŵr braidd, er ei fod yn briod â Sophie ers pum mlynedd fwy neu lai.

'Galla i estyn y prif gwrs nawr 'te,' meddai Sheila gan anelu am y gegin. 'Nawr bod pawb wedi cyrraedd. Os ewch chi i eistedd wrth y ford…'

5

Â 'I DWY LAW, tynnodd Efa ar yr ychydig wallt a oedd ganddi a difaru ei dorri'n sbeics wrth weld cyn lleied o afael oedd i hanner modfedd o wallt. Gwnaeth ystum 'Aaaaaa' na lwyddodd i ddychryn yr un o'i dysgwyr gan fod Efa'n aml yn sgrechian yn y gwersi. Roedden nhw wedi cyrraedd y sgwrsio rhydd ar ddiwedd y wers ac Adrian wedi bachu'n sownd yn y drain bron cyn iddo agor ei geg.

Rhoddodd gynnig arall arni: 'Bywiais i yn Henley-on-Thames am saith blynyddoedd.'

'Dim ots,' meddai Efa wedyn a gostwng ei breichiau. 'Drïwn ni rywbeth haws. Adrian, ble wyt ti'n byw?'

'Yn Carreg Coch,' meddai Adrian gan ochneidio. Roedd e wedi bod yn dod i wersi Cymraeg ers blwyddyn a hanner a doedd e ddim eto wedi llwyddo i ddweud fawr mwy na'i enw a'i gyfeiriad yn Gymraeg – heb y treigladau.

'Da iawn,' meddai Efa. 'Yng Ngharreg Goch. Nawr, Adrian, ble roeddet ti'n arfer byw?'

'Yn Henley-on-Thames,' atebodd yn ddiolchgar. Roedd e'n datblygu i allu dweud rhywbeth newydd. A doedd dim angen treiglo Henley-on-Thames.

'Beth yw dy waith di?' holodd Efa wedyn, gan gadw at y pethau syml am y gwyddai pa mor agos i roi'r gorau i'r holl fusnes dysgu Cymraeg 'ma oedd Adrian. Roedd hi eisoes yn difaru gwylltio. Dim ond wyth oedd yn dal ar lyfrau'r dosbarth, a dau neu dri o'r rheiny ond yn dod i'r golwg unwaith neu ddwy bob blwyddyn.

'Gwaith fi yw rhedeg tafarn,' meddai Adrian yn hynod o

falch ohono'i hun am unwaith. 'Fi yw barman gorau'r wlad,' ychwanegodd wedyn wrth gofio gwers ar ansoddeiriau cymharu rai wythnosau ynghynt.

'Da iawn!' bloeddiodd Efa, yn llawn syndod iddo lwyddo i gofio cymaint. Trwy gornel ei llygaid, roedd hi'n gweld Roberta Fothersham yn anesmwytho am fod Efa wedi rhoi dwy funud gyfan o'i sylw diwahân i Adrian, coes glec y dosbarth.

'Beth yw dy waith di, Roberta?' Trodd at y ddynes fawr lwydwalltog yn y siwmper fohêr oren a phiws.

'O, ym, rwy wedi ymddeol ers pedair blynedd,' dechreuodd Roberta.

'Da iawn,' meddai Efa.

'Rwy'n byw yn Lôn Groes ac mae gen i ddwy gath. Mr Tibbs a Stanley Baxter yw eu henwau nhw. Rwy'n hoffi cathod. Rwy… roeddwn i'n athrawes cyn i fi ymddeol.'

'Why can she say all that and I can't even treigl-thingy my own house?'

'Amynedd, Adrian,' meddai Efa. Roedd Roberta wedi bod yn dod i'r gwersi ers saith mlynedd.

'Wha'sa?' holodd Adrian.

'Patience,' snapiodd Efa i'w gyfeiriad.

Pesychodd Mr Mukherjee. 'Os caf i…?' mentrodd. Pam na fwriai ati fel y lleill yn lle gofyn ei gwestiwn bach rhagymadroddol bob tro fel pe bai ei bresenoldeb ar y ddaear yn ddim byd ond niwsans pur i bawb a'i hadwaenai? Nodiodd Efa.

'Roeddwn i'n arfer bod yn athro hefyd. Ym Mwmbai, cyn i fi symud i Lundain. Athro daearyddiaeth oeddwn i ym Mwmbai. Roeddwn i'n dysgu daearyddiaeth i blant y prif weinidog, Rajiv Gandhi, cyn iddo gael ei ladd gan fwled terfysgwr.'

'Waw!' ebychodd Efa.

'Wir?' meddai Roberta.

'What did he say?' Trodd Adrian at Helga a eisteddai wrth ei ymyl.

'Roedd Rajiv Gandhi yn hoffi chwarae cardiau,' meddai Mr Mukherjee. 'Roedd e'n hoffi chwarae ffliwt yng ngherddorfa ieuenctid India hefyd cyn iddo ddechrau astudio gwleidyddiaeth.'

'Iesgob,' ebychodd Efa, ond roedd rhywbeth yn ei chadw rhag mynd dros ben llestri yn ei syndod hefyd.

'Na, na,' meddai Mr Mukherjee, 'dwi ddim yn dweud y gwir. Dim ond ymarfer fy Nghymraeg dwi.'

'So, ti ddim wedi nabod Gandhi – Rajiv Gandhi – felly?' holodd Roberta, yn y niwl unwaith eto. Nid dyma'r tro cyntaf i Mr Mukherjee roi rhaff go hir i'w ddychymyg wrth ymarfer ei Gymraeg.

'Ddim o gwbwl,' meddai Mr Mukherjee. 'Dwi – doeddwn i ddim yn nabod Rajiv Gandhi cyn iddo farw.'

'Pan oedd e byw,' meddai Efa.

'Pan oedd e byw,' ategodd Mr Mukherjee. 'Nac ar ôl iddo farw.'

'Da iawn,' meddai Efa wrtho. 'Mae dy Gymraeg di'n arbennig o dda.'

Doedd fawr o fai ar Gymraeg yr hen Anil Mukherjee o gwbl, ac yntau wedi bod wrthi'n ddygn yn dysgu ers blynyddoedd mawr.

'Dwi ddim eisiau dweud celwydd,' meddai Mr Mukherjee. 'Dim ond tynnu coes.'

'Da iawn, beth bynnag.' Roedd Efa'n dechrau blino ar ganmol, ac ar glywed ei llais ei hun hefyd. Penderfynodd ddirwyn y wers i ben rai munudau'n gynnar.

'Cofiwch ymarfer gatre,' cynghorodd nhw eto. 'Gyda'r gath a'r ci – a'r fuwch, Mr Mukherjee!'

'Mae'r fuwch yn rhugl,' atebodd yntau gan wenu'n fwy llydan byth.

Chwarddodd Efa. Hawdd y gallai gredu. Yna cofiodd am yr ysgol a gofynnodd i'w dosbarth a oedden nhw'n gwybod unrhyw beth pellach. Roedd Adrian a Helga eisoes yn ymwybodol fod dyddiau'r ysgol yn dirwyn i ben, gan fod ganddyn nhw blant yno.

'Os dim arian, wel mae e'n OK, *isn't it?*' meddai Adrian, y Tori mawr. 'Mae ysgol yn y dref.'

'Beth am y pentre?' holodd Efa. 'Bydd y pentre farw os yw'r ysgol yn cau. Ac mae ysgol y dre yn Seisnigaidd iawn.'

'Dyw iaith ddim yn pwysig,' dechreuodd Adrian cyn methu eto. 'It's not the be all and end all, is it?'

'Sut wyt ti'n gallu dweud 'na ar ôl dod i ddysgu Cymraeg bob wythnos?' dadleuodd Roberta.

'I just want to learn enough so that my customers appreciate the effort,' meddai Adrian. 'I never thought it would take this long.'

'Byddwn ni'n gorfod cyfarfod rhywle arall?' gofynnodd Helga.

'Yeah, come to the Feathers. I'll knock a few pence off the price of a pint,' meddai Adrian, yn ddigon o ben busnes i weld ei gyfle.

'A hoffaf i peint? A hoffet ti peint? A hoffa fe peint? A hoffa hi peint?' chwarddodd Roberta.

'Beint,' cywirodd Efa, heb fawr o amynedd. 'Dwi ddim mor siŵr fod dysgu Cymraeg ac yfed alcohol yn mynd gyda'i gilydd…'

Wyddai hi ddim a oedd hi'n cytuno â'i rhesymeg ei hun chwaith. Gallai gredu y byddai rhywfaint o gwrw'n gwneud y byd o les i lacio tafodau un neu ddau o'r rhain.

'Ond ddim dyna yw'r pwynt,' mynnodd wedyn. 'Dwi ddim eisiau i'r ysgol gau. Os y'n nhw'n meddwl fod Pen-cwm yn rhy fach i gynnal ysgol, beth nesa? Rhyw ddydd, bydd y pentrefi mawr yn mynd yn rhy fach i gynnal ysgol, ac wedyn dim ond yn y trefi y bydd ysgolion, a bydd hi wedi canu ar y Gymraeg ym mhentrefi'r sir 'ma, ac unwaith bydd hi ar ben arni yn y pentrefi, bydd hi ar ben arni ym mhobman arall.'

Syllai Adrian, Roberta a Helga arni'n gegagored; roedd Mr Mukherjee yn ei hadnabod hi'n well na'r lleill, wedi'r cyfan, ac wedi hen arfer ei chlywed yn bytheirio.

'God almighty, who cares?' meddai Adrian gan garlamu am allan. 'I didn't come here for the politics.'

Wela i ddim lliw pen-ôl hwnna yn y gwersi eto, meddyliodd Efa wrthi hi ei hun.

'Gartre yn y car bach melyn,' meddai Mr Mukherjee wrthi gan wneud lle iddi basio.

6

CYNIGIODD JAMES lwncdestun i'w frawd ar ei ben-blwydd cyn i Sheila weini'r gellyg wedi'u pobi a'r *parfait* mafon.

'Ac i Sheila, wrth gwrs, am fynd i'r fath drafferth unwaith eto.' Cododd ei wydr eilwaith, ac ailadroddodd pawb 'Sheila' yn fwy gwresog nag a wnaed i 'Patrick' hyd yn oed.

'Manion wir!' ebychodd Phillippa yn ei hacen frenhinol wrth osod ei gwydr i lawr. 'Dyna wyt ti bob tro'n ei ddweud. "Dowch draw, fe wna i ryw fanion i'w bwyta!" Ac mae hi bob amser yn paratoi gwledd.'

Gwenodd Sheila ar ei chwaer yng nghyfraith.

'Dwi wrth 'y modd,' meddai, gan feddwl hynny hefyd. Daliodd lygaid Patrick yn gwenu arni a chofio'u romp yn y gwely gwta ddeuddeg awr ynghynt. Awn ni'n dau byth yn hen, meddyliodd.

Pam na allwn ni stopio'r cloc, meddyliai Patrick yr union eiliad honno. Rhwystro amser rhag symud yn ei flaen, a mwynhau'r presennol bendigedig hwn am byth.

'Faint o gerdded ydych chi wedi bod yn ei wneud yn ddiweddar?' holodd James wrth roi ei blât gwag i'r naill ochr i wneud lle i'w benelinoedd ar y ford. Roedd e eisoes wedi canmol Sheila ar yr eog mewn saws *fennel*. Mwythodd ei wydr gwin.

'Bannau ddydd Sadwrn diwetha,' meddai Sheila. 'Penny-van, ac fe deimlais i hi y diwrnod wedyn, ma'n rhaid i fi gyfadde.'

'Ma'n hen bryd i ni i gyd fynd, fel grŵp,' cyhoeddodd Patrick. 'Pryd gwnaethon ni hynny ddiwetha? Beth am wyliau bach yn Eryri yn yr haf? Fe rown dro ar y Glyders, pawb ohonan ni, beth ddwedwch chi?'

'Iawn gen i,' meddai James. 'Cadwa'n glir o fis Awst er hynny. Mis Provence yw mis Awst. Dwi'n cymryd eich bod chithau'n dod eleni 'to?'

'Mae'n siŵr,' meddai Sheila.

'Gad fi allan o dy drip i Eryri,' meddai Sophie. Doedd hi nac Alan ddim yn gerddwyr fel ei rhieni.

'Pam?' Methodd Sheila â dal. Yn isdestun i'w holl ymwneud, er nad ynganodd hi na Patrick erioed mo'r geiriau, roedd y cwestiwn 'Pryd ydych chi'ch dau am ein gwneud ni'n fam-gu ac yn dad-cu?' Doedd Patrick ddim ar ormod o frys a doedd e ddim yn dymuno unrhyw ofid i'w ferch chwaith, ond roedd Sheila'n ei chael hi'n anodd bod yn amyneddgar. Arferai Sophie siarad cryn dipyn am y plant a ddôi iddi hi ac Alan ond roedd hi wedi bod yn reit dawedog ar y mater yn ddiweddar. Ond diawl, dim ond naw ar hugain oedd hi, roedd digonedd o amser ganddyn nhw. Ceisiodd Patrick beidio ag edrych ar Sheila rhag i'w lygaid fradychu rhyw gerydd bach am iddi fethu â ffrwyno'i thafod.

'Dim rheswm,' atebodd Sophie'n swta braidd wrth ddeall yr ensyniad y tu ôl i gwestiwn ei mam yn syth. 'Gas gen i gerdded, ti'n gwbod hynny'n iawn.'

Trodd Sy y sgwrs yn gelfydd o sydyn i sôn am ddatblygiadau diweddar ym maes clônio.

*

Drwy'r drws cefn y daeth Marcus i mewn er bod ganddo allwedd i'r prif ddrws. Trodd pawb i'w gyfarch yn wresog, ac yn go feddw yn achos Sy.

'Dyma'r crwydryn yn dychwelyd,' cyhoeddodd.

Gwenodd Marcus ei wên fach gynnil ar y cwmni cyn rhoi cusan i gorun Patrick a gosod cerdyn o'i flaen.

'Diolch, Marcus,' meddai Patrick. 'Sy, estyn gadair iddo fe gael dod aton ni.'

'Sori. Heb gael presant i ti,' meddai Marcus. 'Chi'n gwbod, myfyriwr ymchwil tlawd a hynna i gyd…'

'Ie, ie,' cellweiriodd James yn anghrediniol. 'Wyt ti moyn i ni dynnu'r ffidl mas?'

Gwenodd Marcus fymryn yn lletach a gosododd Sheila blatiaid o fwyd o'i flaen, o'r hyn y gallodd ei gasglu o'r sbarion.

'Neith hwnna i ti? 'Nes i feddwl na fyddet ti'n dod, neu…'

'Bendigedig!' meddai Marcus gan dyrchu iddo.

*

Doedd hi ddim yn rhy hwyr ar Sy a Lydia yn gadael yn y tacsi. Roedd Phillippa yn gosod y llestri yn y peiriant yn y gegin, Sophie ac Alan yn hwylio i adael – a Sheila eisoes wedi ffonio am dacsi iddyn nhw – pan dynnodd Marcus ei gadair freichiau'n nes at y soffa lle'r eisteddai ei dad a'i ewyrth, a rhoi ei wydr gwin i lawr yn bwrpasol. Pwysodd ymlaen yn ei sedd.

Wrth iddo wneud, teimlai Sheila awch bach o bryder. Doedd Marcus ddim wedi dweud llawer ers iddo gyrraedd. Oedd, roedd e wedi gwenu ar bob sylw a gwamalrwydd o enau gwahanol aelodau'r cwmni, wedi sôn am y datblygiadau yn ei waith ymchwil ar hanes cynnar Ewrop – beth bynnag oedd ei bwnc. Ni allai Sheila gofio drwy niwl y gwin a yfasai. Doedd e byth yn ganolbwynt y gwmnïaeth fel roedd Patrick, er nad oedd e'n cuddio'i hun yn llwyr y tu ôl i'r llenni chwaith. Ond… wel, roedd 'na rywbeth yn chwarae ar ei feddwl, gallai Sheila ddweud, er na allai hi roi ei bys arno.

Arian? Go brin y byddai'n broblem iddyn nhw ymestyn ychydig yn bellach i mewn i'w cynilion i roi help bach ychwanegol iddo yn hynny o beth. Neu a oedd e'n bwriadu rhoi'r gorau i'w gwrs MA? Go brin y byddai hynny'n ormod o drallod iddyn nhw ei ysgwyddo fel teulu.

Rhoddodd unrhyw bryderon dyfnach allan o'i meddwl yn

syth gan mor chwerthinllyd oedden nhw – ydi Marcus yn hoyw? Ydi e'n dablo mewn cyffuriau? Hyd yn oed pe bai'n hoyw, yn groes i bob tystiolaeth hyd hynny, pa ots? Roedd hi a Patrick yn gwbl ryddfrydol eu hagwedd tuag at fywyd rhywiol eu plant.

Na, roedd 'na rywbeth. Ni allai fod yn ddim byd mawr, barnodd Sheila. Byddai wedi ymddiried ynddi hi, fel y gwnaethai erioed.

'Gwrandwch,' cyhoeddodd Marcus i gadarnhau amheuon Sheila, a throdd Patrick a James ato'n glustiau i gyd gan dorri eu sgwrs am wleidyddiaeth America ar amrantiad. 'Mae gen i rywbeth i'w ddweud.'

Cododd ofn yng nghalon Sheila.

'James, Sophie ac Alan… ro'n i eisiau i chi glywed hefyd. Dwi'n mynd i fod yn dad.'

Daeth ennyd o dawelwch pur dros y lolfa am y tro cyntaf y noson honno. Yna, roedd Sheila wedi pastio gwên ar ei hwyneb, disgleirdeb yn ei llygaid a chyffro ar ei llais.

'Wyt ti? Pryd?'

Aeth ato i'w gofleidio, fel y teimlai y dylai.

Roedd y cyhoeddiad wedi tynnu'r gwynt o hwyliau Patrick ac am rai eiliadau ni fedrodd guddio'i sioc. Dilynodd James arweiniad Sheila.

'Wel, llongyfarchiadau! Da iawn ti!'

Daliodd Patrick y dychryn, ynteu'r siom, yn llygaid ei ferch. Gwelodd Alan yn anesmwytho yn ei sedd wrth ei hymyl. Dim ond eiliad. A'r eiliad nesaf, roedd gwên ar wyneb Sophie wrth iddi lamu o'i sedd a rhoi ei breichiau am ei brawd. 'Marci! Marci ni'n mynd i fod yn dad!'

'Wydden i ddim dy fod ti'n caru,' meddai Patrick, ar ôl penderfynu bod rhaid cyflwyno rhyw fath o onestrwydd i'r sefyllfa.

'Dydw i ddim,' meddai Marcus. Tynnodd yn rhydd o freichiau ei chwaer. 'Drychwch, fel hyn mae hi.'

Aeth ati'n awyddus i egluro, fel pe bai dweud wrth ei deulu wedi codi baich mawr oddi ar ei ysgwyddau. Soniodd am Beca o Bontypridd y cyfarfu â hi ar noson allan yng Nghaerdydd ddechrau Tachwedd.

'Ydi hi'n siarad Cymraeg…?' torrodd Patrick ar draws y llif. Teimlasai ias dros ei ysgwyddau wrth glywed y ffurf mwy Cymreig ar yr enw Beiblaidd.

'Falle gall e neu hi, pan ddaw e, ddysgu gair neu ddau i ni,' meddai Sheila.

'Rhywfaint, dwi'n meddwl, wnes i ddim gofyn.' Atebodd Marcus ei dad heb weld sut roedd hynny'n berthnasol, a bwriodd ati i orffen ei stori. Ffling un noson, dyna i gyd oedd hi, yn fflat ffrind ysgol. Un waith, dyna i gyd. A dim byd wedyn.

Nes i Beca lwyddo i ddod o hyd iddo drwy'r ffrind, a glanio yn nrws ei fflat yn y Waun Ddyfal a chyhoeddi ei newyddion.

'Fe fuodd hi'n esgeulus braidd, do fe ddim?' holodd James yn ofalus.

'Ni, James,' cywirodd Marcus e heb swnio'n geryddgar. 'Fe fuon *ni*'n esgeulus.'

'Ie, ie,' meddai James.

'Ac mae hi am ei gadw fe?' cadarnhaodd Sheila i roi capan am ben y gwybod.

'Mae hi'n feichiog ers dros chwe mis, felly fe allwn fod yn weddol siŵr ei bod hi.'

Am y tro cyntaf, teimlodd Sheila fin ar eiriau Marcus.

'Whiw!' ebychodd Patrick i geisio ymgodymu â'r ffaith ei fod yn mynd i fod yn dad-cu.

Glaniodd Phillippa yn ei hôl o'r gegin.

'Wn i fod hyn yn mynd i swnio'n ansensitif,' meddai James, 'ond os mai eisiau arian mae hi… ac fe fyddwn i a Phillippa ond yn rhy barod i helpu os…' baglodd drwy ei gynnig.

'Fe allwn ni fforddio,' cododd llais Patrick. 'A beth bynnag, beth yw arian? Mae e'n llawer mwy nag arian.'

'Ydi, ydi, wrth gwrs,' meddai James yn gymodlon, gan wybod bod y gors o bethau na ellid eu trafod yn un ddofn.

'Oes rhywun yn mynd i 'ngoleuo i am beth ydych chi'n sôn?' holodd Phillippa.

Teimlodd Patrick y gnofa ym mherfedd ei stumog yn dechrau gwasgu eto wedi'r holl amser, fel pe bai hi wedi deffro o drwmgwsg y blynyddoedd ac wedi codi'i phen, mor ifanc a heini ag erioed, a gofyn, 'Patrick, cofio fi?'

Cnofa fel cwlwm o wallt euraidd.

7

GWYLIO RHYW SIOE realaeth oedd Ceri pan gyrhaeddodd Efa gartre yn Volkswagen Beetle melyn Mr Mukherjee. Go brin fod glaniad Efa'n sioc iddi gan fod y car bach i'w glywed yn gwingo yn yr ail gêr yr holl ffordd i fyny'r rhiw at y ddau dyddyn ar lethr y bryn. Ac ar ôl gwneud yn siŵr fod Efa'n cyrraedd i mewn drwy'r drws, roedd i'w glywed wedyn yn troi i'r chwith wrth Dy'n Mynydd ac yn bustachu yn ei flaen tuag at Dy'n Rhos, yr ochr draw i'r cae rhwng y ddau dyddyn.

Ni throdd Ceri ei phen pan ddaeth Efa i mewn ac ni ddywedodd Efa air rhag i hynny ddynodi ei bod hi'n ildio wedi'r cweryl y prynhawn hwnnw na chofiai Efa beth oedd ei achos bellach. Roedd dau arall yn cweryla ar y teledu yn mynd â sylw Ceri'n llwyr. Tynnodd Efa ei chot a'i lluchio ar y gadair lle roedd y cotiau eraill yn byw.

Doedd Efa ddim am adael pethau heb i rywbeth gael ei ddweud er hynny. Dyna'i phrif wendid, gwyddai hynny'n iawn – methu gadael i bethau fod.

'Ei di i'r ysgol fory,' meddai. Dweud, nid gofyn.

Sylwodd ar ysgwyddau Ceri'n codi'r tamaid lleiaf mewn ystum a awgrymai nad oedd ots o fath yn y byd ganddi.

'Fe ei di 'te,' cadarnhaodd Efa. Ci a'i asgwrn.

'Af,' mwmiodd Ceri mor ddi-hid ag y gallai, heb wrthod ateb y cwestiwn. Gwyddai hithau bellach na rôi ei mam y gorau iddi heb gael cadarnhad ganddi, bron fel cyfaddefiad mai hi oedd ar fai am bob un dim, o gychwyn yr holl gwerylon a fu erioed.

Oedd, roedd Efa'n gwybod pa mor blentynnaidd oedd hi'n mynnu hyn, ond eto, cawsai ei brifo i'r byw gan Ceri'r prynhawn hwnnw. Ceri oedd yr ast, Ceri oedd wedi dweud y pethau cas. Ymateb, siŵr dduw, dim ond ymateb roedd hi, Efa, wedi'i wneud.

Trodd Ceri ati wedyn.

'Af,' meddai'n glir. 'Fe af i fory.' A throdd yn ôl i ddilyn y cweryl arall ar y bocs.

A daeth cywilydd dros Efa unwaith eto. Roedd ei merch wedi ymddwyn yn gallach na'i mam i orffen cweryl arall. Ac roedd Ceri, drwy'r cwbl, yn gwybod hynny, dyna'r drwg. Roedd hi'n ennill bob un tro.

'Fe af i'r ysgol fory, a'm llyfyr yn fy llaw,' meddai Ceri.

'Da iawn,' ebychodd Efa, a methu stopio'i hun mewn pryd rhag synnu'n glywadwy fod Ceri'n cofio'r hwiangerdd.

Daeth anadl ddofn o gyfeiriad y soffa wrth i Ceri gasáu'r sylw nawddoglyd. Ond ddywedodd hi ddim byd, a wnaeth Efa ddim dweud gair chwaith. Roedd y ddwy'n cnoi eu tafodau.

Dau dafod briw.

*

'Ceri?'

Drwy'r tywyllwch.

'Be?' rhwng tafellau cwsg.

O ystafell i ystafell.

'Ga i gysgu yn dy wely di?'

'Pam?'

'Sŵn llygod.'

'Oes 'na lygod?'

Ai ofn oedd yn rhoi ychydig mwy o fin ar lais Ceri?

'Nag oes. Dim ond 'u sŵn nhw. Fi sy'n becso'n ddiangen. Ofan, rhag ofan, 'na i gyd.'

'Der â dy gwilt dy hunan 'te.' Mwy cysglyd eto. 'A 'wy'n cico ti mas os byddi di'n siarad yn dy gwsg.'

Yr un ddwy reol bob tro.

Dringodd Efa dros Ceri i ochr arall y gwely dwbl mawr wrth y wal. Wrth wneud, plygodd i roi cusan nos da ar foch ei merch.

'Ti'n werth y byd i fi, ti'bo.'

'Odw, 'wy'n gwbod,' meddai Ceri o ganol ei chwsg yn rhywle.

Ond roedd cwsg ymhell i Efa. Am y tro cyntaf heddiw, roedd hi'n teimlo'i chyhyrau'n ymlacio, ei thymer yn ei gadael a'r tensiwn yn llacio. Bron nad oedd y rhyddhad yn dod â dagrau i'w llygaid. Roedd hi eisiau gwasgu Ceri ati, ond roedd hi'n gwybod na allai feiddio gwneud hynny. Nid babi yw hi, nid merch fach bellach. Mae hi'n ddynes, neu'n hanner dynes, wedi'i dal ym mhwll tro ei harddegau, ac Efa ddim yn sylweddoli nes ei bod yn rhy hwyr pa mor garbwl yw'r meddwl arddegol, pa mor bell i ffwrdd yn ei wlad ei hun.

Mae hi'n 'yn hela i'n ddwl, yn 'y neud i'n benwan, meddyliodd Efa wrth orwedd yn gwrando ar anadliad cyson ei merch, ei hunig drysor yn y byd i gyd, yn cysgu. Bob tro yr un fath. Neud i 'ngwa'd i ferwi. Yn ysgwyd 'y nhu mewn i, yn rhwygo fel weiren bigog yn ca'l 'i thynnu 'nôl a 'mla'n drwy gnawd 'yn ymennydd i.

Am eiliadau beichiog, munudau, oriau. Nes 'mod i'n 'i charu hi eto. 'I charu hi, sy'n rhwygo 'nhu mewn i lawn cymaint ag y mae ei chasáu hi'n ei wneud.

Teimlai Efa'r dagrau'n agos wrth i gariad mor chwerw â'i chasineb fygwth berwi i'r wyneb.

Yn fabi, fe sugnodd hi fi am fod ei bywyd hi'n dibynnu ar sugno, meddai Efa wrth gyffeswr anweledig, trydydd person yn ei phen a'i tynnai allan o'i dwydod hi a Ceri. Roedd hi fel braich neu goes, yn sownd wrtha i, yn rhan ohona i. Roedd hynny'n fendigedig. Falle na ddylai hi erioed fod wedi dod allan ohona i. Ai dyna sydd? A wylltiais i hi drwy ei gwaredu ohona i fel ysgarthion? Ai am i fi roi genedigaeth iddi mae hi'n dewis bod yn ddall i 'nghariad i, am i fi roi bod iddi? Neu ai dyma yw'r profiad o fod yn fam i ferch bymtheg oed? A finnau wedi 'nhynghedu i chwarae â'i thân, i dynnu'i fflam drosta i fel gwisgo dilledyn?

Cofiodd Efa am y bygythiad i'r ysgol, a llithrodd Ceri a'r iaith i'w gilydd drwy haenau ei hymwybyddiaeth. O, am allu caru heb wallgofrwydd, meddyliodd Efa rhwng cwsg ac effro.

Os nad yr ysgol, y sianel; os nad y sianel, radio, papur newydd, prifysgol, cyngor, cynulliad, sefydliad, cymuned... yr holl fatonau iaith sydd mor fregus a hawdd eu gollwng yn ein ras gyfnewid â'r cenedlaethau i ddod. Does dim ail safle yn ras yr iaith, 'run wobr gysur i'r genedl. Bod neu beidio â bod, meddyliodd Efa, dyna'r cyfan. Nid hanner bod, nid Eingl-fod.

Fel gwaed, fel anadl, yn ddistaw mae hi ynof i, hi a Ceri'n un. All neb ddirnad yr angen hwn i'w chario hi a'i hau hi, fel y gwna merched. Cariaf hi, gan ei chasáu hi weithiau a'i charu hi dro arall a dim yn y canol, fy merch, fy nghariad, fy nghyfan. Ond mae hi'n rhwymyn ar yr un pryd, yn caethiwo, yn fy nghadw'n ynfyd, ac am hynny rwy'n ei chasáu hi hefyd.

A oes 'na gariad heb ynfydrwydd?

'Caru ti,' sibrydodd Efa wrth i donnau cwsg ei gwthio'n ôl i'r lan drachefn, ac anadl ysgafn, cyson Ceri fel breichiau amdani.

8

'YNG NGHENLEY...'
Torrodd llais Efa ar draws ei chwsg nes deffro Ceri.

'Yng Nghenley-on-Thames,' mwmiodd Efa yn y gwely wrth ei hochr.

Yn ofalus, symudodd Ceri fraich ei mam oedd yn gorwedd drosti. Pa lwybr oedd sgript ei breuddwydion yn ei ddilyn heno tybed, myfyriodd Ceri am eiliad, heb fod damaid o awydd gwybod chwaith.

Cododd yn araf: doedd hi ddim am ddihuno Efa. Ond roedd ei chwsg ei hun yn ymestyn ymhellach o'i gafael, a dim awydd arni i barhau i orwedd yn y gwely yn effro yn gwrando ar ddiffyg synnwyr ei mam.

Sleifiodd allan o'i hystafell wely ac anelu am y gegin. Caeodd y drws rhag i'w mam ei chlywed yn berwi'r tegell. Ystyriodd wasgu'r botwm i weld pa bydewau o rwtsh oedd gan y teledu i'w gynnig iddi am bedwar o'r gloch y bore, ond ailystyriodd. Câi rai munudau gyda'i meddyliau a phaned i'w thwymo cyn penderfynu oedd hi'n werth troi'n ôl am y cae sgwâr a siarad disynnwyr ei mam am rai oriau eto cyn iddi orfod codi i fynd i'r ysgol.

Dyn a ŵyr pam yr addawodd fynd yno. Ers wythnos, roedd y lle'n atgas iddi, a'r boen o weld Rhodri yn ei thrywanu fel cyllell bob tro y dôi i'r golwg. Rhyfedd cymaint o wahaniaeth y gall wythnos ei wneud.

Wythnos yn ôl, cofiai, fel pe bai'n flynyddoedd yn ôl nawr, roedd y cyffro a deimlai wrth gerdded ar hyd y coridorau rhwng gwersi yn y gobaith o daro ar Rhodri yn ei chadw'n fodlon, yn awyddus hyd yn oed, i fod yno. Oedd, roedd Shelley'n ei thynnu i'r dref yn aml am ddiwrnod neu hanner diwrnod, ond rhyw hanner awchu mitsio oedd hi, er y byddai hi'n gwneud. Fentrai hi byth gyfaddef wrth Shelley ei bod yn well ganddi oddef oriau o wersi diflas, diystyr am funud gyfan (o gyfuno'r eiliadau) o gael gweld Rhodri. Byddai wedi cyfnewid pob eiliad o'r oriau a dreuliodd yn mitsio am un funud gyfan o'i sylw diwahân. Ond erbyn heddiw, roedd hi'n diolch i'r nefoedd na fentrodd gyfaddef dim o'i chariad dwfn at y creadur penfelyn yn y chweched oedd wedi cipio'i chalon ers dwy flynedd gyfan gron.

Er iddi wenu arno droeon wrth iddo'i phasio ar goridorau ac ar fuarth yr ysgol, doedd e erioed i'w weld fel pe bai e wedi sylwi arni go iawn. Gwyddai y byddai mentro dweud 'Helô' neu wenu'n fwy awgrymog arno wedi bod yn 'osod stondin' o ryw fath: dangos iddo ei bod hi'n bodoli, a'i bod hi eisiau ei nabod. Beth wnaeth iddi beidio ag yngan gair wrtho fe? Dros ddwy flynedd, beth a'i cadwodd rhag rhoi ei chardiau ar y bwrdd?

Ai ofn cael ei gwrthod ganddo? Ofn y byddai'n rhaid iddi ildio'r freuddwyd y gallai ei pharhau drwy gadw'i phellter? Tra daliai e i wybod dim ei bod hi'n ei ffansïo, gallai hi barhau i fyw ym myd pe-bai-pe-byddai, a chadw ei breuddwydion yn dynn fel trysorau. Un eiliad a gymerai i Rhodri ei gwrthod, un gair, neu un edrychiad hyd yn oed. Ni fentrai golli eilun ei horiau effro a rhan fawr o'i chwsg, a gamblo'r cyfan oedd yn cadw ei hinjan i droi, ar gyfarchiad neu edrychiad mwy cyffesol na'i gilydd. Rhaid oedd ei gadw ymhell er mwyn ei gadw.

A nawr. Wythnos yn ôl, bu farw Rhodri iddi. Dwy flynedd o obeithio yn farw gelain iddi. Pe bai e wedi marw *ynddi* yn ogystal ag *iddi* byddai popeth yn iawn, a mynd i'r ysgol fory'n haws.

Tywalltodd y dŵr berw i'w chwpan a mwytho'r gwres yn ddiolchgar, fel pe bai'n wres i'w chysuro.

'Fe af i'r ysgol fory,' canai'r siant yn ei phen. I deimlo'r gyllell yn troi yn fy ymysgaroedd wrth ei weld, a gwybod mai gwastraff amser llwyr fu'r ddwy flynedd gyfan o ysu amdano.

Rhodri Puw. Cymraeg, Saesneg a Hanes. Saith A TGAU, dwy B, un C (yn Maths). Rhif wyth – saith weithiau – ar gae rygbi'r ysgol. Cant saith deg un o ffrindiau ar Facebook (a hithau wedi gobeithio bod yn gant saith deg dau). Cerdd ganddo yng nghylchgrawn yr ysgol i'r 'Peint'. Roedd ei chopi hi, a gadwai o dan fatras ei gwely, wedi hen freuo: dôi amser i roi'r cylchgrawn yn y bin pan fyddai hi'n teimlo'n llai brau ei hun.

Byddai Rhodri Puw wedi twymo cocls calon ei mam, ond dyna'r unig wendid oedd ganddo.

Eisteddodd Ceri ar y soffa. Llosgai ei gwefusau wrth iddi sipian ei phaned. Ni fyddai'n rhaid iddi weld balchder ar wyneb ei mam wrth iddi ei gyflwyno iddi, gan na fyddai'n ei gyflwyno bellach, ddim yn ei breuddwydion a ddim go iawn chwaith. Bygro Rhodri Puw.

Ar yr ochr arall i bethau, roedd ganddi lawer i fod yn ddiolchgar amdano. Doedd hi erioed wedi cyfaddef wrth neb ei bod hi'n ei garu, felly fyddai neb yn ei brifo ymhellach drwy gydymdeimlo â hi. Doedd neb yn dyst i'w siom. Câi fwytho hwnnw, fel y mwythodd ei chariad, y tu mewn iddi am byth, yn gwlwm, fel cariad, yn ei gwynt.

Fe af i'r ysgol fory, meddyliodd, er mwyn dyfnhau'r boen i mi fy hun o'i weld.

Wythnos yn ôl, cario'i chariad, yr hen lwmpyn mawr y tu mewn iddi, oedd hi pan gamodd i mewn i'r clwb ar y maes carafanau yn ei sodlau uchaf a'i cholur, a'i llachar du cwbl groes i ddillad ysgol amdani. Cariad a gobaith yn treiddio drwyddi – ac fel y Pry Bach Tew, dim ond hi oedd yn gwybod.

Gwelodd ef yn syth. Fel pe bai'n goelcerth a fynnai ei sylw, gan daflu pawb a phopeth arall i'r tywyllwch o'i gwmpas. Eistedd gyda bechgyn eraill y chweched oedd e, criw o ddwsin siŵr o fod, yn magu peintiau o'u blaenau. Roedd llond y lle o bobl eraill yn llenwi'r ystafell fawr, a sŵn cerddoriaeth yn gwneud pawb yn fyddar ond heb darfu ar eu parodrwydd i siarad. Â Shelley wrth ei hochr, aeth at y bar a chael syrf mor hawdd â phe bai wedi gofyn am ddau wydraid o Coke. Tynnodd Kevin Whitesands *vodka and Coke* dwbl yr un iddi hi a Shelley heb ofyn am ID. Dim ond clwb parc carafanau Whitesands fyddai'n gwneud hynny, gan ddenu llwythi o blant yr ysgol yno ar benwythnosau.

Cofiodd Ceri fod Christian Whitesands wedi ymddangos y tu ôl i'r bar, yno yn gweithio gyda'i frawd. Roedd e wedi gwenu arni ac roedd hi wedi gwenu 'nôl gan feddwl: Rhodri, mêt – ddim ti. Gyda Rhodri dwi'n mynd o 'ma heno. Fel pe bai gwên Christian wedi cadarnhau wrthi, ynddi, mai heno fyddai'r noson pan fyddai'n dangos ei chariad i Rhodri.

Trodd at Shelley a gweiddi yn ei chlust, 'Heno amdani? Cop on?'

'Pwy sda ni i ddewis?' Sganiodd llygaid Shelley yr ystafell fawr. 'Pwy sda ti *in sight*?'

'Neb yn benodol,' meddai Ceri'n gelwyddog ar ôl oedi am eiliad, yn hanner awyddus i gyffesu'r cyfan wrth ei ffrind gorau.

'Rhodri Puw?' gwenodd Shelley'n ddrwg arni. 'Ti'n meddwl bod e'n *hot*, fi'n gallu gweud.'

Cododd Ceri ei hysgwyddau. 'Neb spesiffic!' gwaeddodd yn uwch.

'Get your tits out for the boys!' gwaeddodd Kevin ar draws y bar ar Shelley gan estyn ei newid 'nôl i Ceri. Aeth Shelley ati i esgus bach gwneud yn union hynny. Gwelodd Ceri Christian yn dyrchafu ei lygaid y tu cefn i'w frawd. 'Twat,' gwelodd ei wefusau'n geirio i'w chyfeiriad.

*

Doedd dim golwg o Shelley. Rhaid ei bod hi wedi llwyddo i gael cop-off gyda rhywun, meddyliodd Ceri wrth ddawnsio'n lloerig gyda chriw o ferched blwyddyn un ar ddeg. Roedd y *vodkas and Coke* wedi'i llacio hi'n dda a'r dabled a gafodd gan Fflur fform sics yn gynharach wedi codi'n chwys oer, braf dros ei hysgwyddau noeth. Doedd hi ddim ar frys i fynd i chwilio am Shelley – byddai wedi dod o hyd i un o fechgyn y carafáns ar wyliau o ganolbarth Lloegr ac wrthi eisoes, siŵr o fod, yn caru'n lletchwith yn ei wely bync. Anelai Shelley'n uwch na bechgyn y chweched ac roedd Ceri wedi colli cownt sawl cop-off roedd hi wedi'u cael eisoes ar nosweithiau'r clwb carafanau. Daliodd ati i bwmpio'i chyhyrau ynghanol y crwyn chwyslyd eraill ar y llawr dawnsio gan ddychmygu Rhodri'n ei gwylio ac yn rhyfeddu ati...

Yna, gwelodd Shelley'n snogio wrth y drws, ac ar yr un amrantiad deallodd mai gyda Rhodri oedd hi. Teimlodd Ceri'r oerfel yn goresgyn y gwres yn ei chorff mewn llai nag eiliad, gan fygwth ei llorio. Ni allai dynnu ei llygaid oddi arnyn nhw. Câi ei gwthio a'i hergydio gan benelinoedd y merched eraill a symudai'n orffwyll ar bob cwr iddi, a hithau'n llonydd yn eu canol, heb allu symud o'u ffordd. Tynnodd Shelley'n rhydd o'i snog a throi i syllu arni, yn union fel pe bai wedi teimlo bod Ceri'n edrych arni, a bu'r ymdrech i dorri'r cysylltiad llygaid, a throi a pharhau i ddawnsio, yn anferth. Bwriodd Ceri ati eto i symud gyda'r cyrff i gerddoriaeth na chlywai, i rythm na theimlai, a'i phen yn nofio.

Ni chofiai pa mor hir y bu'n dawnsio cyn iddi deimlo dwylo ar ei breichiau o'r tu ôl. Prin ei bod hi'n sylweddoli cyn troi ato mai Christian oedd yno – mab canol Whitesands, ac un o gop-offs Shelley y llynedd – a'r eiliad y trodd hi ato, roedd hi wedi gwthio'i cheg at ei geg e, a'i thafod yn chwilio y tu mewn iddi fel pe bai hi'n chwilio am freuddwyd arall i'w llyncu'n gyfan, er mwyn llenwi'r twll mawr dwy flwydd oed oedd wedi lledu drwy ei thu mewn.

Cododd Ceri i fynd â'i chwpan te at y sinc, lle roedd pentwr o lestri brwnt eisoes yn aros am eu golchi. Gwyddai na chysgai bellach, a'r atgof am yr wythnos diwethaf wedi ailddeffro pob dafn o siom a redai drwy ei chorff. Gwyddai nad âi yn ei hôl i'w gwely at ochr ei mam, a'r wawr eisoes wedi torri i mewn i'r tŷ. A gwyddai na fyddai'n sôn wrth neb – ddim wrth ei mam, ddim wrth Shelley, nac wrth Christian chwaith – iddi fod yn ferch fach wirion, hyd at gwta wythnos yn ôl, a ddisgynnodd mewn cariad, a rhyw nonsens felly na wnâi synnwyr yn y byd. Gallai ychwanegu'r profiad at lu o rai eraill llai, ond tebyg, ac aeddfedu wrth wneud: doedd 'na ddim o'r fath beth â Siôn Corn, na phriodas hapus, na Duw, na chariadon sy'n eich caru chi 'nôl.

Taflodd ei chwpan i'r sinc, fel taflu cariad i'r bin.

9

D YRNODD PATRICK Y bag paffio â'i holl egni wrth i'r atgof
am y noson cynt fynnu treiddio drwy ei holl wneuthuriad.
Doedd e ddim yn un i chwysu gormod, ond roedd e'n chwysu
bore 'ma – y wisgi gâi'r bai'n rhannol, ond nid i gyd – wrth iddo
geisio gwneud synnwyr o newyddion ei fab.

Rhyw gnoi bach ar gwr ei ymwybyddiaeth fu e, cydymaith
dros y blynyddoedd, cydymaith heb ei wahodd, a freuai ymylon
ei fodlonrwydd. Cafodd wared arno o'r diwedd wrth i'r cof bylu
ac wedi sesiynau yng nghwmni'r shrinc. A nawr, dyma fe wedi
dychwelyd, mor fyw ac iach ag roedd e ddegawd a mwy yn ôl.

Y shrinc roddodd enw iddo, a doedd Patrick ddim yn gwbl
fodlon â'i ddeiagnosis. Roedd e wedi disgwyl gwell am ei arian na'r
gair cyfarwydd, ffwrdd-â-hi y byddai perchennog y siop gornel
wedi'i gynnig iddo am bris papur newydd yn hytrach na'r ffortiwn
fach a dalodd Patrick i Dr Bailey am ddatrys ei anesmwythdod:
cydwybod. Pa! Dyrnodd Patrick y bag yn galetach.

Cyfuniad o niwronau'n dawnsio drwy'i gilydd, dyna'r cyfan.
Trydaniad braidd yn anghysurus, mwy annifyr a pharhaol
nag ofn gan ei fod yn troi i mewn ar yr hunan a'i wneud yn
annioddefol. Roedd i ofn ei bwrpas: creai ymateb yn yr anifail
fel ei fod yn ymladd neu'n ffoi, a thrwy hynny'n arbed ei fywyd
ei hun. Doedd i gydwybod, y ceisiodd Patrick lawer tro wadu
ei fodolaeth hyd yn oed (ond bod y gnofa'n rhoi tystiolaeth
empiraidd iddo), ddim pwrpas o gwbl. Ni allai newid realiti'r
creadur a'i teimlai. Dim ond ei ddinistrio.

Roedd y gnofa ymhell o fod yn achos dinistr i Patrick, ond
buasai'n well o lawer ganddo pe na bai'n ei theimlo.

Yn ddigon diemosiwn, yn ymddangosiadol felly, dywedodd Marcus wrth ei rieni a'i ewythr, wedi i Sophie ac Alan ffarwelio yn eu tacsi, nad oedd Beca wedi gofyn am ddim ganddo, dim ond gadael iddo wybod gan ei bod hi'n teimlo bod hynny'n ddyletswydd arni. Roedd hi'n berffaith barod i beidio ag enwi Marcus ar dystysgrif geni'r plentyn pan gâi ef neu hi ei eni. Nid rhyw flonden ddi-glem, ddiegwyddor oedd hi, meddai Marcus wrth Patrick (coch oedd lliw ei gwallt, p'run bynnag). Roedd hi'n fyfyrwraig mewn prifysgol a chanddi deulu i'w helpu – to uwch ei phen, bwyd yn ei bol a llyfrau i'w darllen wrth fagu ei phlentyn. A doedd hi ddim am un funud wedi ystyried cael erthyliad. Ni chredai mewn erthylu.

'Pa!' Methodd Patrick ag atal ei hun rhag ebychu eto.

Allai Marcus ddim mynd yn groes i'w dymuniad, dadleuodd y mab wrth ei dad. Doedd hi ddim eisiau dim byd ganddo. Yna, cofiodd Patrick y gnofa, er nad oedd modd ei hanghofio'n iawn.

'Ond beth os byddi di'n dymuno?' holodd James yn ddigon call. 'Falle nad wyt ti nawr… ond beth ddigwyddith pan gaiff y babi ei eni, neu ymhen blynyddoedd?'

Cododd Patrick i arllwys wisgi mawr iddo'i hun. Roedd ar droi'n ôl atyn nhw pan gofiodd arllwys un i James hefyd, ac ar droi'n ôl cyn arllwys un arall i Marcus. Os oedd yr hogyn yn ddigon hen yn dechnegol i fod yn dad…

Cododd Sheila i fynd i'w gwely. Roedd Phillippa eisoes wedi noswylio.

'Wel,' meddai. 'Dyna hynna 'te.'

'Ti'm yn meddwl dylian ni drafod?'

Methai Patrick â deall sut roedd hi'n gallu bod mor ddidaro ynglŷn â'r mater.

'Beth sydd 'na i'w drafod?' holodd Sheila yn ddigon hwyliog. 'Mae – Beca, ie? – yn cadw'r babi, a fydd ganddo fe ddim i'w wneud â Marcus. Na ninnau felly,' ychwanegodd.

'Mynd yn ôl fel roedden ni. Fel pe na bai'r peth wedi digwydd. Os yw hynny'n iawn 'da Marcus, mae e'n iawn 'da ni, does bosib?'

'Mae'n iawn 'da fi,' meddai Marcus.

Edrychodd y tri arno'n ddwys. Beth oedd e'n ei wybod mewn gwirionedd? Beth allai e fod yn ei wybod? Pedair ar hugain, a dim syniad ganddo sut beth oedd bod yn ddeugain, neu'n hanner cant...

Roedd cysgod gwên ar wefusau Marcus wrth weld y tri wyneb gorddwys yn ysu cydymdeimlad i'w gyfeiriad.

'Mae dy wely di'n barod,' meddai Sheila gan synhwyro nad oedd Marcus eisiau gronyn o'u trueni. Rhoddodd gusan sydyn i'w gorun a mynd allan am ei gwely ei hun.

Gwyddai Patrick fod y newydd wedi tarfu'n ddyfnach ar Sheila nag roedd hi'n fodlon ei ddangos. Câi fod yn fam-gu, ond fyddai hi ddim yn fam-gu chwaith. Gwyddai Patrick hefyd y byddai aml i sgwrs rhwng Sheila a'i mab cyn yr enedigaeth ac mai gwrando'n unig a wnâi'r fam, yn ddigon call i beidio cynnig cyngor lle nad oedd croeso iddo.

Roedd gwybod beth roedd e'i hunan yn ei deimlo'n fater arall i Patrick. Âi cryndod drwyddo wrth feddwl ei fod yn mynd i fod yn dad-cu, er mai mewn enw yn unig fyddai hynny. Gorfod wynebu'r ffaith ei fod wedi cyrraedd y garreg filltir honno cyn rhoi troed mewn bedd. A'r un pryd, poenai am ddiffyg ystyriaeth Marcus o sut roedd e'n mynd i ddygymod â'r ffaith ei fod e'n mynd i fod yn dad.

Fe'i trawodd am y tro cyntaf wrth iddo sipian ei wisgi y noson cynt – ei daro fel gordd wrth i'r gnofa yn ei stumog ddatgelu hynny iddo – y gallai'n hawdd fod yn dad-cu yn barod. Fe'i dryswyd hefyd gan gariad at ei fab, gan yr awydd ysol iddo beidio â chael ei gnoi yn ei berfedd am weddill ei fywyd fel y cawsai ef.

'Wel, fe allwn ni fyw gyda phenderfyniad Marcus, felly,'

cyhoeddodd James gan wenu'n garedig ar ei nai, yn frawd mawr cyfrifol fel y bu erioed.

'Ro'n i'n teimlo y dylech chi gael gwybod,' meddai Marcus. 'Ond nawr 'ych bod chi'n gwybod, fe ga i, a chithe, anghofio amdano fe, iawn?'

'Mor syml â hynna?'

Ni fu Marcus yn hir cyn mynd i'w wely, ac yn anarferol iddo, cododd Patrick ar ei draed hefyd pan aeth ei fab drwy'r drws, gyda'r bwriad o wneud yr un fath. Doedd arno ddim awydd trafod pethau gyda James, yn enwedig â Marcus o dan yr un to. Gwyddai y byddai James yn bownd o weld cyfatebiaethau, yn sicr o weld y mab yn y tad, hyd yn oed os nad oedd tebygrwydd o gwbl rhwng y ddwy sefyllfa. Byddai James yn teimlo, fel y brawd mawr, mai ei gyfrifoldeb e oedd agor y drafodaeth.

Cyn i James agor ei geg, roedd Patrick wedi dweud, 'Does 'na ddim byd yn debyg yn y peth. Ffling un noson, 'na'r oll yw hyn, ac fe fydd Marcus yn anghofio, yn union fel y gwnes i. Does dim wedi newid, James. Nawr dwi'n credu yr a' i i 'ngwely, os nad oes ots 'da ti.'

Cododd James yn ddigon cyfeillgar.

'Pob dim yn iawn, felly,' gwenodd gan wasgu ysgwydd ei frawd bach yn ysgafn.

Ni soniodd Patrick erioed wrtho am y cnoi.

Aeth i'w wely ar ôl gosod y gwydrau wrth y sinc a diffodd y goleuadau yn y lolfa a'r cyntedd. Cofiodd ailosod y thermostat ar y gwres canolog gan fod yr ias ychydig bach yn oer.

A'r bore wedyn, roedd Patrick yn pwnio'r bag paffio am y canfed tro wrth iddo deimlo'r chwys yn rhedeg ym môn ei wallt. Rhaid fyddai rhoi neithiwr allan o'i feddwl, waeth pa mor anodd fyddai hynny â'r cnonyn wedi dychwelyd. Ond roedd y gnofa'n tyfu â phob pwniad o'i eiddo.

Roedd i'r cnonyn enw. Eve.

Dyna fu Eve iddo erioed – rhyw gnonyn yn ei berfedd.

*

Adeg geni Sophie oedd waethaf. Ail-fyw'r seremoni o eni er bod y ddwy enedigaeth yn gwbl wahanol. Doedd e ddim yn y theatr pan ddaeth Eve i'r byd, ond dal llaw Sheila oedd ei ran yn nrama geni Sophie. Teimlo'i hewinedd yn claddu'n ddyfnach i'w gnawd gyda phob gwayw geni, a'r rhegfeydd garw a ddôi ganddi yn ei gwneud hi'n ferch ddieithr o'r Cymoedd drachefn. Ewinedd Sheila'n palu i mewn iddo o'r tu allan, a'r cnonyn yn ei berfedd yn palu am allan o'r tu mewn.

A'r ffaith mai merch oedd eu plentyn cyntaf nhw, fel ei blentyn cyntaf ef, yn tueddu i rwbio halen i ryw friw ynddo, un na chafodd ddigon o amser i wella, er bod dros ddegawd rhwng genedigaethau ei ddwy ferch.

Chwarae teg i Sheila. Er ei llawenydd pan ddaeth Sophie, wnaeth hi ddim môr a mynydd o bethau fel roedd hawl ganddi wneud a hithau'n fam am y tro cyntaf. Yn llechu y tu ôl i'r llenni drwy'r amser roedd Eve, a fynnai Sheila ddim tynnu sylw ati drwy sôn am debygrwydd corfforol Sophie i'w thad nac am enynnau nac unrhyw beth felly – er bod sawl un arall yn llawn o hynny. Gwyddonydd genetig oedd Patrick, wedi'r cyfan.

Ac erbyn i Marcus ddod, roedd y cof am Eve, neu o leiaf ei frath, yn dechrau pylu, nes bod yn ddim ond cnoi bach yn y cefndir. Roedd pymtheg mlynedd yn amser hir.

A dyma Marcus nawr ar fin dod yn dad o bell. Os tad mewn unrhyw ystyr o gwbl, fwy nag y buodd Patrick i Eve.

Roedd Patrick a Sheila wedi penderfynu nad oedd pwynt iddyn nhw sôn wrth Marcus a Sophie am fodolaeth eu hanner chwaer. Ddim pan oedden nhw'n ifanc, yn sicr. Ni ddôi lles o ddweud. Efallai pan fydden nhw'n hŷn…

Ac fe dyfon nhw'n hŷn, ond ni soniwyd gair am y peth, fel y digwyddodd hi. Ers blynyddoedd lawer bellach, aethai unrhyw awydd i wneud hynny dros gof.

'Fe hela i e lan atat ti pan godith e,' meddai Sheila wrtho cyn iddo ddod i fyny i'r atig i geisio trwsio'r beipen a arweiniai o'r tanc dŵr oer. Roedd hi wedi bod yn gollwng diferion ers peth amser, ac er nad oedd yn waith roedd yn rhaid ei wneud ar unwaith, diolchai Patrick am y job er mwyn iddo gael rhywbeth i'w wneud wrth siarad â Marcus. Ni allai oddef meddwl am orfod eistedd gyferbyn ag ef ac edrych i'w lygaid. Un bywiog oedd Patrick wedi bod erioed, fel y byddai Sheila'n aml yn ei ddweud wrth ei ffrindiau gan chwerthin – byth yn llonydd 'run eiliad – a doedd eistedd i siarad erioed wedi bod yn un o'r talentau y byddai wedi gallu'u rhoi ar ei CV lewyrchus. Hyd yn oed wrth ddarlithio, ni fyddai'n llonydd am eiliad. Arferai gerdded milltiroedd mewn diwrnod llawn o ddarlithoedd, o un pen i'r ddarlithfa i'r llall, nes bod ei fyfyrwyr weithiau'n teimlo fel pe baen nhw wedi bod yn gwylio gêm o denis yn hytrach na dysgu am gyfansoddiad genynnol. Câi Marcus glywed beth oedd ganddo i'w ddweud heb i Patrick orfod wynebu effaith yr hyn a ddywedai ar wedd ei fab.

Sheila oedd wedi codi'r grachen ar yr hyn yr oedd yn rhaid ei ddweud, bron chwarter canrif yn rhy hwyr. Nid oedd neb wedi rhag-weld hyn, neb wedi ystyried y byddai Marcus glyfar, cŵl yn glanio mewn 'trwbwl'. Marcus o bawb. Bu eu holl sylw ar y teulu a gâi Sophie, gan fwy na hanner disgwyl y geiriau: 'Mam, Dad, dwi'n disgwyl!' Ond dyna fel mae hi bob tro – o'r ochr dywyll, o'r cysgodion, o'r annisgwyl y daw'r gelpen.

Chwarddodd Patrick wrtho'i hun wrth feddwl am ei feddyliau. Genhedlaeth neu ddwy ynghynt, dyma'n union fyddai wedi mynd drwy feddwl rhiant o glywed bod un o'i blant wedi beichiogi, neu wedi creu beichiogrwydd, y tu allan i lân briodas, a byddai'r rhiant wedi cael ymwared wrth i'w blentyn olchi'i ddwylo o'r fath gythrwfl. A dyma fe'n awr yn gwyrdroi'r cyfan, yn ystyried mai'r diffyg ymrwymiad oedd y broblem – nid bodolaeth y plentyn ond penderfyniad Marcus i droi'i gefn. Byddai bodolaeth y plentyn yn llenwi Patrick â gorfoledd. Oedd, roedd Marcus yn ifanc i fod yn dad, ond byddai'n mynd ar ei ben i gors os oedd e'n meddwl y gallai ddiosg ei dadolaeth fel diosg ei siaced ledr ffug.

Roedd James a Phillippa wedi gadael yn blygeiniol o gynnar, a diolchai Patrick am hynny. Ofnai y byddai ei frawd hŷn wedi mynnu parhau'r drafodaeth gyda'r bwriad o'i llywio drosto ef ei hun. Ni fyddai Patrick wedi gallu dioddef hynny.

Doedd Sheila ddim wedi mynegi barn, nac wedi ochri gyda Marcus yn fwy na gydag e. A hithau'n ddoethach na'r un ohonyn nhw, roedd hi wedi cadw rhag dweud dim a allai droi'r drol. Ond roedd hi wedi annog Patrick i siarad â Marcus, i sôn am yr hyn oedd ganddo, bellach, yn dalpyn go fawr o brofiad a allai fod o fantais i Marcus ei glywed. Ei ddyletswydd, meddai Sheila, oedd rhannu ei brofiad â Marcus, dweud wrtho sut deimlad oedd bod yn yr union sefyllfa y byddai Marcus yn canfod ei hun ynddi ymhen blynyddoedd. Dewis Marcus fyddai derbyn neu wrthod y gair o brofiad, meddai Sheila, ond dyletswydd Patrick, fel ei dad, oedd ei roi iddo.

'Alla i ddim dweud y cyfan,' mwmiodd Patrick a'i ben yn ei ddwylo ar erchwyn y gwely y bore hwnnw, gan gadw'i lais yn isel rhag i'w fab ei glywed o'i ystafell wely ar draws y landin.

'Na alli,' meddai Sheila gan roi ei llaw drwy ei wallt yn gefnogol. 'Dwi'n gwbod hynny. Ond mae'n rhaid i ti ddweud beth sy'n rhaid ei ddweud. Dyna i gyd.'

A dyma fe nawr yn gaeth yn yr atig, yn esgus bod gwaith i'w wneud ar beipen nad oedd yn gollwng fwy na diferion os o gwbl, ac yn ofni clywed sŵn traed ei fab ar y landin.

*

'Peipiau'n gollwng,' eglurodd Patrick wrth weld pen Marcus yn ymuno ag e. 'Aros di fan'na, does 'na ddim digon o le i ni'n dau.'

Eisoes, roedd e'n simsanu.

'Duw, oes,' meddai Marcus a gwthio'i hun fel slywen ystwyth i mewn drwy'r twll i'r atig. Gwyrodd ar ei gwrcwd cyn eistedd ar astell. 'Oes 'na rywbeth alla i wneud?'

'Dal y lamp,' meddai Patrick a phasio'r lantern halogen i Marcus. Daliodd yntau hi led braich oddi wrtho dros y peipiau roedd Patrick yn ceisio'u trwsio, ac i ffwrdd oddi wrth wynebau'r ddau gan fod y golau cyn gryfed. Taflai gysgodion bwystfilaidd, siarp dros onglau lletraws y to.

Trodd Patrick ei sylw'n ôl at y beipen ddiffygiol, a dechrau siarad am ymchwil Marcus, nad oedd ganddo rithyn o ddiddordeb ynddo, a Marcus yn gwybod hynny. Heb i'r naill na'r llall ddweud gair am fabi na dim byd tebyg, gwyddai'r ddau beth oedd ar feddwl yr hynaf ohonyn nhw.

'Dwyt ti ddim am newid dy feddwl.' Gosodiad, nid cwestiwn.

'Sawl gwaith ma'n rhaid deud?' ebychodd Marcus yn ddiamynedd.

'Yna dwi ddim yn bwriadu cau 'ngheg chwaith,' meddai Patrick a dal ati i dynhau'r beipen wrth y tanc dŵr oer.

'Fi sy'n gwbod 'y meddwl, Dad. Fi sy'n byw hyn; dwyt ti ddim yn deall.'

Ar hynny, penderfynodd Patrick yn derfynol mai yma yng ngharchar y to roedd e am ddweud wrth Marcus. Yma, doedd dim posib i'w fab droi ei gefn a cherdded i ffwrdd yn ddiymdroi. Yma, ynghanol y cysgodion a gadwai gwmni i'r ddau, gallai wneud i Marcus wynebu rhai o'r gwirioneddau roedd ganddo fe lawer mwy o brofiad ohonyn nhw na'i fab.

'Fe glywaist ti fi'n sôn am Rachel,' dechreuodd. Daliodd at ei orchwyl heb droi ei ben i edrych ar Marcus.

'Dy wraig gynta di, yr un gafodd ddamwain.'

Yn union fel pe bai e wedi cael cyfres o wragedd, meddyliodd Patrick, ac mai mater o rifflo drwy'r ffeithiau moel oedd dod at yr un roedd e'n ei feddwl.

Nodiodd ei ben.

'Be amdani?' holodd Marcus.

Hoffai fedru plymio i'r dwfn, dweud ar ei ben a gorffen: fe gafodd hi blentyn, ein plentyn ni. Ond roedd hynny'n ormod iddo allu ei wneud, a swniai'n chwithig, yn union fel pe bai'n ceisio cuddio'r gwir yn hytrach na'i ddatgelu. 'Fel pe bai', wir, meddyliodd Patrick. Wnâi e ddim byd ond cuddio'r gwir, y gwir yn ei gyfanrwydd hyll, oddi wrth ei fab. Difarai gychwyn ar y llwybr hwn.

'Be am Rachel?' holodd Marcus eto.

Anadlodd Patrick yn ddwfn a gosod y sbaner ar lawr. Cododd ar ei gwrcwd ac anelu'n lletchwith am y stepiau. Doedd fan hyn ddim yn lle i siarad wedi'r cyfan. Doedd dim cuddio i fod: rhaid oedd i Marcus weld ei fod o ddifri. Diffoddodd Marcus y lamp a'i ddilyn i lawr. Pasiodd y lamp i'w dad.

Wrth dynnu'r siwmper gyda'i gorchudd o lwch yr atig oddi amdano, dechreuodd Patrick wegian eto. Pe bai ei fab yn gwneud yr hyn y byddai meibion yn tueddu i'w wneud a cherdded oddi yno yn lle disgwyl am bregeth arall, fe adawai Patrick hi ar hynny. Ond os oedai…

Lluchiodd Patrick ei siwmper i mewn i'r fasged dillad brwnt yng nghornel ei ystafell wely ef a Sheila. Roedd Marcus wedi oedi wrth y drws.

Disgynnodd Patrick ar ei eistedd ar y gwely, a phwyso'i benelinoedd ar ei liniau heb edrych ar Marcus.

'Daw 'na amser pan fyddi di eisiau gwybod.'

'Gwybod be?'

'Enw'r plentyn… rhyw y plentyn, Marcus, pa un ai tad i fachgen neu i ferch wyt ti, yn enw'r mawredd.'

Roedd e wedi codi'i ben i wylio Marcus.

'Pan fydd 'da ti deulu arall, pan fyddi di'n…'

'Teulu arall?' torrodd Marcus ar ei draws. 'Does 'da fi ddim teulu nawr, heblaw amdanoch chi. A dwi'n cymryd nad sôn amdanoch chi wyt ti.'

'Sôn am y ferch dwi,' meddai Patrick yn dawel. 'Sôn am y plentyn.'

'Dyma mae'r ddau ohonon ni'i eisiau,' meddai Marcus drwy ei ddannedd, fel pe bai e wedi 'laru ailadrodd yr un peth.

Anwybyddodd Patrick ei eiriau.

'Daw amser pan fyddi di'n meddwl be mae hi neu fe yn ei wneud, i ba ysgol bydd hi neu fe'n mynd, sut bydd e neu hi'n gwneud yn yr ysgol, pwy fydd ei ffrindiau fe neu hi, pa liw gwallt fydd ganddi neu ganddo, pa liw llygaid fydd ganddo neu ganddi, a fydd e neu hi'n debyg i ti?'

Oedodd. Roedd ceg Marcus ar gau'n dynn mewn ystum rhyfelgar.

'A gwaethygu wnaiff e pan gei di blant eraill. Fe fyddi di'n meddwl pa mor debyg fydd e neu hi i dy blant eraill di. Ac os colli di'r cysylltiad nawr, mae 'na beryg y colli di fe am byth. Hyd yn oed pe baet ti'n dod i gysylltiad â'r plentyn yn nes ymlaen, neu ar ôl iddo fe neu hi dyfu, fydd e ddim yr un fath. Fyddi di ddim yn gallu dod â'r blynyddoedd yn ôl, a falle… falle na fydd e neu hi'n barod i faddau i ti am droi dy gefn, am…'

'Beth sy gan hyn i neud hefo Rachel?' gofynnodd Marcus yn dawel heb lawer o ystyriaeth, fel pe bai'n chwilio am rywbeth i atal y llif o geg ei dad.

Trawodd y cwestiwn Patrick fel bwled. Cafodd ei demtio i ddweud 'Dim byd, anghofia'r peth' ond roedd y geiriau, bellach, wedi ffurfio yn ei ben.

'Fe gafon ni blentyn.'

Ni symudodd Marcus. Daliai i edrych allan drwy ffenest llofft ei dad ar erddi iraidd, ffrwythlon eraill Llandaf. Tynhaodd ei wefusau at ei gilydd. Gwyliai Patrick ei fab, a disgwyl iddo siarad. Ni ddaeth gair.

Ni wyddai Patrick beth i'w ddweud bellach, gan fod yr hyn roedd e wedi bwriadu ei ddweud wrth ei fab wedi cael ei ddweud.

'Dwed rywbeth,' meddai Patrick heb arlliw o gynnwrf yn ei lais.

'Ydi Mam yn gwbod?'

Bu bron i Patrick chwerthin – ni ddisgwyliasai'r cwestiwn hwnnw, er disgwyl dwsinau o rai anos i'w hateb... ond dyna fe, meibion i'n mamau ydyn ni i gyd yn y diwedd, ystyriodd.

'Yndi, siŵr!'

'Merch neu fachgen...?'

'Merch.'

'Ble mae hi?'

'Dwn 'im.'

'Be ddigwyddodd iddi?'

'Fe gafodd 'i magu gan 'i mam-gu a'i thad-cu, mam a thad Rachel.'

'Pam?'

'Fe fuodd Rachel farw.'

'Ti oedd 'i thad hi.'

'Ie. Doedd pethau ddim yn hawdd rhwng rhieni Rachel a fi.'

Âi'r cwestiynau'n anos o un i un. Rhaid oedd i Patrick fod ar ei wyliadwriaeth.

'Faint oedd 'i hoed hi?'

'Rachel?'

'Y babi!' saethodd Marcus gan droi yn llawn at ei dad.

Gwingodd Patrick. Roedd hi'n amlwg bod ei fab yn amau ei fod e'n ceisio cuddio.

'Faint oedd oed y babi pan welaist ti hi ddwetha?'

Rhedodd Patrick drwy'r ffeithiau y bu'n eu hymarfer.

'Doedd meddwl Rachel ddim yn iawn ar ôl y ddamwain. Fe fuodd hi byw am ddwy flynedd wedyn.'

'A'r babi? Ti oedd yn edrych ar ôl y babi wedyn, pan oedd Rachel yn methu…?'

'Na, mam a thad Rachel. Doedd fawr o siâp arna i ar ôl y ddamwain.'

'Be laddodd Rachel yn y diwedd?'

'Niwmonia.'

Ffeithiau.

'Felly… roedd y babi'n ddwy oed, o leia dwy oed, pan fuodd Rachel farw.'

Plygodd Patrick ei ben i beswch. Dyma'r rhan anoddaf – rhoi ar ddeall i'w fab iddo adael ei ferch ac yntau wedi'i hadnabod hi ers dwy flynedd. Ond pa ddewis arall oedd 'na?

'Yn blentyn bach…' ystyriodd Marcus.

'Ychydig welais i arni tra buodd Rachel byw. Fel dwedais i, doeddwn i ddim mewn unrhyw gyflwr i fagu babi.'

'Plentyn,' cywirodd Marcus. 'A'i henw hi?'

'Eve.' Pesychodd Patrick eto i gael gwared ar y crygni. 'Fe enwais i hi… fe enwon ni hi'n Eve.' Cofiodd amdano ef a Rachel yn trafod enwau ymhell cyn iddyn nhw briodi. Efa oedd yr enw roedd Rachel eisiau ar ferch, ac yntau'n methu cymryd y cam pellach o roi enw mor Gymreigaidd arni. 'Fydd neb yn gallu ynganu Efa,' meddai wrthi, a hi'n ei dynnu'n gareiau am fod yn gymaint o lwfrgi yn dweud y fath beth – heb wylltio go iawn, chwaith: chwarae gwylltio, yn aml fel rhagymadrodd i ryw, fel oedd arfer Rachel yn y dyddiau hynny.

'A dwyt ti ddim hyd yn oed yn gwybod a yw hi'n fyw?'

Cododd Patrick fymryn ar ei ysgwyddau. Beth allai e ddweud? Daeth Marcus i eistedd ar y gwely yn ei ymyl.

'Ac fe fyddai hi'n faint? Dros ei deugain…'

'Rhywbeth felly.'

'Dwyt ti ddim yn gwbod ei hoed hi?'

Wrth gwrs ei fod e! I'r diwrnod. Ond wnâi e ddim cyfaddef hynny wrth ei fab.

'Yn y dyddiau hynny, bodoli'n unig o'n i, nid byw. Aethon nhw â hi gatre efo nhw, ac fe fuodd Rachel farw.'

'Eve. Fy chwaer.'

'Ie.'

'Blydi hel!'

Rhoddodd Marcus ei ddwylo dros ei lygaid, bron fel pe bai'n dymuno ymwrthod â'r newyddion a gawsai ei hyrddio'n ddiwahoddiad ar draws ei fywyd.

Cododd Patrick i fynd â'r sbaner i lawr ac i ofyn i Sheila wneud paned. Gadawodd i'w fab gnoi cil dros ei feddyliau am ychydig ar ei ben ei hun.

10

'SHWT MA'R NOFEL yn dod yn 'i bla'n?' holodd Gwen gan
wenu ar ôl cymryd sip o'i pheint. Roedd 'y nofel' wedi
bod yn destun hwyl rhwng y ddwy ers blynyddoedd, ers i Efa
gyhoeddi un noson feddw ei bod yn fwriad ganddi droi ei llaw
at sgrifennu creadigol. Doedd ganddi 'run gair ar bapur eto, a
go brin y byddai 'na byth. Gwyddai Gwen hynny gystal ag Efa ei
hun, a byddai wrth ei bodd yn tynnu coes ei ffrind yn ei chylch.

''Wy'n dal i dreial penderfynu ym mha iaith i'w sgrifennu hi,'
meddai Efa.

'Beth?! Ti'n meddwl 'i sgrifennu hi'n Susneg?' rhyfeddodd
Gwen. 'Pa fodd y cwympodd y cedyrn.'

'Ca' di dy lap,' meddai Efa. 'Susneg yw'r unig iaith fydd pawb
yn 'i deall yn y lle 'ma cyn bo hir. Ma'n nhw wedi penderfynu
cau 'te.'

'Fe ffonodd un o'r swyddogion fi wythnos dwetha,' meddai
Gwen wrth weld na allai droi'r sgwrs i gyfeiriad llai ymfflamychol
na dyfodol yr ysgol.

'Ar ôl yr holl wrthwynebiade sgrifennon ni, yr holl lythyre,
a'r protestio.'

'Gair yw ymgynghori,' meddai Gwen. 'Dim ond gair, er mwyn
iddyn nhw allu rhoi tic yn y bocs.'

'Allwn ni ddim gadel iddo fe ddigwydd. Fydd y lle 'ma'n marw
ar 'i dra'd.' Amneidiodd Efa o'i chwmpas fel pe bai hi'n argymell
cadw'r Feathers rhag mynd i ddifancoll. 'Beth am y Gymrâg?'

'Ma'r cyngor o'r farn bod deugen o blant yn nifer rhy fach,'
meddai Gwen.

'Deugen? Ma hwnna'n nifer teidi.' Ceisiai Efa ei gorau i

bwyllo, ond roedd pwyll y brifathrawes yn ei chynhyrfu. 'Isie mwy o brotestio sy, clymu'n hunen wrth byst yr iet, bomio'u hen swyddfeydd afiach nhw, mynd â nhw i gyfreth. Iwrop! 'Na'r lle, i'r llys iawndere dynol yn Iwrop. Lle ma Meibion Glyndwr pan ma'u hangen nhw?'

'Ddim un naw chwe naw yw hi, Efa, nac un naw saith naw. Ma'n anodd dadle 'da nhw, a'u hanner nhw'n Bleidwyr,' meddai Gwen yn ddiflas.

'Pleidwyr Ca'rdydd,' bytheiriodd Efa. 'Pleidwyr sy'n credu mai hindrans yw'r iaith. Ofan drwy'u tine y gwnân nhw bechu'r di-Gymraeg. A'r Saeson – isie ca'l gwared ar y jawled 'ny sy.'

Doedd Efa'n poeni dim bellach a ddeallai Adrian y tu ôl i'r bar ai peidio. Roedd e'n eu gwylio, a gwyddai Efa fod y ddau bentrefwr a eisteddai ar stolion wrth y bar yn cyfeirio'u clustiau at eu sgwrs nhw bellach hefyd.

'Faint o blant fydde ar ôl 'ma wedyn?' Plygodd Gwen ymlaen er mwyn ceisio gwneud i Efa ostwng ei llais. 'Ddim nhw yw'r broblem.'

'Ni'n croesawu'r mewnlifiad fel cenedl o Seithenyns bach, 'da'n breichie led y pen ar agor.'

'Twpdra'n pobol ni'n hunen yw hyn,' aeth Gwen rhagddi'n ddiflas. 'Meddwl bod arbed cinoge'n bwysicach na'r Gymrâg yng nghefen gwlad. Fe drion ni bopeth, cynnig llu o awgrymiade call am rannu penaethied er mwyn cadw'r ysgol yn y pentre, er mwyn cadw'r Gymrâg yn y pentre, ond fe gafon nhw'u diystyru cyn iddyn nhw foddran 'u darllen nhw. Yn lle cyfadde 'u methiant i ddod â gwaith i gefen gwlad y gogledd a'r gorllewin fel bod y Gymrâg yn dal 'i thir, ma'n nhw wedi hongian arwydd DNR am 'yn gyddfe ni a chanoli'r adnodde yn y trefi lle ma'r Gymrâg ar y ffordd mas yn barod. 'Yn pobol ni'n hunen. Shwt ma rhesymu 'da'r rheiny?'

'Ffeito sy isie,' cyfarthodd Efa, a gallai daeru iddi glywed un ai Ianto Pen-rhiw neu John Bryn Derw yn sibrwd 'Cwaci nashi' o dan ei wynt wrth Adrian y tu ôl i'r bar. Doedd ar Efa ddim affliw o gywilydd: câi'r ddau foddi yn eu biswail taeog. 'A ddylet ti o bawb fod yn fo'lon neud 'ny.'

'Dere, Efa,' ceisiodd Gwen dawelu'r storm. 'Gad i ni siarad am rwbeth arall. Ma digon o waith trefnu ar y Dwrnod Hwyl mis nesa. Fydd isie gŵr gwadd, trafod stondine, beirniad y gwisgo lan…'

Cleciodd Efa weddill ei pheint er mwyn mynd i nôl un arall. Er mai dim ond dau oedd wrth y bar, gwthiodd rhwng Ianto a John a rhoi'r wên fwya ffals a feddai i'r ddau cyn gofyn i Adrian am ddau beint arall o lagyr, heb ymdrechu i wastraffu'r wên arno yntau hefyd.

*

Simsan braidd oedd cerddediad Efa wedi iddi hebrwng Gwen adre. Fel arfer, byddai wedi derbyn gwahoddiad Gwen i rannu potelaid fach o win i gwblhau'r noson, ond wnaeth hi ddim heno, a gallai daeru na phwysodd Gwen yn drwm arni chwaith. Cynigiodd fod Ifan, ei gŵr, yn gyrru Efa 'nôl lan i Dy'n Mynydd, ond roedd Efa wedi gwrthod gan fynnu y gwnâi'r awyr iach les iddi. Doedd fawr o flas wedi bod ar y noson: Efa'n ceisio tynnu'r sgwrs 'nôl at dynged yr ysgol drachefn a thrachefn, a Gwen yn amlwg wedi 'laru ar glywed yr un hen druth y bu hi ei hun yn ei wyntyllu ers misoedd lawer.

Hawdd y gallai Efa wylltio, meiddiodd Gwen awgrymu wrthi – doedd hi ddim wedi gorfod wynebu'r un hen ddadleuon beunydd beunos a cheisio cadw trefn ar yr ysgol ar yr un pryd. Roedd Efa wedi gwylltio'n waeth wrth glywed hynny, ond gwyddai yng ngwaelod ei chalon fod byw yn Nhy'n Mynydd yn ei hynysu, yn ei chadw'n rhy bell o'r pentref iddi allu bod yn rhan ganolog o'r ymgais i achub yr ysgol.

Gwyddai hefyd nad ar Dy'n Mynydd oedd y bai i gyd chwaith. Roedd Efa'n llawer rhy glwm wrth ei thrafferthion ei hun gyda Ceri i allu rhoi gormod o'i sylw i drafferthion y pentref. Gwylltiai â hi ei hun yn awr am iddi adael i bethau fod – fel pe bai ganddi hi'r gallu i droi'r llanw, a phawb arall o drigolion Pen-cwm wedi methu...

Meddyliodd am ei nofel. Dan effaith pedwar peint, ymddangosai o fewn ei gallu i gynhyrchu cyfrol a werthai fesul miloedd yn yr iaith fain, nofel a fuasai'n agor llygaid y Saeson unwaith ac am byth i frwydrau'r Cymry dros ddyfodol i'w hiaith. Ynddi byddai'n darlunio trais y Sais ac apathi'r Cymry eu hunain. Gwnâi 'The Welsh Suicide Bomber' deitl da. Byddai hi'n pregethu ein bod yn rhy gwrtais i achub yr iaith ac yn rhy amharod i fod yn ynfyd yn ein protest. Byddai'n troi ar y cenedlaetholwyr nad yw'r jwg ar y seld yn greiddiol i'w dadleuon bellach... yr un hen feddyliau 'pedwar peint'.

Gwyddai yn ei chalon mai pregeth roedd hi eisiau ei sgrifennu go iawn, nid nofel, a doedd pregethau ddim yn gwerthu, nac yn gweithio.

Teimlodd Efa'i gwaed yn berwi gan rwystredigaeth unwaith eto. A hithau'n agosáu at ei deugain, gallai dyngu bod caru'r iaith yn dechrau effeithio ar ei hiechyd. Cyn hir, byddai'n rhaid gosod rhybuddion i bobl fel hi, fel ar bacedi sigaréts, ar gyfrolau fel *Dail Pren* a *Cherddi'r Cywilydd*.

Anelodd drwy'r pentref am yr hewl fach a arweiniai i fyny'r bryn at Dy'n Mynydd. Pasiodd y capel yn rhythu'n wag arni, a'i wyneb tywyll wedi hen roi'r gorau i gyfleu unrhyw arwydd o fywyd. Gwelodd arwydd y cwmni gwerthu tai yn lliwgar ar yr iet rydlyd, yn cyferbynnu â llwydni'r capel. Pe bawn i wedi bod yn aelod, dechreuodd edliw wrthi'i hun unwaith eto, efallai y byddwn i wedi gwneud digon o wahaniaeth fel na fyddai'n rhaid ei gau. Mater bach o beidio arddel ei hanffyddiaeth, peidio â bod yn rhy driw i'w chydwybod, dyna'r cyfan.

Moethusrwydd yw daliadau nad ydynt yn ymwneud â'r iaith i rywun fel fi, meddyliodd yn chwerw. Roedd wyneb y lle fel pe bai'n rhythu arni, yn ei chyhuddo. Cyflymodd ei chamau.

Ni fedrai cragen hen siop y post edliw'r un fath wrthi. Bu'n ffyddlon iddi tan y diwrnod olaf un, a'i silffoedd bron yn wag. Roedd y post wedi dod i ben flynyddoedd ynghynt, ond dim ond ers dwy flynedd roedd yr hwch ddiarhebol wedi llusgo'n derfynol drwy'r siop, a Mrs Huws a'i cadwai wedi ymdrechu hyd eithaf ei gallu i'w chadw'n agored drwy geisio denu trigolion Pen-cwm rhag rhoi dau neu dri o eitemau sylfaenol yn nhroli mawr Morrisons y dref.

Syllodd Efa i mewn drwy'r ffenest fawr a arferai fod yn ffenest y siop ar y potiau blodau ar y sil y tu mewn. Gwelodd yn y tywyllwch y tu ôl i'r llenni les fod perchennog newydd y lle – dyn o Wigan – wedi tynnu hen silffoedd y siop yn ei ymdrech i greu ystafell fyw gyffredin i'w dŷ. Unwaith eto, roedd y ffenest yn anthropomorffeiddio'r adeilad, yn creu agen o geg dwp fel pe bai'r adeilad wedi colli ei ymennydd wrth ei droi'n dŷ. Byddai wedi bod yn garedicach claddu'r capel a'r siop – a'r dafarn a'r ysgol ymhen dim – dan haen drwchus o bridd na'u gadael i sefyll fel meirwon.

Daeth yr ysgol i'r golwg ar ochr arall y ffordd. Buan iawn y byddai ei iet hithau'n gwisgo arwydd y cwmni gwerthu tai. Buan iawn y câi'r enaid ei sugno o'r adeilad a'i adael yntau hefyd i rythu'n dwp ar weddill y pentref.

Hyd yn oed yn y tywyllwch, roedd yr ysgol yn edrych yn fyw ar hyn o bryd, a lluniau'r plant i'w gweld yn glir ar gwareli Fictorianaidd y ffenestri. Yn ei lle, dôi adeilad na fyddai'n perthyn i unman penodol. Câi miliynau ei wario ar ysgol newydd, ddienaid dair milltir i lawr y ffordd, gan adael tri adeilad gwag mewn tri phentref marw. Byddai'r adeilad newydd hwnnw – fel cymaint o rai'r 60au a'r 70au – yn dirywio eto ymhen deng mlynedd ar hugain ac yn symud i le arall, gwerth miliynau'n fwy, ymhellach oddi yma i gyfeiriad y dref. Yr iaith ar daith heb adael dim o'i hôl.

Clywodd Efa sŵn teledu'n dod o gyfeiriad y rhes o dai a arweiniai i fyny heibio i'r ysgol a gweld golau yn ystafelloedd byw dau neu dri ohonyn nhw. Teimlai atgasedd at y bobl y tu ôl i'r llenni oedd yn mwynhau'r rwtsh ar y teledu heb boeni'r un iot eu bod yn byw mewn mynwent.

Na, meddyliodd Efa wedyn. Nid mynwent mo'r lle hwn eto. Mae calon fach yr ysgol yn dal i guro yn Gymraeg, er bod y picelli ar annel tuag ati.

*

Nid cefn pen Shelley oedd yn ei chyfarch ar y soffa pan ddaeth hi drwy'r drws, ond cefn pen Ceri oedd nesaf ato. Gwyddai Efa cyn dod i mewn fod gan Ceri ymwelydd. Roedd y fan ddieithr wrth iet yr ardd wedi'i rhybuddio eisoes.

'Ti gatre!' Saethodd Ceri ar ei thraed a'i hwyneb yn goch gan gywilydd, neu ddicter. Dicter, siŵr o fod, ystyriodd Efa.

'Edrych yn debyg,' meddai Efa a sefyll yn stond gan ddisgwyl cael ei chyflwyno i'r crwt trwyn-, clust- ac ael-fodrwyog – perchennog y pen – a oedd wedi troi i'w hwynebu.

Ond doedd dim cyflwyniad yn dod, felly mentrodd Efa ofyn, 'Wyt ti ddim am 'yn cyflwyno ni?'

'Beth ti'n neud gatre?' holodd ei merch heb ddilyn y sgript. 'Ti'n arfer rolo i mewn tua un y bore.'

'Glywest ti fi?' holodd Efa'n bigog.

'Christian yw e,' meddai Ceri. Wnaeth hi ddim cyflwyno Efa iddo fe, ond mae'n rhaid bod y crwt yn deall bellach pwy oedd hi.

Christian, gwamalodd Efa yn ei phen. Gofyn am ei enw fe wnes i, ddim gofyn am ei grefydd e.

'Shwt wyt ti, Christian?' Trodd Efa i gyfarch y crwt.

Gwnaeth hwnnw sŵn gyddfol rywle rhwng chwerthiniad ac ebychiad.

'Wa'th ti beido wasto d'ana'l. So Christian yn siarad Cymrâg,' meddai Ceri'n swta.

'O? Nag yw e? Well, since I'm a Welsh teacher, we can do something about that, can't we?' meddai Efa gan drio swnio mor ysgafn-chwareus ag y medrai a dweud 'run pryd yn union beth oedd hi'n ei feddwl.

'Welsh teacher, *wir*,' wfftiodd Ceri. 'She's nothing like a Welsh teacher. She teaches a class for no-hopers in the village to say "helô" and "gwdbei" in Welsh.'

Ffrwynodd Efa ei thymer a pharhau â'i sgwrs â Christian, gan anwybyddu Ceri.

'And can you say "hello" or "goodbye" in Welsh?' meddai mor hynod o neis ag y medrai, er mwyn gwylltio mwy ar Ceri.

'Uh…' ystyriodd y pincws. 'No.'

'That's such a shame,' cydymdeimlodd Efa'n ddwys. 'We'll have to do something about that, won't we, Cers?'

'Come on, Christian.' Tynnodd Ceri'r crwt ar ei hôl allan drwy'r drws.

'Nice meeting you!' gwaeddodd Efa ar ei ôl.

Pan ddychwelodd Ceri ar ôl bod allan yn ffarwelio â Christian wrth y fan, gwyddai Efa'n syth ei bod o dan y lach wrth i ddrws y tŷ fygwth torri oddi ar ei golfachau. Tywalltodd wydraid o win coch iddi hi ei hun.

'Crwtyn ffein,' meddai, er mwyn gwneud yn siŵr fod y dyfroedd yn cynhyrfu digon i wneud i Ceri siarad â hi. Fel arall byddai honno wedi martsio i'w gwely a gadael Efa'n sgwario am gweryl a neb i gweryla ag e. Â hi. Disgwyliodd am y 'Ffac off, Mam'.

''Wy'n gwbod bo ti moyn ffeit a so i'n mynd i roid un i ti.'

'Beth wedes i? Ma fe'n grwtyn ffein. Yn yr ysgol mae e?

'Wy'n synnu nag oes Cymrâg 'dag e. Gwarth ar yr ysgol a gweud y gwir, a pholisi iaith y sir, so ti'n…?'

'So fe yn yr ysgol. Gwitho yn y lle carafáns mae e,' meddai Ceri'n surbwch. Cyfleu gwybodaeth, a dim mwy, er mwyn cau ceg ei mam.

'Fel beth?'

Trodd Ceri i'w hwynebu, a'i hwyneb wedi'i grychu gan ddirmyg tuag at Efa.

'Fel beth?! Beth ti'n feddwl "fel beth"?'

'Wel, odi fe'n gwitho tu ôl y ddesg yn y dderbynfa, neu yw e'n glanhau tai bach…?'

''Na beth sy'n dy fecso di, yn defe? Becso bod dy ferch yn mynd mas 'da rhywun sy'n glanhau toilets.'

'Dim o gwbwl. 'Wy'n credu bydde well 'da fi 'i fod e'n glanhau tai bach na'i fod e bia'r lle. Bydde glanhau tai bach yn agosach at fod yn weithwr na ryw fachan busnes o Essex yn dod lawr man 'yn i neud 'i filiyne.'

'Birmingham,' meddai Ceri.

'Be?'

'O Birmingham. O Fyrmingham mae e. Mab i berchennog y lle carafáns yw e.'

Cofiodd Efa am y lle carafáns rhwng y pentref a'r dref. Twll o le, ond twll fel pot jam i ddenu pryfed o ganolbarth Lloegr. Gwelsai'r bachan oedd bia'r lle yn y Feathers un noson ar ôl y wers Gymraeg, yn gwasgaru ei Seisnigrwydd twpaf mewn acen Brymi dros y lle fel slyri. A mab i hwnnw oedd Christian.

'Ddim digon da i ti, ma'n amlwg.'

'Pwy wedodd 'ny? Yw e'n ddigon da i ti yw'r cwestiwn, ddim a yw e'n ddigon da i fi.'

Cofiodd wedyn i dri neu bedwar o feibion brith ddod i lawr gyda'r tad o ganolbarth Lloegr – ciwed barod eu cweryl a'u dyrnau, a pho ddyfnaf eu hanallu a'u hamharodrwydd i ddeall y peth cyntaf am Ben-cwm ac am Gymru, mwyaf swnllyd oedd eu cleber gwybod-y-cyfan. A dyma nhw nawr yn bwrw eu gwreiddiau i mewn i gnawd Cymry'r ardal, yn Birminghameiddio cefn gwlad y sir drwy fwrw eu had twp i mewn i fenywod twpach nes bod yr hen le 'ma'n swnio'n debycach i un o faestrefi'r gyfryw ddinas nag i ardal o Gymru. Gwyddai Efa'n well na neb na ddylai orgyffredinoli wrth ystyried mewnfudwyr, â digon o bobl yn fwy na pharod i'w chyhuddo o hiliaeth, ond pa mor aml oedd gofyn i batrwm ailadrodd ei hun cyn i rywun gael hawl i'w labelu? A beth oedd o'i le ar ddeisyfu i Ceri gael cariad ac iddo owns o grebwyll o leiaf, beth bynnag oedd ei iaith?

'Allith e byth â bod yn ddigon da i fi os nag yw e'n siarad Cymrâg,' gwawdiodd Ceri.

'Wedes i ddim byd o'r fath.' Ceisiodd Efa swnio'n ddihid: y peth diwethaf ddylai hi ei wneud oedd creu cweryl am Seisnigrwydd Christian – doedd dim byd yn sicrach o saethu Ceri i'w freichiau. Gwenodd Efa wên lydan y gobeithiai ei henaid ei bod hi'n edrych yn un ddiffuant.

'Mae e i weld yn fachgen iawn,' meddai'n gymodlon. 'Enjoia dy hunan, Ceri fach, a cofia, unrhyw un wyt ti'n 'i lico, 'wy'n 'i lico fe 'fyd. Beth wyt ti isie sy bwysica, dim byd arall.'

Rhaid iddi gyfaddef nad oedd y bachgen i'w weld â digon o wmff ynddo i dynnu neb am ei ben. Efallai y câi hi ei phrofi'n anghywir. Gobeithiai hynny.

Aeth Efa ati a rhoi cusan ar ei thalcen. Derbyniodd Ceri'r gusan, a thin-droi am eiliad fel pe bai hi'n ceisio pwyso a mesur diffuantrwydd geiriau ei mam, cyn gwenu'n denau a dweud 'Nos da'.

Ond yn ei gwely, methai Efa â chysgu wrth boeni faint y byddai'n rhaid iddi ddioddef y presenoldeb newydd hwn yn ei bywyd hi a Ceri. Ar y naill law, roedd hi'n berwi, eisiau dweud wrth Ceri'n bendant nad oedd hi'n caniatáu iddi gael perthynas â'r fath lo, ond ar y llaw arall gwyddai fod yn rhaid iddi ddysgu pwyll gan mai dyna'n unig fyddai'n gallu ei harbed rhag codi wal fawr gwbl anorchfygol rhyngddi a'i merch.

Ag effaith y cwrw yn dal yn ei gwaed, ystyriodd estyn ei gliniadur i roi cychwyn ar ei nofel – neu o leiaf roi'r teitl ar y sgrin. Gallai chwydu ei rhwystredigaeth drwy ei phrif gymeriad, bwrw ei baich ar honno er mwyn iddi hi ei hun gael teimlo'n well.

Ond yn lle hynny, cododd i roi Adagio'r Ymerawdwr ar ei chwaraewr CD, gan eistedd yn y gadair a gwisgo'r clustffonau rhag gwylltio mwy ar Ceri. Gwrandawodd ar y gerddoriaeth er mwyn cael esgus i lefen – y byddai wedi'i wneud, ta beth, yn ei gwely.

Teimlodd Efa rym disgyrchiant ar ei hysgyfaint wrth i'r triawd esgynnol yn y brif alaw arwain at berffeithrwydd y ddiweddeb a chyflawni mwy nag a gyflawnasai holl gyfansoddwyr y canrifoedd ar ôl Beethoven. Wrth wrando ar yr Adagio, a than effaith pedwar peint, daliodd Efa'i hun yn meddwl eto pa ryfedd fod natur drosgynnol celfyddyd yn gallu camarwain dyn i feddwl bod yna nefoedd. Sut gallai meidrolyn fod wedi gweu'r fath gelfyddyd, sy'n fwy na nodau, sy'n fwy na chemegau yn yr ymennydd yn adweithio i gyfuniad seiniol? Roedd yr anesmwythyd a deimlai bob tro o fod wedi clywed perffeithrwydd yn gwrthod ei gadael.

Wedi i ymchwydd y brif alaw wneud iddi wingo am y tro olaf, disgynnodd Efa i gysgu yn ei chadair.

11

Y<small>N Y *GYM*</small> y gwnâi Patrick y rhan fwyaf o'i feddwl. Y drwg gydag offer corfforol oedd eu bod yn gadael y meddwl yn rhydd, heb ei lyffetheirio, wrth dynnu'r corff i siâp. Roedd y rhyddid i feddwl yn wendid, meddyliodd Patrick, ac am y tro cyntaf yn ei fywyd ystyriodd brynu iPod y gallai ei stwffio i'w glustiau i geisio hel y meddyliau ar ffo tra byddai'n ymarfer ei gorff.

Mynnai Rachel ymwthio i mewn rhyngddo a'i gyfrif o gilometrau a rwyfwyd neu a seiclwyd neu a sgïwyd. Ers dyddiau lawer, ers cyhoeddiad Marcus, daethai hi o farw'n fyw iddo. Hi ac Eve. Ond doedd e prin yn nabod Eve. Rachel oedd e'n ei nabod. A gwyddai nad oedd deugain mlynedd a mwy wedi bod yn ddigon o amser iddo beidio ag ail-fyw ei deimladau tuag ati. Doedd neb fel Rachel. Doedd neb erioed wedi dod yn agos at fod fel Rachel. Roedd Sheila'n berson hyfryd, ac fe'i carai hi heddiw lawn cymaint â'r diwrnod y priododd hi – ei charu mewn ffordd lai angerddol, efallai, lai fflamychol, ond yn llawn mor ddwfn. Yn ffodus, roedd Sheila'n gwybod yn iawn cymaint roedd e wedi caru Rachel. Ni synnai Patrick pe bai Sheila'n gwybod hefyd na fyddai byth yn gallu cael gwared ar y cariad a deimlai tuag at ei wraig gyntaf. Yn wir, roedd hynny'n dyfnhau'r cariad a deimlai at Sheila, ond roedd cydnabod wrtho'i hun y teimladau a ddaliai i lechu y tu mewn iddo tuag at Rachel yn anodd... O na bai'r ddwy wedi gallu bod yn un, meddyliodd wrth sychu ei chwys rhwng y felin draed a'r pwysau.

Gwyddonydd oedd Patrick, hyd at fêr ei esgyrn, a doedd e erioed wedi rhoi rhyw lawer o goel ar gysyniadau mwy rhamantaidd bywyd. Gwyddai mai cemegau a chysylltiadau trydanol yn yr ymennydd oedd wrth wraidd unrhyw deimladau a gawsai ac a gâi tuag at unrhyw fod meidrol arall. Ar hyd ei oes, tueddodd i roi mwy o bwyslais ar y corfforol yn ei gyfathrach â menywod y bu mewn perthynas â hwy – a dwy, go iawn, fu o'r rheiny. Ymateb cemegol oedd ei gariad at Sheila, fel at Rachel, gwead ei enynnau'n creu cyflyrau cemegol i danio'r ymateb niwrolegol a wnâi iddo chwysu a chael codiad ym mhresenoldeb y ddwy.

Dylai absenoldeb y naill fod wedi dargyfeirio'i gemegau tuag at y llall: os nad oedd rhywbeth yn bodoli, pa reswm esblygiadol oedd yna i'w gorff barhau i'w chwenychu?

Llwyddodd i fyw rhan orau ei fywyd, ddeugain mlynedd ohono, yn credu ei fod wedi cau'r drws ar Rachel wrth iddi farw, ac nad oedd unrhyw ystyr na rhesymeg dros barhau i deimlo tuag ati neu i weld ei cholli. Ond nawr, am ryw reswm, roedd hi 'nôl yn bresenoldeb a deimlai'n fyw iawn iddo, er nad oedd hi'n bod. Methai'n lân â deall ei hun. Go brin bod yr ymennydd – ar ei ystyr fwyaf sylfaenol, cemegol – yn parhau i gofio.

Wrth seiclo a rhedeg, sgio a rhwyfo, cofiai Patrick am wallt euraidd Rachel, ei llais fel pe bai yn yr ystafell gydag ef, ei llaw'n ei fwytho, y cyffro byw wrth i'r ddau gynllunio teulu ar fore eu hoes, a chwarae gêmau gwirion, tynnu coes, swsio, esgus pwnio, caru, siarad babis, siarad gwleidyddiaeth, geiriau Cymraeg...

Cododd Patrick ei ben ar ôl bod yn gwylio'i draed a Rachel yn llwyr feddiannu ei feddwl, a gweld hen ŵr dryslyd iawn ei olwg yn edrych 'nôl arno o'r drychau ar waliau'r *gym*.

Estynnodd am ei dywel a gwasgu ei wyneb i mewn iddo am eiliadau hir.

Bwriasai Rachel ei rhwyd amdano o'r eiliad gyntaf un pan welodd hi yn adeilad newydd y celfyddydau – hi ar ei ffordd o ddarlith i gael cinio bach, ac yntau wedi taro i mewn yno gydag Evan a rannai fflat gydag ef. Roedd Evan eisiau mynd â thraethawd i'w diwtor Saesneg, a Patrick am ei dynnu allan am beint i'r Woodie. Gallai Evan yn hawdd fod wedi mynd â'i draethawd i mewn at ei diwtor y diwrnod canlynol yn hytrach nag ar ei ffordd i'r Woodie; gallai Patrick fod wedi mynd yn ei flaen i'r Woodie heb fynd i mewn i adeilad y celfyddydau gydag e. Gallai unrhyw un o bopeth arall posib fod wedi digwydd. Ond yn lle hynny, cafodd Patrick ei hun yn aros am Evan y tu allan i ystafell gyferbyn â'r ddarlithfa y daeth Rachel allan ohoni, yn cario ffeil ac arni boster bach yn dweud 'Pleidleisiwch dros Gwynfor'. Nid bod Patrick wedi deall y geiriau gan eu bod yn Gymraeg – nac hyd yn oed wedi sylwi ar y poster – ar unwaith: gweld ei gwallt wnaeth e gyntaf, gwallt lliw aur hyd ei hysgwyddau ac iddo fywyd ei hun. Cuddiai ei hwyneb am yr hanner eiliad cyntaf, ac yna daeth hwnnw i'r golwg gan ddatgelu'r wên gynhesaf a welsai erioed. Cynhesodd rhwng ei goesau'n syth wrth edrych arni, a gwyddai na ddylai adael i'r eiliad na'r cyfle ddiflannu heb wneud rhywfaint o ymdrech.

'Hai,' meddai.

'Hai,' meddai hithau, wedi rhyfeddu braidd o gael dieithryn yn ei chyfarch ar goridor. Arni hi roedd e'n edrych ac nid ar neb arall o'r ffrindiau benywaidd oedd yn ei chwmni.

Rhaid bod rhywbeth wedi tanio ynddi hithau hefyd, gan iddi oedi eiliad. Penderfynodd Patrick fod yn rhaid iddo wneud ymdrech wirioneddol cyn colli cyfle na ddôi ond unwaith mewn oes – mor wirion oedd e'n ifanc, yn meddwl y fath beth.

Estynnodd ei law iddi.

'Patrick King, falch o dy gyfarfod,' meddai yn Saesneg.

'Rachel Thomas,' meddai hithau yn ei hacen Gymraeg. Roedd hi'n chwerthin wrth afael yn ei law, wrth ei bodd â'i ddwli.

'Mae'n rhaid i fi ofyn hyn,' mentrodd wedyn. 'Fe fydda i'n cicio fy hun am weddill fy oes os na wna i ofyn. Wyt ti'n gwneud rhywbeth nawr… hynny yw, rhywbeth mwy diddorol na dod gyda fi i gaffi'r undeb am ginio bach?'

Yr eiliad nesaf oedd yn cyfrif, cofiodd Patrick. Yr eiliad pan welai a fyddai ei hyfdra wedi croesi'r llinell ai peidio, wedi pechu yn lle bachu. Daliai'r ferch i wenu mewn rhyfeddod – roedd hynny'n galonogol.

'Mae'n ddrwg gen i, ond mae gen i gyfarfod,' meddai Rachel Thomas. 'Cyfarfod Plaid Cymru yn y swyddfa. Rydyn ni'n paratoi i ymgyrchu ar gyfer yr etholiad.'

'Wel,' meddai Patrick. 'Dyna ffodus. Ar fynd i swyddfa Plaid Cymru roeddwn i, i ymaelodi. Ga i ddod gyda ti i'r cyfarfod?'

Gadawodd ei ffrindiau hi'n giglan a chochi, a gadawodd Patrick Evan i bendroni i ble ddiawl roedd e wedi diflannu pan ddaeth e allan, o'r diwedd, o ystafell ei diwtor Saesneg.

Cofiodd Patrick hi'n mynnu ei fod yn mynd gyda hi i Gaerfyrddin i ganfasio adeg yr etholiad rai misoedd wedyn. Cofiodd iddo geisio gwrthod gan ddweud mai Sais uniaith oedd y peth diwethaf oedd ei angen arnyn nhw i geisio cael pobl i gefnogi Gwynfor, a hithau wedi dadlau'n bendant i'r gwrthwyneb: fod angen i bobl Caerfyrddin sylweddoli mai plaid i Gymru gyfan oedd Plaid Cymru. A beth bynnag, ychwanegodd, onid oedd e'n dysgu Cymraeg, yn mynd i wersi, yn cael gwersi ychwanegol, diddorol dros ben, a graffig iawn yn aml, ganddi hi? Byddai clywed peth Cymraeg ar gerrig drysau'r sir yn sicr o fantais iddo.

Digon gwir, ildiodd Patrick, ond…

Ond doedd dim 'ond' i Rachel. Gwyddai Patrick y buasai wedi mynd ati i ddysgu hanner dwsin o ieithoedd pe bai Rachel wedi gofyn iddo.

Aeth gyda hi o ddrws i ddrws yn llawen i restru rhinweddau'r Blaid a Gwynfor fel y dysgodd hi iddo, er mwyn ei chael hi yno, wrth ei ochr. Hi a wnâi'r rhan fwyaf o'r siarad ar garreg pob drws beth bynnag. Ac o ddrws i ddrws, tyfai ei swyn iddo, ei hud hi amdano a'i gariad yntau ati hithau. 'Fesul carreg y drws y disgynnais i mewn cariad â ti,' meddai wrthi wedyn, ar ôl iddyn nhw briodi.

*

Yn angladd ei mam-gu y gwelsai e Eve ddiwethaf. Pan oedd hi'n ddeg oed, a Sheila'n drwm gyda Sophie y tu mewn iddi. Teimlad o ddyletswydd yrrodd Patrick draw i'r gorllewin, teimlad bod yn rhaid clymu pen edefynnau rhydd waeth faint oedd ei awydd e mewn gwirionedd i adael llonydd iddyn nhw raffio.

Diwrnod rhynllyd oedd diwrnod angladd Olwen, er bod y gwanwyn yn trio'i orau i wthio'i ben i'r golwg ar frigau'r coed. Llwyddodd i sleifio'n ddistaw bach i mewn i'r capel gorlawn a llechu yn un o'r seddi cefn i astudio blaen ei esgidiau tra âi'r gwasanaeth rhagddo. Cododd ei ben yn ystod y weddi a gweld cefn bach Eve yn eistedd wrth ymyl Walter, ei thad-cu, yn y tu blaen. Llifai ei gwallt lliw gwenith i lawr ei chefn yn gudynnau cyrliog tebyg i rai ei mam, er mai dim ond at ei hysgwyddau roedd gwallt Rachel yn cyrraedd pan ddaeth i'w nabod hi gyntaf. Patrick berswadiodd Rachel i'w dyfu. Ai Eve oedd wedi mynnu tyfu ei gwallt hithau? A'i mam-gu wedi ildio'r tro hwn, a gadael iddi ei dyfu, yn hytrach na'i dorri yn ei blethi fel y gwnaethai i wallt Rachel pan oedd Rachel yn blentyn. Ni ddeallai Patrick air o'r gwasanaeth, er na thrafferthodd yn galed iawn. Roedd ei feddwl ar yr orchwyl a'i wynebai wedyn.

Brawd Olwen oedd wedi'i ffonio i ddweud bod Olwen wedi marw. Rhoesai Patrick ei rif ffôn iddo pan alwodd yr hen ddyn i'w weld adeg marwolaeth Rachel. Fe oedd yr unig un o deulu Rachel oedd wedi galw i gydymdeimlo â Patrick, a deng mlynedd yn ddiweddarach oedd yr unig dro iddo ddefnyddio'r rhif ffôn. Tybed beth a'i cymhellodd, meddyliodd Patrick ar y pryd. Mae'r ysfa'n gryf mewn rhai i 'wneud y peth iawn' gan fod 'teulu'n deulu er gwaethaf pob dim'. Beth bynnag oedd rheswm y brawd, na chofiai Patrick bellach beth oedd ei enw, roedd darn bach ohono'n ddiolchgar fod un o deulu ei gyn-wraig wedi cydnabod yr hyn a fu, fod ei briodas â Rachel wedi bod yn ffaith unwaith, er gwaethaf ymdrechion gweddill ei theulu i'w dileu.

Roedd James wedi cynnig dod gydag e i'r angladd ond fynnai Patrick mo hynny. Ni fedrai oddef meddwl am ei frawd mawr yn sefyll wrth ei ochr trwy angladd na ddeallai air ohono, a'r edrychiadau cyhuddgar ar wynebau teulu ei ddiweddar wraig gyntaf. Roedden nhw'n gwybod popeth amdano, ac eto, estron oedd e yno. Er y byddai James wedi llawn ddisgwyl mai felly y byddai pethau, nid oedd Patrick am i'w frawd fod yn dyst i ba mor estron oedd e mewn gwirionedd, yn dyst i'w fethiant ar ffurf Eve amddifad, a nawr yn fwy amddifad byth ers marw ei mam-gu.

Hefyd, daliai i gofio llygaid Walter y tro diwethaf iddo'i weld, ac Eve yn fabi ym mreichiau Olwen. Dyna a lynai gliriaf ym meddwl Patrick – pa un ai cyhuddiad ydoedd, ynteu trueni, ni allai ddweud. Gorau po gyntaf y dôi'r cyfan i ben fel y gallai ddychwelyd gartre, gan fod yr hyn a gronnai y tu ôl i sbectol Walter y diwrnod hwnnw ddegawd ynghynt yn dal i'w sigo at ei fêr.

Ond gwyddai hefyd na allai ddianc yn syth o'r gwasanaeth. Roedd yn rhaid iddo siarad â Walter ac Eve fach.

O'r emyn cyntaf, fe'i atgoffwyd o ddiwrnod ei briodas gyntaf. Roedd Rachel wedi mynnu mai uniaith Gymraeg fuasai'r gwasanaeth hwnnw hefyd. Llwyddasai i'w helpu i ddysgu ynganu ei lwon yn Gymraeg, a chytunodd yntau. Dros ddeuddeg mlynedd yn ddiweddarach, ar ddiwrnod angladd Olwen, ni chofiai air ohonyn nhw, fel pe bai llech ei feddwl wedi'i rhwbio'n lân o bob agwedd o'i fywyd blaenorol gyda Rachel.

Gallai fod wedi tyngu mai'r un un oedd yr emyn olaf â'r ail emyn a ganwyd yn eu priodas. Cofiodd – Sibelius. Dyna fe. Yr emyn roedd Rachel wedi dweud y gwnâi well anthem na 'Hen Wlad fy Nhadau'. Doedd e erioed wedi ystyried bod Olwen yn gymaint o genedlaetholwraig â'i merch.

Tybed sut un fyddai Eve? A hithau'n hanner King, efallai mai gwrthryfela a wnâi, fel y bydd plant, a gwyro at anian Seisnig ei genynnau. Beth fyddai Rachel wedi'i wneud o hynny, tybed? Cystwyodd Patrick ei hun: roedd e'n swnio'n fwy fel bardd na genetegydd.

Syllodd ar y sidan euraidd a lifai dros gefn Eve, a chofio'r un gwallt ar ben Rachel. Byddai wedi rhoi unrhyw beth am gael rhedeg ei law ar hyd-ddo.

Pan welodd Patrick Eve ddiwethaf, roedd hi bron iawn yn hollol foel. Yn y capel, cofiodd ei ddiwrnod olaf gyda hi, a hithau ond yn wythnos oed. Efallai y byddai hi wedi bod yn haws arno, ystyriodd, pe bai Olwen wedi mynnu mynd â hi'n syth, heb roi'r cyfle iddo fagu dim arni, y babi roedd e a Rachel wedi ysu amdani.

Â'i fyd chwilfriw'n methu chwalu'n dipiau llai, estynnodd Patrick Eve i freichiau Olwen. Yna, estynnodd y bag yn cynnwys ei holl ddillad bach a'i phethau yn y byd i Walter.

Roedd Olwen erbyn hynny'n gwybod, doedd bosib, gymaint roedd e'n ei golli wrth ei rhoi iddi, ond roedd ei phenderfyniad yn derfynol. Wnaeth hi ddim tin-droi nac amlhau geiriau ar y diwrnod olaf hwnnw. Roedd pob emosiwn wedi'i ollwng.

Bu farw Rachel wedyn, gan gau'r cylch. Prin y collodd Patrick ddagrau dros hynny: roedd y dagrau i gyd wedi'u gollwng.

Daethai Eve â diferion o heulwen i'w fywyd am wythnos. Gadawodd Olwen iddo gael hynny bach. Roedd hi wedi dweud o'r cychwyn mai mynd yn ôl gyda nhw fyddai Eve ac na châi e gysylltiad â hi wedyn, a doedd e, na'i fam yng nghyfraith, ddim wedi amau am un eiliad nad dyna fyddai'r drefn.

Llwyddodd i fynnu mai fe oedd yn cofrestru genedigaeth y ferch fach, ond prin roedd e'n cofio gwneud hynny chwaith.

Erbyn heddiw, credai mai rhan o gosb Olwen, yn hytrach na gweithred o garedigrwydd, oedd gadael iddo fagu'r un fach yn ei freichiau am yr wythnos honno cyn ei hestyn yn ôl iddi.

Gallai person arall fod wedi dadlau, wedi mynnu mewn ychydig eiriau i droi Olwen o'r fflat a Walter wrth ei chwt, a'u gwahardd *nhw*, fel roedden nhw'n ei wahardd e, rhag datblygu unrhyw fath o berthynas â'r fechan. Prin y croesodd feddwl Patrick i ddadlau hyd yn oed. Ac yng ngwaelod ei stumog yn rhywle, doedd e ddim mor wan ei feddwl fel na wyddai pa mor gyfan gwbl anaddas oedd e i fod yn rhiant. Ni fedrai edrych ar ei ôl ei hun heb sôn am fabi. Rywle yng nghefn ei feddwl roedd hedyn bychan pwt o ffydd ganddo y byddai'n gwella ynddo'i hun dros amser ac yna'n mynd i'w gweld, a'r pryd hwnnw'n dal ei dir ac yn mynnu ei hawl i fod yn dad i'w ferch.

A dyna lle roedd e, ddeng mlynedd yn ddiweddarach, mewn angladd ar ddechrau'r 80au, yn gwylio'i chefn, a hithau heb syniad yn y byd bod ei thad yn y capel.

'Walter,' meddai wrth afael yn llaw'r tad-cu a'i lygaid ar y ferch.

Roedd Walter wedi estyn ei law'n otomatig i'r nesaf yn y rhes o bobl a ddaethai ato i gydymdeimlo wrth ddrws y capel.

Tynnodd Walter ei law'n ôl wrth iddo adnabod y llais.

Syllodd i'w lygaid. Nodiodd i gydnabod y geiriau o gydymdeimlad nad oedd Patrick wedi'u llefaru.

'Gawn ni air?' holodd Patrick.

Edrychodd Walter o'i gwmpas am rywun a allai ei waredu rhag y fath anghysur a'i goresgynnodd ond roedd honno yn ei harch yn yr hers a blodau drosti, yn barod i gychwyn am y fynwent.

'Ddim fan hyn,' meddai Walter a throi i anelu am weddill y galarwyr oedd yn tyrru o gwmpas yr hers, gan afael yn llaw Eve. Trodd hithau ei phen tuag at Patrick wrth i'w thad-cu ei harwain am y car du. Gwelodd yntau lygaid llwyd Rachel yn syllu'n ôl arno.

Doedd e ddim wedi bwriadu mynd i'r fynwent, ond nawr doedd ganddo ddim dewis. Roedd hi'n mynd i fod yno, yn llaw ei thad-cu, a'i unig obaith o gael amser yn ei chwmni oedd dilyn y rhes o geir eraill am y fynwent ochr arall y pentref.

Roedd llai o bobl yn y fynwent, a phenderfynodd Patrick aros yn y car rhag tynnu mwy o sylw ato'i hun, a throi'r drol. Doedd ganddo ddim syniad faint o'r cymdogion a'r teulu estynedig hyn yn eu du fyddai'n cofio holl amgylchiadau geni Eve.

Gwelodd y fechan uwch bedd agored ei mam-gu, yn gwylio'r arch yn cael ei gostwng a'i hwyneb yn llawn chwilfrydedd.

Dechreuodd rhai o'r bobl anelu am eu ceir, ond ni ddaeth Patrick allan o'i gar yn syth. Fe arhosai nes bod Walter yn troi am y car du cyn dod allan o'i gar e. Byddai gwragedd y capel yn siŵr o fod wedi paratoi te i ddilyn, ond ni fynnai fynd i ganol ciwed o bentrefwyr chwilfrydig i fân siarad am bethau na ellid mân siarad amdanyn nhw.

Mentrodd allan, ac wrth ei weld yn nesu at Walter bu'r hanner dwsin o alarwyr oedd yn loetran wrth ochr yr hen ŵr yn ddigon ystyriol i gamu o'r neilltu, cyffwrdd eu hetiau ac anelu am eu ceir.

Rhaid bod y bobl 'ma'n gwybod o'r cychwyn pwy oedd e, wedi'r cyfan, meddyliodd Patrick gan deimlo'r mymryn lleiaf o anesmwythyd.

'Gad ni fod,' erfyniodd Walter arno.

'Sut galla i?'

'Rwyt ti wedi llwyddo dros ddeng mlynedd.'

Roedd acen cefn gwlad Sir Gaerfyrddin yn gryf ar ei Saesneg.

'Am fod Olwen ddim am i fi ddod i'w gweld hi.'

'Does 'da fi ddim i'w ddweud wrthot ti,' meddai Walter gan droi am y car angladd oedd yn ei gario ef ac Eve.

'Dim ond gair bach, efo hi,' meddai Patrick gan gamu atyn nhw.

'Does dim y galli di ei ddweud sy'n ffit iddi hi'i glywed,' meddai Walter yn styfnig, 'ddim ar ôl...'

Methodd fynd yn ei flaen.

'Eiliad o wallgofrwydd,' mynnodd Patrick. 'Dyna oedd hi, mewn sefyllfa wallgof. Un eiliad ynfyd.'

'Dydw i ddim eisiau clywed. Na hithau chwaith.'

Gwyddai Patrick na thynasai Eve ei llygaid oddi arno ers iddo gamu atyn nhw. Nawr, trodd i edrych arni hi.

A'r eiliad nesaf, roedd ei thad-cu'n ei hannog i mewn i'r car du. Rhyfeddodd Patrick sawl gwaith wedyn mai dim ond eiliad gymerodd hi i'w ymennydd dynnu ei llun yn llawn am byth.

'Mae 'da fi hawl.' Cododd Patrick ei lais fymryn i geisio atal Walter rhag mynd â hi.

Ond ddywedodd e ddim mwy na hynny, rhag tarfu arni. Gallai fod wedi creu trwbwl drwy weiddi, drwy fynnu, ond wnaeth e ddim. Roedd Sheila gartre yn Llandaf yn drwm o fabi. I beth âi e i chwalu pethau y gweithiwyd mor galed i'w sefydlu? Ond yn fwy na dim, doedd e ddim eisiau tarfu ar y ferch fach yn llaw ei thad-cu, heddiw o bob diwrnod. Gwelodd hi'n troi ei phen i edrych allan arno drwy ffenest y car a chudyn o'i gwallt aur yn disgyn dros ei hysgwydd cyn cael ei sgubo ymaith gan fraich warchodol ei thad-cu amdani.

12

E R MWYN GALLU gosod y bwrdd ac eistedd wrtho roedd yn rhaid clirio'r gegin. A golygai hynny fod angen neilltuo amser i symud pentyrrau o lyfrau. Y drwg gyda symud y llyfrau o'r gegin oedd nad oedd unman arall yn y tŷ i'w rhoi.

Gyda'r llyfrau a ddaethai o dŷ ei thad-cu – a oedd yn dipyn o lyfr-bry ei hun – a chanlyniad ambell gynnig lwcus mewn ocsiynau tai, lle câi holl lyfrau'r lle eu gwerthu'n un llwyth rhad fel baw fel arfer, roedd gan Efa lyfrgell go helaeth bellach.

Am ei fod yn llawn o lyfrau, câi Efa drafferth i feddwl am Dy'n Mynydd fel bwthyn bach: rhwng cloriau pob llyfr roedd dimensiwn gwahanol, byd gwahanol, ac am hynny swatiai cannoedd o straeon, o fydoedd, o ddimensiynau y tu mewn i waliau cerrig yr hen fwthyn a'i gwnâi'n fydysawd enfawr o fywydau a phrofiadau, o syniadau a phersbectifau, o leisiau, ieithoedd a chenhedloedd pe caent oll eu taenu allan a'u gwireddu mewn realiti un wrth ochr y llall. Fel gronynnau isatomig, a'u deg neu un ar ddeg dimensiwn, roedd i'r bwthyn bach haenau diderfyn rhwng cloriau ei lyfrau.

Cariodd Efa sawl llwyth yn llond ei breichiau a'u lluchio ar ei gwely.

Wedyn, gwnaeth yn siŵr ei bod hi'n cadw ei geiriaduron a'i gliniadur o'r ffordd ac yn gosod lliain bwrdd (a dyrchwyd o waelod hen focs o bethau ei mam-gu) ar fwrdd y gegin cyn i Ceri a Christian gyrraedd.

'Wedest ti bo ti ddim yn mynd i fod 'ma,' oedd cyfarchiad Ceri, er nad oedd min ar ei llais wrth i'w llygaid lanio ar y lliain bwrdd. Crychodd ei haeliau'n ddryslyd. Pa gêm oedd ei mam yn ei chwarae nawr?

'O'n i moyn neud te bach i chi,' meddai Efa. 'Sit down, Christian *bach*. I'll make you some tea... or would you prefer coffee?'

Dechreuodd estyn plateidiau o fisgedi a chacennau siop wedi'u sleisio'n daclus a thafellau o fara menyn o ben yr oergell. Wedyn, estynnodd sosej rôls o'r ffrij.

'She never makes tea,' meddai Ceri wrth Christian fel pe na bai Efa yno i glywed.

'Sometimes I do,' meddai Efa. 'When it's a special occasion.'

Disgynnodd ceg Ceri ar agor yn llydan, ond ni ddywedodd air. Rhaid ei bod hi wedi penderfynu symud gyda'r llif am ychydig, dod i weld yn raddol bach beth yn union oedd gêm ei mam. Estynnodd am y jam.

Doedd gêm Efa ddim yn un gymhleth o gwbl. Gwybod oedd hi nad oedd cweryla'n mynd i ddwyn buddugoliaeth i'w rhan, dyna i gyd. Dangosai'r un goddefgarwch tuag at ei merch a'i chariad newydd ag a ddangosodd rai nosweithiau ynghynt. Roedd ynddi benderfyniad newydd: fe wnâi hi'n siŵr ei bod hi'n gallu gwneud hyn, pa mor anodd bynnag a fyddai, a pha mor hir bynnag y byddai Ceri'n parhau heb flino ar y llo.

'Have another scone, Christian.' Estynnodd y plât i'w gyfeiriad a bachodd ei bawen yntau am y sgonsen yn frwd rhag ofn na châi gynnig un arall tra byddai byw.

''Anks.'

'Been to school?'

Cyfeiriodd Efa ei chwestiwn at ei merch.

Delwodd Ceri, heb allu credu ei chlustiau bod ei mam, o bawb, yn siarad Saesneg â hi. Cystwyodd Efa'i hun yn fewnol – ara deg, ferch! Paid â gadael i ddrwgdybiaeth godi ei phen ynddi.

'Fuest ti 'na?' holodd Efa wedyn i geisio dargyfeirio amheuon ei merch.

'Do. Bore 'ma. Es i lawr at Christian wedyn. Dim ond chwaraeon o'dd prynhawn 'ma.'

'She's got exams next term. Make sure she works hard for them,' meddai Efa wrth Christian.

'Yeah, right,' meddai Christian, nad oedd tystiolaeth ar ei olwg iddo sefyll 'run arholiad erioed.

'Thank you, Christian.'

Gwenodd Efa'n llydan arno. Cododd yntau ei lygaid a'i gweld yn gwenu arno. Ceisiodd wenu'n ôl arni heb edrych fel llo, a methu.

Edrychodd Ceri ar Christian a'i llygaid fel soseri, ac wedyn 'nôl ar Efa, yn methu'n lân â dirnad sut roedd hi wedi glanio'n ddiarwybod yn y bydysawd cyfochrog yma lle roedd popeth bron iawn fel roedd e yn y bydysawd arferol, ond ddim cweit.

Ara deg, ceryddodd Efa ei hun eto, ara deg a phob yn dipyn.

Aeth y ddau i ystafell Ceri yn syth ar ôl gorffen eu te bach, heb gynnig helpu i olchi'r llestri. Nid y byddai Efa wedi derbyn help. Roedd Christian wedi ebychu ''Anks' wrth godi, sy'n fwy nag a wnaeth Ceri, a diolchai Efa'n dawel bach am y llonyddwch. Roedd hi wedi rhoi hanner awr o berfformiad, ac roedd hynny'n hen ddigon am y tro.

*

Rhaid ei bod hi wedi cysgu. Roedd ei llyfr wedi disgyn ar gau ar y cwrlid, ac roedd hi'n oer. O'i hamgylch, blith draphlith ar lawr yr ystafell wely, roedd môr o lyfrau a gâi ddychwelyd i'r gegin fory. Edrychodd ar gloc ei ffôn symudol a synnu ei bod hi'n hanner awr wedi deg. Cododd yn stiff gan ddamsgen ar *Uffern* Dante a *Hogan Horni*, a thynnodd ei dillad mor sydyn ag y gallai er mwyn gwisgo'i dillad nos a mynd o dan y cwrlid, er y gwyddai gymaint o drafferth a gâi i gysgu a hithau eisoes wedi gwneud hynny, ers faint? Rhaid bod awr dda.

Doedd hi ddim wedi gweld na chlywed bw na be gan Ceri a Christian ers amser te. Go brin y byddai'r bachgen yn dal i fod yno, ond daliai rhywbeth hi rhag mynd i chwilio am Ceri. Gorweddodd yn ôl ar y gobennydd a syllu i'r tywyllwch. Ceisiodd hogi ei chlustiau am sŵn llygod bach, ond pa un ai synau'r tŷ a glywai ynteu sŵn llygod, doedd hi ddim yn poeni llawer heno.

Ai ei gwylltio hi oedd bwriad Ceri wrth ddewis Christian, neu a oedd hi mewn gwirionedd yn hoff o'r crwt, ni allai Efa farnu. Doedd e ddim yn hyll. Golwg dwp ar ei wyneb, oedd, ond pa lencyn yn ei arddegau a lwyddai i edrych yn unrhyw beth ond twp y dyddiau hyn? Go brin y disgwyliai i Ceri ddod o hyd i grwt sbectolog, sbotiog a'i drwyn yn hapusach mewn llyfr nag yn archwilio anatomeg merched o'i oed.

Clywodd sŵn o gyfeiriad ystafell wely Ceri a gwyddai'n syth beth oedd e. Doedd y diawl ddim wedi gadael wedi'r cyfan. Cynhyrfodd Efa. Roedd Ceri'n rhy ifanc, gallai alw'r heddlu ar y diawl, a'i gyhuddo o gam-drin, o drais.

Gwyddai ar yr un pryd mai chwerthin ar ei phen a wnâi unrhyw heddwas. Mis arall, a byddai Ceri'n un ar bymtheg ta beth.

Stryffaglodd Efa dros y llyfrau yn y tywyllwch tuag at switsh y golau i ailoleuo'i hystafell. Gwyddai na fentrai allan: roedd wynebu'r hyn oedd yn digwydd yn ystafell Ceri y tu hwnt iddi. Ystyriodd gychwyn eto ar y nofel, ysgarthu'r holl ach i gyd dros sgrin wen, ond roedd y sŵn yn tarfu gormod arni, er mai prin ei glywed oedd hi. Ystyriodd wrando ar gerddoriaeth drwy ei chlustffonau. Ond yn lle hynny, tynnodd y cwrlid dros ei chlustiau a gosod gobennydd arall wedyn dros y cwrlid.

Cododd Efa lyfr oddi ar y silff wrth ei gwely er mwyn

gyrru'r meddyliau a'r synau ar ffo. Aeth drwy ugain tudalen cyn disgyn i gysgu dros hanner awr yn ddiweddarach heb ddarllen yr un gair.

*

Gyda chryn ymdrech y llwyddodd Efa i godi cyn Ceri a'i chariad y bore wedyn a bachu'r lliain bwrdd o'r fasged dillad budr er mwyn ei droi y tu chwith i'w daenu, unwaith eto, dros fwrdd y gegin a hwylio brecwast i'r ddau.

'Ti'n cymryd y pis!' oedd geiriau Ceri pan ddaeth i mewn i'r gegin. Rhaid bod Christian wedi deall y sentiment os nad yr union eiriad, gan nad eisteddodd ar unwaith. Daliai i sefyll wrth ochr Ceri, a golwg wag ar ei wedd. Deallai fod 'na gêm fawr yn cael ei chwarae rhwng y fam a'r ferch, a rhaid bod Ceri wedi ceisio disgrifio'r berthynas rhwng y ddwy wrtho yn nhawelwch ei hystafell neithiwr rhwng… rhwng beth bynnag arall roedden nhw wedi'i wneud yno. Ond doedd e ddim yn gallu dechrau deall union reolau'r chwarae, na hyd yn oed ddirnad eu cymhlethdod.

'Dim o gwbwl,' meddai Efa ac arllwys llaeth o'r botel blastig i jwg.

Dim ond wedyn, ar ôl i Christian fynd â Ceri i'r ysgol yn ei groc o fan dolciog, y cafodd Efa arllwys ei dagrau i'w llewys ynghanol y llestri brecwast diangen ar fwrdd y gegin.

Mae'n rhaid na chlywodd hi mo Mr Mukherjee yn dod i mewn.

'Fe gurais ar y drws,' meddai'n lletchwith wrth weld ei gwallt yn gwthio allan i bob cyfeiriad uwchben ei llygaid coch a'i bochau clytiog. 'Mae'n ddrwg 'da fi, fe ddof i'n ôl wedyn.' Trodd ar ei sawdl.

'Fe fyddai'r rhan fwyaf o ddynion yn gofyn beth sy'n bod gynta, cyn mynd â 'ngadel i,' meddai Efa wrth ei gefn. Safodd

Mr Mukherjee yn stond heb droi rownd am eiliad. Ofnodd Efa ei bod wedi'i bechu.

Ond troi ati a wnaeth Mr Mukherjee.

'Mae'n ddrwg 'da fi,' meddai eto. Ond y tro yma, tynnodd gadair allan wrth y bwrdd – nid yr agosaf at Efa, ond yr un nesaf wedyn – ac eistedd. Plygodd ei ddwylo i'w gilydd a phwyso ymlaen cyn gofyn:

'Beth sy'n bod, Mrs Williams? Pam ydych chi'n crio?'

'Llefen 'yn ni'n gweud rownd ffordd hyn,' meddai Efa a gwenu arno. Cododd i wneud cwpanaid o de iddo, a choffi du iddi hithau.

*

Gwyddai Efa ambell beth.

Gwyddai o'r cychwyn mai hi oedd y *moment of madness*. Tri gair a'i diffiniai iddi hi'i hun byth ers hynny.

Ceisiodd ddychmygu amgylchiadau'r *moment of madness*. Ai methu ffrwyno'i ysfa yng nghefn car Mini, neu mewn fflat yn y coleg, fu hanes ei thad? Y tu ôl i sied feiciau neu ar draeth ganol nos? Ond gwyddai hefyd fod ei thad a'i mam yn briod pan aned hi: King oedd ei chyfenw am gyfnod, nid Thomas fel Tad-cu a Mam-gu. Ai canlyniad un eiliad estynedig o ynfydrwydd oedd hynny hefyd? Cymerodd yn ganiataol mai ei chenhedliad hi a ddaeth gyntaf, nid glân briodas. Gwyddai fod ei mam wedi marw o ganlyniad i ddamwain pan gafodd ei tharo gan gar ar un o strydoedd Caerdydd a bod ei mam-gu a'i thad-cu wedi mynd â hi gartre i Sir Gaerfyrddin i'w magu.

Pan ofynnodd i'w thad-cu, a hithau'n rhyw un ar bymtheg oed, pam y gadawodd ei thad hi, daeth caead i lawr a methodd ei thad-cu â dweud gair am eiliadau hir. Daliai gyllell gig yn ei law, cofiai, ar ôl iddo fod yn torri darn braf o ham a oedd wedi'i ferwi ar gyfer eu cinio. Llenwai gwynt yr ham ffroenau Efa, ac roedd yntau wedi delwi. Rhythai arni, ond wnaeth hi ddim ildio trwy droi'r pwnc. Roedd hi eisiau gwybod.

'Paid â holi cwestiynau,' meddai ei thad-cu a rhoi'r gyllell i lawr wrth blât yr ham.

'Pam? O'dd Mam-gu yr un peth, yn gwrthod gweud dim. Ma hawl 'da fi ga'l gwbod.'

Tynnodd Walter gadair allan ac eistedd arni wrth y bwrdd, ac aroglau'r ham ar y plât o'i flaen yn troi arni braidd erbyn hyn.

'Na'th dy dad rwbeth na ddyle fe a do'dd hi ddim yn iawn i ti aros 'da fe. Nawr gad bethe i fod.'

'Beth na'th e?'

Ar ôl agor cil y drws, doedd hi ond yn deg disgwyl iddo agor tamaid mwy arno.

Ond cynhyrfodd Walter gymaint nes i Efa fethu datod mwy ar y cwlwm ar ei thafod. Cododd ar ei draed drachefn gan wthio'r bwrdd oddi wrtho nes bod yr ham yn bygwth neidio oddi ar y plât, a'r gyllell yn clencian i'r llawr. Efallai mai gwynt yr ham oedd wedi troi arno yntau hefyd, ond doedd Efa erioed wedi'i weld yn gwylltio o'r blaen. Anadlai'n ddwfn, ac roedd tamaid bach o stêm ar ei sbectol. Crynai ei ddwylo, a'i lais hefyd.

'Paid holi, Efa. Gad bethe i fod. Do's dim byd galli di wbod neith unrhyw wahanieth.'

Difarodd Efa ganwaith wedyn na orfododd hi ei thad-cu i ddweud mwy y noson honno, ac ymhen blwyddyn a hanner roedd yntau wedi dilyn ei mam-gu i'r patsyn hirsgwar dan y pridd. Ceisiodd ofyn iddo fwy nag unwaith yn y dyddiau pan oedd ar wastad ei gefn yn yr ysbyty, ond byddai naill ai'n methu neu'n gwrthod ei hateb. Ac yn ystod y dyddiau olaf hynny wrth iddo fynd â'i gadael, doedd hi ddim am greu gofid i'w thad-cu am bris yn y byd.

Dros y blynyddoedd cynnar – nes i'w hangen am gael gwybod mwy bylu – dychmygodd Efa bob camwedd a throsedd roedd hi'n bosib i ddyn eu cyflawni fel na fyddai'n ffit i fagu ei blentyn ei hun. Daeth i'r casgliad digon rhesymol nad oedd ei thad erioed wedi dymuno ei magu beth bynnag. Cofiai am y dyn wrth y fynwent yn angladd ei mam-gu ac ni fu unrhyw amheuaeth yn ei meddwl erioed ynglŷn â phwy oedd e.

Un peth a wyddai i sicrwydd, am iddi ei glywed o'i enau ef ei hun. Gwyddai mai un eiliad ynfyd, un eiliad o wallgofrwydd, a roddodd fod iddi.

*

'Does dim byd yn bod, Mr Mukherjee, ond diolch i chi am ofyn.'

'Dydi dagrau ddim yn... dod heb reswm,' mentrodd Mr Mukherjee yn ddistaw.

'O ydyn, mae rhai dagrau'n tarddu o ddim byd o gwbl,' meddai Efa.

'Ry'ch chi'n poeni am yr ysgol,' meddai Mr Mukherjee.

Doedd Efa'n cofio dim am yr ysgol, ond oedd, ar ôl iddo'i hatgoffa, roedd hi'n poeni am yr ysgol nawr hefyd.

'Mae gen i syniad,' meddai Mr Mukherjee wedyn.

'Yw e'n cynnwys cwpwl o fomie a thancie a *sub-machine guns*?' holodd Efa'n wamal.

'Mae'n ddrwg gen i?' Pwysodd yr Indiad ei glust i'w chyfeiriad er mwyn ei deall yn well.

'Dim byd,' meddai Efa. 'Maddeuwch i fi. Beth yw eich syniad?'

Cliriodd Mr Mukherjee ei wddw gan gofio rhoi ei law o flaen ei geg wrth wneud. Yna, plethodd ei fysedd yn ôl yn ei gilydd ar y bwrdd cyn bwrw rhagddi.

'Fe gefais i wahoddiad,' dechreuodd Mr Mukherjee. 'Gan gyfneither i fi yn... yng Nghy... yng Nghaerdydd. I briodas ei merch.'

'Wyddwn i ddim fod 'da chi gyfneither yng Nghaerdydd, Mr Mukherjee.'

'Oes. Ac mae ganddi ddwy ferch. A gŵr. A mab hefyd.'

Ystyriodd Efa am eiliad mai dim ond cyfle iddo ymarfer ei Gymraeg oedd hyn ac nad oedd gair o wirionedd yn yr hyn a ddywedai. Ond ffrwynodd ei thafod rhag datgelu ei hamheuon.

'Mae Shri, y ferch hynaf, wedi dyweddïo,' dechreuodd egluro'n llafurus, gan wneud yn siŵr o gywirdeb pob sillaf a threiglad cyn caniatáu iddyn nhw flodeuo oddi ar ei dafod.

'Ac mae hi'n mynd i briodi?' Ceisiodd Efa borthi fel bod y llygedyn lleiaf o obaith iddo gyrraedd pen draw'r stori cyn iddi farw.

'Oes. Ydi. Ie. Bydd.'

'Ry'ch chi wedi anghofio "oedd", Mr Mukherjee.' Methodd Efa ag atal ei hun a gwenodd yn llydan arno.

Pesychodd Mr Mukherjee eto, gan gofio codi'i law at ei geg fel y tro cynt.

'Mewn chwech wythnos.'

'Yng Nghaerdydd,' cadarnhaodd Efa, heb weld beth yn union oedd gan wahoddiad Mr Mukherjee i briodas i'w wneud â hi.

Datglymodd Mr Mukherjee ei fysedd, cyn eu plethu'n ôl drachefn. Anadlodd yn ddwfn, yn union fel y gwelsai Efa fe'n gwneud pan alwai hi yn ei gartref ac yntau ar ganol myfyrio, ei goesau ymhleth ar lawr a'i ddwy law un ar ben y llall, yn berffaith rywsut. Ystyriodd Efa ei annog i ddweud ei neges yn Saesneg, ond cnôdd ei thafod. Pwyll pia hi, meddyliodd. Dôi beth bynnag oedd Mr Mukherjee eisiau ei ddweud allan erbyn iddi fod yn bryd iddi ddechrau paratoi swper, gydag ychydig bach o lwc.

'Ie. Yng Nghaerdydd,' meddai Mr Mukherjee unwaith eto fyth.

'Eisiau i ni edrych ar ôl y fuwch y'ch chi, Mr Mukherjee? Tra byddwch chi yng Nghaerdydd?' Waeth iddi ddwy fuwch fwy nag un.

Disgynnodd y tawelwch fel blanced drostynt. Ni chododd Mr Mukherjee ei lygaid oddi ar ei ddwylo pleth.

'Na, ddim yn hollol. Gwahoddiad i ddau yw ef.'

Canys gwahoddiad i ddau ydyw, meddai Efa yn ei phen cyn sylweddoli llawn arwyddocâd yr hyn roedd e newydd ei ddweud.

'O,' meddai Efa, a swniai'n annigonol braidd. A daeth pwl o chwerthin drosti. 'Meddwl gofyn i Ceri ddod gyda chi o'ch chi?'

Cynhyrfodd Mr Mukherjee drwyddo.

'Na, na, na, *it's you I was asking*, Mrs Williams – dim Ceri, o na!'

O'r diwedd, sylweddolodd fod Efa'n chwerthin a thawelodd.

'Ry'ch chi'n tynnu 'nghoes i, Mrs Williams.'

'Ydw'n wir, Mr Mukherjee.'

Ymlaciodd Mr Mukherjee wedyn.

'Gwahoddiad ydi e,' dechreuodd. 'Mae'n dweud *plus one*, dyna i gyd. Does neb arall i fi ofyn, a meddwl efallai byddech chi'n hoffi trip bach i Nghy… i Nghy…'

'I Gaerdydd, Mr Mukherjee.'

'Ie.'

'Wela i. Dim ond fel cwmni.'

Roedd gofyn cadarnhau'r pethau hyn, er na allai Efa weld Mr Mukherjee yn camddarllen unrhyw arwyddion ar ei rhan. Ond gwyddai hefyd, ar yr un pryd, pe bai hi byth yn teimlo fel disgyn mewn cariad ag Indiad bymtheg mlynedd yn hŷn na hi, a'i eiddo yn y byd yn ymestyn i fawr mwy na buwch a bwthyn llai o faint nag ambell sied gardd yn Aberystwyth, y byddai'n gorfod llafurio'n hir i'w gael i ddeall mai fe oedd gwrthrych ei chariad heb ei sgrifennu ar dalcen ei dŷ neu ar gefn ei fuwch.

'Ie, cwmni,' cadarnhaodd Mr Mukherjee.

Holodd Efa ai priodas Hindwaidd fyddai hi, ac atebodd yntau mai 'te, ac y byddai gofyn aros mewn gwesty dros nos.

'Ystafelloedd ar wahân, wrth gwrs,' meddai Mr Mukherjee,

unwaith eto heb fentro edrych i'w llygaid. Glaniai ei olwg tua chwe modfedd o'i blaen hi ar fwrdd y gegin.

'Wrth gwrs,' cadarnhaodd Efa. Gwenodd arno. 'Fe fydden i'n dwli gweld priodas Hindwaidd,' meddai.

Mentrodd yntau godi'i ben i edrych arni – neu efallai mai syndod ei bod hi wedi derbyn a barodd iddo godi'i ben, ni allai Efa ddweud. Gwenodd arni.

'Dyna hynna,' meddai wrthi, cyn cofio hefyd am y syniad a gafodd ac a'i porthodd i sôn am y gwahoddiad.

'Na, nid dyna hynna,' meddai wedyn. 'Mae'r briodas yn gyfle, y'ch chi'n gweld?'

Na, ni welai Efa.

'Cewch chi fynd i'r Senedd,' eglurodd wrthi. 'Cewch chi siarad â'ch Aelod. Y'ch chi'n gweld nawr? Eich Aelod yn y Cynulliad. Am Ysgol Pen-cwm.'

'Wela i,' meddai Efa o'r diwedd. 'Ond, heb fynd i daflu dŵr oer dros eich syniad chi, Mr Mukherjee, gallwn i siarad â'r Aelod heb fynd i Gaerdydd.'

'Ond beth am yr Aelodau eraill, Mrs Williams? Gallwch chi siarad â nhw i gyd. Dweud wrthyn nhw, fel ry'ch chi'n dweud wrtha i, pa mor bwysig yw hi i gadw'r ysgol ar agor.'

'Wel…' dechreuodd Efa'n betrus gan wthio'r darlun a ddaethai i'w meddwl ohoni hi'n annerch y Cynulliad fel rhyw Fuddug hypnotig o'r neilltu. 'Fydde dim drwg o dreial.'

Dychmygodd Efa'r argraff a wnâi Buddug gwallt sbeics mewn Volkswagen melyn wedi'i farchogaeth gan ei chyfaill o Fwmbai ar barchus frodyr llwydwisg y Senedd, a phenderfynodd na wnâi ddrwg i hiwmro Mr Mukherjee am dipyn.

'Syniad caboledig, Mr Mukherjee!' cyhoeddodd, cyn estyn am y gyfrol gyntaf o Eiriadur y Brifysgol wrth iddo agor ei geg i ofyn beth oedd ystyr 'caboledig'.

13

ANELODD CERI AM gât yr ysgol heb edrych 'nôl. Fel pob tro arall, hanner disgwyliai glywed ei henw'n cael ei alw cyn iddi gael cyfle i ddiflannu o olwg ffenestri'r adeilad. Pe bai un o'r athrawon wedi'i gweld a'i galw hi'n ôl, fyddai ganddi ddim dewis ond dychwelyd i'w gwers Saesneg. Ond roedd Shelley wedi anfon neges destun ati yn ei denu i'r dref, gan gynnig rhyddid rhag diflastod gwersi adolygu. Er nad oedd yr un awch i'r drosedd o adael yr ysgol cyn diwedd y dydd ag a fu, doedd hi ddim am wrthod Shelley.

Gwyddai na châi ganddi fawr ddim ond brolian am ei gorchestau rhywiol gyda Rhodri. Daethai gwrando arni bron yn braf, er bod ei glywed yn ei chlwyfo. Roedd clywed Shelley'n well, ta beth, na'i weld e ar y coridor rhwng gwersi, drwy gil drws ystafell y chweched neu'n ciwio am ei ginio yn y cantîn. Ei weld, a gwybod am y pethau roedd e a Shelley'n eu gwneud. Doedd fawr o dro er pan fuasai hi'n byw er mwyn cael cipolwg sydyn arno, yn ysu am daro arno ar y coridor, a'i dyddiau ysgol yn cael eu rhestru ganddi yn ei phen yn ôl sawl cipolwg a gawsai hi arno. Y lleiaf o ddau ddrwg oedd cwmni Shelley felly: doedd ar Ceri ddim awydd bod yn ei chwmni, na dim awydd i aros yn yr ysgol. Doedd hi ddim eisiau bod yn unman.

Ni chlywodd ei henw'n cael ei alw, a throdd y gornel at lle roedd Shelley'n aros amdani, allan o olwg yr ysgol lle roedd hithau hefyd i fod. Cysurodd Ceri ei hun nad oedd Shelley wedi dangos unrhyw awydd newydd i wella'i hystadegau presenoldeb er mwyn cael ychydig bach mwy o gwmni Rhodri.

Ond pam dylai hi, meddyliodd wedyn, a Shelley'n cael ei sylw diwahân bob nos a thrwy bob penwythnos?

'He-ei! Long time no see,' cyfarchodd Shelley hi. 'Ti'n rhy fisi 'da Christian i gofio am dy ffrinje. Gweda'r cwbwl lot, 'wy moyn gwbod y cwbwl lot!'

Doedd gan Ceri ddim bwriad dweud dim wrthi am ei hymbalfalu gyda Christian dan y dwfe, ond ni roddodd hynny daw ar gwestiynau Shelley.

'Ti wedi neud e 'dag e 'to?'

'Ca dy ben,' meddai Ceri, a meddwl hynny.

'Dere 'mla'n, fi moyn gwbod y smeli dîtels i gyd.'

'Ffac off, Shelley,' meddai Ceri, a chyflymu ei cherddediad.

'Ti'n ffrij neu rwbeth?'

'Ffrij? Ffrijid ti'n feddwl. Os ti gymint o egspyrt ar secs, dysga'r eirfa,' meddai Ceri.

'Eirfa! Eirfa! O! Ni *wedi* bod yn rysgol, yn do fe! Geirie mowr fel "eirfa"!'

'Geirfa. A so fe'n air mowr.'

'Weda i air mowr wrthot ti.' Parhaodd Shelley i dynnu arni mewn rhyw ymdrech wyrdroëdig i'w thynnu o'i hwyliau drwg. '*Sensual,* 'na ti air mowr.'

Gwyddai Ceri beth oedd yn dod.

'Wedodd Rhodri mai'r rheswm ma fe'n caru fi yw achos bo fi'n *sensual*.'

Caru fi, ailadroddodd Ceri yn ei phen. Caru Shelley.

'*Sensual!*' meddai Shelley eto, yn uwch y tro hwn, cyn oedi: 'Beth ma 'na'n feddwl?'

Ceri oedd wedi bod yn cyfieithu siarad-cyn-rhyw Rhodri i Shelley ers y noson yn y clwb.

'So ti'n neud dim sens, 'na beth ma fe'n feddwl.'

'Nage ddim! 'Wy'n gwbod mai rwbeth neis yw e, achos wedodd e fe mewn llais secsi.'

'Os ti ddim yn gwbod beth mae e'n feddwl, pryna eiriadur.'

Daeth y frawddeg allan o enau Ceri yn swnio'n gasach nag y bwriadodd.

'Beth sy'n bod arnot ti? Yw Christian ffili ga'l e lan?'

Anadlodd Ceri'n ddwfn.

'Sdim byd yn bod arno fi,' meddai. 'Tynnu dy go's di, 'na i gyd.'

Y peth diwethaf roedd hi am ei wneud oedd gadael i Shelley wybod cymaint roedd hi'n brifo, cymaint roedd hi'n gwaedu y tu mewn o'r clwyf roedd ei ffrind gorau wedi'i achosi ynddi drwy fynd gyda Rhodri. Rhaid fyddai i'r gyfrinach honno aros y tu mewn am byth.

*

Christian awgrymodd eu bod nhw'n mynd i'w hystafell wely hi: roedd hi wedi gobeithio cadw honno iddi hi ei hun, am mai yno roedd hi wedi treulio'r rhan fwyaf o amser gyda Rhodri yn ei phen. Ond doedd hi ddim yn gwybod sut i'w wrthod. Er gwaethaf popeth oedd hi'n wybod fyddai'n gallu digwydd rhyngddyn nhw mewn ystafell wely, doedd ynddi mo'r gallu i nofio yn erbyn y llanw.

Ar fynd yno oedden nhw pan laniodd Efa gartre.

Roedd Christian wedi gofyn am rif ei mobeil ar noson y clwb, a hithau wedi'i roi gan na allai feddwl am wrthod ei roi. Wedyn, roedd e wedi ffonio ar y dydd Llun, a hithau yn ei gwers wyddoniaeth, yn gofyn am gael cwrdd. Roedden nhw wedi dal dwylo wrth gerdded drwy'r coed ar yr ochr arall i'r parc carafanau, a theimlad rhyfedd, yn gymysgedd o gynnwrf a ffieiddio, wedi dod drosti wrth iddi ildio'i llaw iddo. Ffieiddio'i ddieithrwch oedd hi, y creadur 'ma na fu'n agos at ei breuddwydion erioed ond a oedd wedi crasio ar eu traws yn ddiwahoddiad.

Arni hi oedd y bai am ei gusanu yn y clwb. Y mateb fel peiriant i gusan Shelley a Rhodri wnaeth hi – fel peiriant, ac eto doedd peiriannau ddim yn gallu teimlo siom na chael eu clwyfo i'r byw. Ac wedyn, roedd hi wedi mynd gyda'r llif, ac yn dal i fynd gyda'r llif. Gwyddai y dylai weiddi 'stop' ond doedd hi ddim yn gallu gwneud hynny.

Yr unig fantais oedd iddi lwyddo i ennyn ymateb yn ei mam. Daliai i wenu wrth gofio wyneb Efa pan welodd hi Christian yn eistedd ar y soffa wrth ei hymyl y noson o'r blaen. Teimlodd yn falch o bresenoldeb Christian am y tro cyntaf: ei dewis hi, Sais, a mwy o dyllau yn ei groen nag o gelloedd yn ei ymennydd. Ei dewis *hi*!

Ar ôl iddo eistedd ar ei gwely ac edrych o'i gwmpas ar holl glindarddach merch bymtheg oed, eisteddodd hithau hefyd, heb ei gyffwrdd. Gafaelodd Christian yn un o'i llyfrau ysgol – nofel gan Angharad Tomos – a syllu ar y geiriau Cymraeg ar y clawr heb lwyddo i dynnu ei dwpdra oddi ar ogof ei geg.

'Wha's 'is 'en?'

'A book,' cynigiodd Ceri. 'A Welsh book.'

'Must be brainy if you can read 'at.'

'Not really,' meddai Ceri. 'Welsh is my first language. Like English is yours.'

'Funny,' meddai Christian a lluchio *Wele'n Gwawrio* ar ben ei llyfrau eraill ar lawr.

Disgynnodd tawelwch lletchwith rhyngddynt. Gwyliodd Ceri ei ddwylo'n plethu yn ei gilydd, yna'n dadblethu wrth i Christian geisio meddwl beth i'w wneud â nhw. Gwyddai Ceri beth oedd yn dod nesaf, heb wybod sut i'w atal. Haws gadael i bethau ddigwydd.

Cau ei llygaid a meddwl am Rhodri wnaeth hi. Ei ddychmygu e'n bwrw ei ddwylo drosti, er nad oedd dwylo Rhodri ei dychymyg yn oer. Ysu ei ddychmygu, a chau ei chlustiau i'r anadlu cyflym nad oedd hi wedi dychmygu ei glywed gan Rhodri: doedd dim tâp sain i'w breuddwydio amdano ef. Gwnâi'r sŵn bopeth yn frwnt iddi, ond heb fod yn ddigon brwnt iddi roi stop arno. Ildio oedd hawsaf, ildio i weithred oedolyn arni, ynddi, a chau'r plentyn bach y tu mewn iddi.

Cododd wedyn, pan oedd e'n cysgu, a mynd i'r tŷ bach yn ddistaw rhag dihuno Efa a rhag ei ddihuno ef.

Golchodd y tamaid bach o waed gludiog rhwng ei choesau â darn o bapur tŷ bach a gadael i'r hyn roedd e wedi'i fwrw iddi lithro i'r dŵr oddi tani.

Yna, aeth i'r cwpwrdd cynnes ac estyn am ei phyjamas tedi a oedd wedi mynd yn rhy fach iddi ers blynyddoedd, a'u gwasgu ati: ni fentrai eu gwisgo rhag iddo weld mai merch fach oedd hi o hyd. Aeth i'r gegin, ac yn lle gwneud paned aeth i'r cwpwrdd i estyn y paced o Haribos roedd hi wedi methu â rhoi'r gorau i'w bwyta. Stwffiodd lond llaw o'r gymiau gludiog i'w cheg, a chnoi nes bod ei bochau'n gwneud dolur.

Ceisiodd deimlo'n falch ei bod hi wedi croesi rhyw drothwy: roedd Christian yn 'gariad' iddi, er nad oedd hi'n ei garu, a'r hyn a ddigwyddodd yn ei hystafell yn rhywbeth y byddai'n rhaid iddi fod wedi'i wneud yn hwyr neu'n hwyrach, debyg.

Ni fyddai dim wedi bod yn well ganddi na dychwelyd i'w gwely a chael mai ei mam oedd yno, nid Christian. Ei mam yn siarad yn ei chwsg, nid dieithryn yn chwyrnu.

Dôi i arfer â hyn, cysurodd ei hun. Dôi i'w hoffi, o ddal ati i ddilyn y llwybr oedd yno ar ei chyfer.

'Dal ati, ferch,' mwmiodd o dan ei gwynt. 'Fe ddaw, fe ddaw.'

*

'Caffe Bong 'te?' cynigiodd Shelley'n hwyliog. 'Fi ffili wito i ga'l coffi marshmalos. A sdim lot o amser 'da ni. Fi'n cwrdd â Rhodri wrth y bỳs-stop am gwarter i bedwar.'

Rhodri, Rhodri, caru fi, Rhodri. Teimlodd Ceri'r gyllell yn troi yn ei pherfedd unwaith eto, yn boenus, felys friw.

14

A R ADEGAU DROS y blynyddoedd, roedd Patrick wedi ceisio
dychmygu beth yn union oedd wedi mynd drwy feddwl
Rachel y bore olaf hwnnw. Ar adegau, roedd e wedi ailgerdded
y llwybr o'u fflat, i lawr Heol y Gadeirlan, dros y bont, heibio
i'r castell ar y chwith a chroesi'r ffordd i Heol y Santes Fair. Ar
hyd honno wedyn, dri chwarter ffordd i lawr, byddai trac ei
meddyliau hi'n dod i stop. Rhoddodd Patrick sawl diweddglo
i'w meddyliau, gan ei gynnwys ei hun ynddynt yn amlach na
pheidio, neu o leiaf ei epil. Ond fyddai e byth ronyn yn gallach
o'u dychmygu.

Tua phedair blynedd ar ôl i Marcus gael ei eni, ddiwedd yr
80au, penderfynodd, ar gais Sheila yn fwy na dim, fod angen
iddo siarad â rhywun proffesiynol ynglŷn â'r meddyliau a oedd
yn parhau i ddychwelyd o bryd i'w gilydd. Trefnodd ymweliad
â seiciatrydd, ac wedi'r ychydig droeon cyntaf, dechreuodd yr
episodau o hel meddyliau ddigwydd yn llai aml, neu o leiaf
caent lai o effaith ar ei emosiynau pan ddigwyddent. Dysgodd
sut i ymdopi â hwy, a dechreuodd ddygymod â'i ymweliadau
dychmygol â'i meddyliau olaf hi. A thrwy arfer, dechreuodd yr
episodau gilio.

I Jason Bailey roedd y diolch am hynny. Dros y blynyddoedd,
yn gam neu'n gymwys, tyfodd y ddau'n gyfeillion, ac er nad
oedden nhw'n ei hystyried hi'n briodol i drefnu i fynd allan
am beint yng nghwmni ei gilydd neu wahodd y naill i gartref y
llall, roedd y ddau'n ystyried ymweliadau prin Patrick fel cyfle
i sgwrsio yn hytrach nag fel sesiynau iechyd meddwl. Doedd
dim stigma o unrhyw fath yn perthyn i'w gyfarfodydd â Jason

bellach: go brin y byddai'n onest ag ef ei hun pe bai'n dweud iddo feddwl hynny ar yr ymweliadau cyntaf un.

Gwyddai Sheila – onid oedd Patrick wedi cyffesu hynny o'r cychwyn? – nad oedd Jason wedi cael clywed y gwir cyfan gan Patrick, ond roedd Patrick wedi cael bwrw'i fol yn ddigonol i allu gwthio Eve, a Rachel a'i meddyliau olaf hi, i gwpwrdd yn ei ben na fyddai'n ei agor ohono'i hun yn aml iawn bellach.

Ers newyddion Marcus, gwyddai Patrick hefyd y dylai drefnu apwyntiad i weld Jason gan fod yr holl feddyliau wedi rhuthro'n ôl i'w ben fel pe na bai ugain mlynedd a mwy o wellhad wedi bod. Ond gwyddai ar yr un pryd na fyddai'n gallu gwneud hynny. Yn rhyfedd iawn, yn ei awr dduaf un yr oedd Patrick yn lleiaf tebygol o ofyn am help.

Ynghanol y nos, unwaith y byddai Sheila'n anadlu cwsg wrth ei ochr, byddai Patrick yn codi ac yn mynd i lawr y grisiau'n ddistaw bach i'r lolfa, yn agor drws yr ystafell haul, yn arllwys wisgi mawr iddo'i hun ac yn eistedd gyda meddyliau olaf Rachel. Eisteddai yno hyd nes y byddai'n crynu gan oerfel ganol nos, neu nes y byddai ei lygaid yn drwm gan gwsg i'w yrru 'nôl i fyny'r grisiau at Sheila.

*

Yn yr ystafell haul o dan y sêr, gwelai Patrick Rachel ac yntau'n caru ar y bore olaf, a hithau'n oedi wedyn yn ei freichiau wrth iddo ddisgrifio llwybr taith ei had ef at ei hwy hi, fel pe bai'n ei ddisgrifio i blentyn, a hithau'n chwerthin a gadael iddo ddweud er ei bod hi'n gwybod yn iawn, ac yn cyfrannu terminoleg a ddysgodd yn yr ysgol. Roedd e wedyn wedi dechrau disgrifio'r plentyn a ddôi ohoni, gan dynnu ar ei arbenigedd fel genetegydd i bennu tebygolrwydd rhyw briodwedd neu'i gilydd yn y plentyn.

Byddai Rachel wedi cario'r olygfa garu gyda hi i lawr y

grisiau o'u fflat ac allan drwy ddrws y tŷ ar Heol y Gadeirlan. Byddai'n dal yn gynnes, wlithog rhwng ei choesau lle roedd e wedi bod, wrth iddi ei ddychmygu yntau'n golchi wedi'r caru er mwyn rhuthro i'w waith fel ymchwilydd ôl-raddedig yn yr adran fioleg. Ond nid rhuthro chwaith: doedd ei feistri ef ddim hanner mor llym â'i bòs hi yn y swyddfa fach ar waelod Heol y Santes Fair. Hi oedd ar frys, a'i meddyliau'n chwyrlïo'n llawn ohono ef, a'r teulu a fyddai'n dod. Roedden nhw wedi siarad am fabis neithiwr, wedi dal ati i siarad am fabis bore 'ma wrth ddeffro'n gynnar a gweld cyfle i drio creu babis cyn gorfod gadael am y gwaith. A hithau wedi chwerthin wrth iddo oglais o dan ei gên wrth ynganu – a chamynganu – enwau Cymraeg amhosib, a hithau, cofiai'n iawn, yn y dyddiau hynny yn siarad mwy o Gymraeg nag o Saesneg ag e. Neu dyna a deimlai Patrick wrth edrych yn ôl. Ond mae'n siŵr, barnai Patrick heddiw, mai Saesneg fyddai hi wedi'i defnyddio i ddweud unrhyw beth cymhleth wrtho. Wedi'r cyfan, roedd hi ac yntau'n gwybod mai yn y dyfodol roedd popeth, yn y dyfodol roedd y plant, yn y dyfodol roedd gadael y ddinas am fywyd mwy gwaraidd pentref neu ardal fwy Cymreigaidd, yn y dyfodol roedd dysgu Cymraeg yn iawn a magu ei blant yn iaith eu mam. Dyna'n unig oedd yn eu meddyliau ill dau – y dyfodol, y dyfodol.

Byddai Rachel wedi meddwl am heno, eu heno nesaf i fwynhau gwneud babis. Byddai wedi meddwl am wisg i'w ddenu, i fod ynddi'n barod amdano wrth iddo gyrraedd gartre o'i waith. Byddai wedi ystyried mynd i'r gwely'n noeth yn barod amdano, byddai wedi ailfeddwl – na! Gwell gan Patrick dynnu fy nillad ei hun, a chwilio am fy noethni â'i fysedd, fesul haenen.

Byddai Rachel wedi meddwl pa fwyd i'w weini i'w ddenu i hwyliau caru. Pa un ai pysgodyn braf y gwyddai'n dda sut i'w baratoi at ei ddant ers iddi gael llyfr coginio Marguerite Patten yn anrheg Nadolig gan ei mam. Neu gig eidion mewn saws – *boeuf bourguignon* – neu *goulash* Hwngaraidd, dim gormod, dim i'w lenwi'n llawn, dim ond digon i'w wneud yn gryf er mwyn iddo allu perfformio fel dyn, fel darpar dad...

Na, na, na, meddyliodd Patrick, a chlywed y pin yn llithro ar draws record ei ddychymyg. Unwaith eto, roedd e wedi'i dychmygu yn meddwl am ryw er mwyn cael plant ac yntau'n gwybod yn iawn ei bod hi wedi dechrau ei misglwyf yr union fore hwnnw, gwaed bach a broffwydai'r gwaed mawr yn ei phen.

Felly gwyddai Patrick yn iawn nad rhyw oedd ar ei meddwl y bore olaf hwnnw, er ei fod wedi gwneud ei siâr o ddychmygu hynny.

Cofiodd hi'n codi i ymolchi drosti rhag i chwys y caru ogleuo'n rhy gryf yn ei gwaith, a galw arno – 'Mis nesa fydd hi, mae arna i ofon' – cyn iddo glywed fflysh y tŷ bach. A hithau'n dod i'r golwg yn ei bra a'i nicars a gwên fach led-siomedig ar ei hwyneb, heb fod yn siom chwaith gan mai newydd ddechrau trio oedden nhw, newydd ddechrau breuddwydio am deulu, a blynyddoedd o'u blaenau i lwyddo. Yntau wedi dweud wrthi, gorau oll am nawr, gan ei fod e'n mwynhau trio, a bod tro ar ôl tro o drio ganddyn nhw eto i'w mwynhau.

Mae hi'n edrych drwy ffenestri siopau, yn mwynhau byw bywydau pobl eraill sy'n gallu fforddio'r soffa orau, y patrymau mwyaf beiddgar, yr iwnits mwyaf hip yn ffenestri siopau Caerdydd, ac mae hi'n gwybod hefyd y gallen nhw fforddio ambell beth, hithau ar gyflog bychan i ategu'r grant bychan ond digonol a gâi Patrick gan yr Academi Brydeinig am ei ymchwil. Felly, dyw soffa ledr newydd liwgar ddim allan o'u cyrraedd, ac mae hi'n gwneud y syms yn ei phen, yn cyfrif pa ganran fyddai angen o'u cyflog cyfun i gael soffa newydd foethus. Ac wedyn, mae hi'n ailystyried: nid dim ond soffas sy'n ddrud, mae babis yn ddrud hefyd, ond yr eiliad wedyn mae'n codi ei hysgwyddau yn drosiadol ddi-hid wrth ddychmygu hi ei hun ac yntau o bobtu'r soffa'n mwytho'r bwndel babi rhyngddynt. Yna mae hi'n gwenu wrth ystyried mai unwaith mae rhywun yn byw, a bod y bywyd hwnnw'n rhy fyr i fod yn ddarbodus, ac yn siarsio'i hun i gofio atgoffa Patrick heno am y soffa fendigedig a welsai yn ffenest y siop ar ben Heol y Santes Fair.

Wedyn mae hi'n cerdded ar hyd Heol y Santes Fair a'i phen at yr haul, a'i belydrau'n creu aur o'r cudynnau sy'n disgyn yn gwfl am ei hysgwyddau, edefynnau o aur fel coron am ben ei dywysoges ef.

Yna, mae'n gweld Howells yr ochr arall i'r stryd ac yn dotio at y ffrog fechan, fer, goch yn y ffenest, yr union liw mae Patrick yn dwli ei gweld hi'n ei wisgo. Mae'n rhoi naid fach o lawenydd – gan anghofio'r soffa ar amrantiad – ac yn dychmygu hi ei hun yn y ffrog er ei fwyn ef, yn sefyll o'i flaen, a rhoi twyrl, er bod y dilledyn yn rhy dynn am ei siâp i allu chwyrlïo. Ffrog fer, goch fel maneg am ei chorff i'w thynnu ganddo. Ac mae hi'n ysu gobeithio nad yw'n rhy ddrud, nad yw'n afradus o ddrud, nad yw'n ganran anfoesol o'i chyflog hi neu eu cyflog nhw, a babi ar y gorwel – mewn bwriad os nad eto mewn ffaith – am ei bod hi bellach â'i bryd ar brynu'r ffrog fer, goch. Y cyfan sy'n ei chadw'r ochr yma i Heol y Santes Fair yn hytrach na gwneud iddi groesi draw at ffenest Howells yr ochr arall yw'r pigyn bach o ofn – ofn beth, meddyliodd Patrick – ofn y bydd y ffrog yn annerbyniol o ddrud, neu ofn y bydd edrych yn agosach arni'n datgelu gwendidau, yn ei gwneud hi'n llai na'r ddelfryd yn ei phen. Dyna sy'n ei chadw hi i oedi yr ochr yma i Heol y Santes Fair cyn croesi.

Ond mae Patrick yn gwybod hefyd mai fe sy'n ei chadw hi'r ochr yma i Heol y Santes Fair. Pa un a oedodd Rachel o gwbl, ni fedrai byth ddweud. Yn ei ddychymyg, bob tro, mae Patrick yn gwneud iddi oedi. Mae'n ei chadw rhag croesi, gan mai croesi yw diwedd y stori.

Weithiau, ar ei waethaf, mae Patrick yn dychmygu meddyliau gwleidyddol i Rachel: roedd yr arwisgo fis ynghynt wedi'i chynhyrfu'n arw ac wedi tynnu ei sylw oddi arno ef droeon, wedi gwneud iddi wthio eu priodas fach ifanc a'u bwriadau i ddechrau teulu i ymylon ei hymwybyddiaeth tra bu'n protestio, yn bytheirio hyd at ddagrau weithiau gan anghyfiawnder yr hyn oedd yn digwydd ymhell o Gaerdydd. Ond roedd hynny wedi bod, wedi cilio, a Rachel wedi dod yn ôl ato'n llwyr ar ôl misoedd o wneud iddo feddwl weithiau ei bod hi'n colli ei phwyll gan mor orffwyll oedd hi am fater mor bitw fach â seremoni arwisgo rhywun nad oedd yn mynd i fod yn neb o bwys yn y byd ymhen degawd neu ddau. Dyna i gyd oedd angen i Rachel fod wedi'i wneud mewn gwirionedd oedd aros i fybl brenhiniaeth fyrstio – yn Lloegr lawn cymaint os nad yn fwy nag yng Nghymru – ac fe gâi ddod i weld pa mor amherthnasol, bitw oedd yr holl beth yn y diwedd. Dyna i gyd oedd angen iddi ei wneud oedd aros dau neu dri degawd – ac aros yn fyw, wrth gwrs.

Ond anaml y dychmygai'r meddyliau hynny. Gwell ganddo roi'r meddyliau braf i Rachel ar ei bore olaf.

Yn ei feddwl, mae Patrick yn ei gweld hi'n gwenu ar y ffrog yn ffenest Howells yr ochr arall i'r stryd – neu ar ryw ddilledyn arall (dychmygodd bob dilledyn sy'n bod), neu gelficyn, neu lyfryn neu emwaith (er bod y rhain yn rhy fychan iddi allu eu gweld mewn ffenest yr ochr arall i'r stryd, ond mae'n dychmygu Rachel yn meddwl amdanynt, wrth anelu tuag atynt). Dychmygodd bopeth, bob un dim a allai fod wedi'i thynnu i groesi'r stryd yn hytrach na chario yn ei blaen i'w gwaelod at ei gwaith. Am gyfnod, dychmygodd iddi weld rhywun yr ochr draw, a chroesi ato neu ati, ond rhoddodd y gorau i feddwl hynny gan fod dychmygu felly'n ei gau e allan o feddwl Rachel. Roedd pob un dim materol a ddychmygai i'w denu i'r ochr arall yn rhywbeth y gallai'r ddau ohonyn nhw ei fwynhau. A byddai'n gwybod, pe bai wedi gweld rhywun o'i chydnabod, y byddai'r person hwnnw wedi gweld beth ddigwyddodd iddi wedyn.

Yn nychymyg Patrick o'r ffilm ym meddwl Rachel, roedd hi'n oedi yr ochr yma i Heol y Santes Fair, yn cymryd anadl ddofn o werthfawrogiad o'r ffrog goch fendigedig – ie, ffrog goch amdani y tro hwn – yn ffenest Howells, yn dychmygu ei phrynu er ei fwyn ef, yn dychmygu gwario ffortiwn heb fod yn anghyraeddadwy ar ddarn o ddilledyn dim ond er mwyn ei ddenu fe. Yn oedi, yna'n camu oddi ar y pafin gan feddwl am y rhyw y byddai'r ddau'n ei gael yn fuan, am y plant a ddôi, a'r hwyl a gaent yn eu gwneud, yna...

*

Gwell oedd gan Patrick gofio meddyliau olaf Rachel na'i feddyliau cyntaf e wedi'r ddamwain.

Y peth olaf wnaeth e cyn i'w fywyd cyntaf ddod i ben oedd clymu ei dei. Wrthi'n gwneud hynny roedd e pan ganodd y gloch ac roedd e'n dal i'w chlymu wrth iddo lamu i lawr y grisiau i agor y drws.

Pe bai e'n gall, fyddai e byth wedi llamu. Byddai wedi oedi, wedi gwrthod ateb y drws. Ond dyna wnawn ni, meddyliodd Patrick, rhedeg i mewn i freichiau'r hyn sy'n ein lladd ni, yn ddall fel tyrchod.

Agorodd y drws i'r plismon – heb feddwl gyntaf pwy oedd e wedi disgwyl ei weld. Cyfarchodd y plismon yn syn a gorffen clymu ei dei.

'Mr Patrick King?' holodd y plismon mewn llais ychydig bach yn rhy addfwyn o ystyried mai plismon oedd e. Dechreuodd clychau ganu ym mhen Patrick.

Gofynnodd y plismon a gâi e ddod i mewn.

'Beth sydd wedi digwydd? Dad? Mam? James?' Rhuthrodd yr enwau o enau Patrick, bron fel pe bai'n gobeithio, sylweddolai heddiw, mai i un o'r rhain y digwyddasai beth bynnag oedd wedi digwydd, heb feiddio lleisio enw'r un y gweddïai nad oedd dim wedi digwydd iddi.

'Plis...?' holodd y plismon eto, gan geisio camu i mewn, a

gwnaeth Patrick le iddo'i basio. Dilynodd y plismon i fyny'r grisiau a'i galon yn curo'n uchel yn ei glustiau. Dyna daith hiraf ei oes: o'r drws ffrynt i fyny'r grisiau ac i mewn drwy ddrws ei fflat ef a Rachel.

Roedd Rachel yn iawn, meddai wrtho'i hun wrth esgyn y grisiau, roedd Rachel wedi cyrraedd ei gwaith bellach. Beth ar wyneb y ddaear allai fod wedi digwydd iddi rhwng fan hyn a gwaelod Heol y Santes Fair? Cofiai, wrth gwrs, am y bomiau yn y Deml Heddwch, Parc Fictoria a'r Swyddfa Gymreig, ond roedd Rachel yn genedlaetholwraig, ar yr un ochr â'r bomwyr – o ran dyhead hyd yn oed os oedd hi'n anghytuno â'u dulliau. O'r holl bobl oedd yn byw yng Nghymru, go brin y câi un o'r cenedlaetholwyr mwyaf pybyr ei brifo gan ei chyd-genedlaetholwyr. Nid Rachel – ei dad, ei fam, James, unrhyw un ond Rachel.

'Ti yw gŵr Mrs Rachel King? Mae gen i ofn iddi gael ei tharo gan gar yn Heol y Santes Fair ychydig dros ddwyawr yn ôl. Maen nhw wedi mynd â hi i'r Ysbyty Brenhinol. Mr King, mae'n ddrwg gen i orfod dweud, ond mae hi mewn cyflwr difrifol iawn.'

Mae hi'n fyw, meddyliodd Patrick wrth i afon o ryddhad lifo drwyddo.

Ac wedyn, yn syth wedyn, newidiodd y llif ei gyfeiriad a dychwelyd drwyddo fel rhaeadr o ofn.

*

Cofiai weld y pibau a'r leiniau'n tyfu ohoni. Neu'r gragen a oedd yn weddill ohoni. Cofiai'r eistedd a'r disgwyl a'r cyffio wrth eistedd a disgwyl, a dim byd yn digwydd. Cofiai'r doctoriaid yn cynnal gobaith y dihunai ar y cychwyn, yna'n raddol ond yn ddigamsyniol yn lleihau'r dos o obaith ym mhob sgwrs â nhw, gan deithio'n agosach ac yn agosach â phob neges i fethu â rhoi dim gobaith o gwbl. Mewn gwrthgyferbyniad i 'amser yn gwella', amser oedd yn penderfynu mai tynged Rachel oedd gorwedd yn ddifynegiant ar wely yn sownd wrth beipiau a leiniau.

Ac eto roedd hi'n fyw, cofiai Patrick. A thra oedd hi'n fyw…

Yn fwy na hynny, roedd adegau o orfoledd er gwaethaf y rhybudd yn lleisiau'r doctoriaid bob tro. Agorodd Rachel ei llygaid wedi dyddiau o ddim ond gorwedd. Bu Patrick yn siarad â'r llygaid, yn bwydo'i obeithion wrth syllu i'w llwyd. Unwaith y tynnen nhw'r peipiau a'r leiniau o'i cheg fel y gallai siarad, byddai'n dod yn ôl yn hi ei hun, yn dod gartre. Siaradodd â'r llygaid am ddyddiau bwygilydd. Ond doedd Rachel ddim yn edrych arno fe fwy nag ar ddim byd arall.

Roedd pob symudiad yn ei chorff yn dynodi nad oedd hi wedi'i pharlysu, ac roedd hynny i Patrick yn dynodi y dôi hi i gerdded ac i symud fel yr hen Rachel. Rhywle yn ei grombil, gwyddai mai cyhyrau'n cloi neu symudiadau difwriad oedd y rhain, nid symudiadau roedd Rachel, ag ymennydd iach, yn eu hewyllysio.

Newidiodd y dyddiau'n wythnosau, a'r wythnosau'n fisoedd. Dôi Patrick i'w gweld yn ddyddiol. Rhannodd ei fflat â'i rhieni er na allai ddweud heddiw ei fod yn cofio iddo siarad nac ymwneud yn iawn â hwy o gwbl dros y cyfnod hwnnw. Roedd ei feddwl yn llwyr ar Rachel, felly mae'n rhaid mai robot oedd y Patrick arall hwnnw a siaradai â phobl, y Patrick a ddywedai wrth yrrwr y bws mai i'r Ysbyty Brenhinol roedd e'n moyn mynd bob bore, y Patrick a atebai Olwen pan ofynnai hi iddo beth hoffai i swper. Rhaid mai'r robot ddywedodd wrth ei Athro yn y Brifysgol nad oedd e'n bwriadu dychwelyd at ei waith am sbel, ac a dderbyniodd gydymdeimlad gwresog yr Athro yn ôl.

Bob diwrnod, âi ar yr un heltyr-sgeltyr dieflig. Bob diwrnod, twyllai ei hun ei fod e'n gweld mwy yn y llygaid, ei fod e'n tyngu bod Rachel wedi'i adnabod. Tynnwyd y peipiau a'r leiniau o un i un, a Patrick, cyn eu tynnu, bob tro'n gobeithio yn afresymol y byddai gwelliant, ond fyddai 'na byth. Siaradai fel pwll y môr â

Rachel, yn ddistaw wrth ei chlust fel pe bai'n dymuno cuddio'r hyn roedd e'n ei ddweud wrthi rhag ei rhieni, er nad oedd dim i'w guddio. Mwythai ei gwallt wrth siarad, er na chofiai wedyn beth a ddywedai wrthi. Ond cofiai iddo drio siarad Cymraeg â hi fwy nag unwaith, fel pe byddai'r wyrth o'i glywed yn ei siarad â'r gallu i esgor ar wyrth arall – gwyrth ei dychwelyd ato.

Ond doedd Rachel ddim yn y gragen a orweddai yn y gwely yn yr Ysbyty Brenhinol. Roedd hi'n edrych fel pe bai hi yno. Roedd ei llygaid ar agor, yn ei wylio weithiau pan ddigwyddai sefyll o'u blaen, ac roedd ei choesau a'i breichiau'n symud o bryd i'w gilydd. Ond nid Rachel oedd hi chwaith. Nid Rachel oedd bia'r synau bach digymell, anifeilaidd a ddôi o'i cheg. Ac roedd y tiwb bwydo'n dal i redeg o dwll yn ei bol, yr unig beipen a oedd ar ôl.

Roedd hwnnw'n sownd wrthi wyth mis yn ddiweddarach, pan fynnodd Patrick fynd â Rachel gartre gydag e. Awgrymodd y doctoriaid nad oedd hynny'n beth doeth yn ei chyflwr hi, ond roedd Rachel wedi bod yn yr un cyflwr ers misoedd a dim byd yn newid, dadleuodd Patrick: waeth iddi fod gartre gydag e ddim. Roedd e wedi'i phriodi, ac er gwell neu er gwaeth, roedd e'n mynd i anrhydeddu'r cwlwm rhyngddynt.

Dysgodd Patrick sut i osod a golchi'r diwben fwydo a oedd wedi'i chysylltu wrth stumog Rachel a threuliodd wythnos yn cyfarparu'r fflat ar gyfer ei dychweliad. Daeth ambiwlans â hi adref, wyth mis yn union i'r diwrnod y camodd allan o'r lle ar fore o Awst i fynd i'w gwaith.

Mynnodd Patrick ei chario dros y trothwy, fel y gwnaethai flwyddyn ynghynt ar noson eu priodas, ond bod chwerthin y diwrnod hwnnw.

15

'MA'R GALLU GANDDI,' meddai Meirion Tomos, Daearyddiaeth gan ailadrodd yr un neges ag a glywsai gan bob athro a fu'n dysgu Ceri erioed. Roedd hi wedi 'laru ar glywed yr un peth.

'Gallu digamsyniol,' porthodd y Pennaeth o'r tu ôl i'w ddesg. Doedd Efa ddim yn rhoi llawer o goel ar eiriau hwnnw gan nad oedd e'n dysgu Ceri, a go brin y gwyddai iot amdani, ond fe oedd yr un wnaeth ei ffonio i ofyn iddi ddod i'w weld.

'Ond hyn a hyn sy'n bosib ar allu'n unig. Os nag yw hi'n dod i'r gwersi...' dechreuodd yr athro daearyddiaeth, cyn i Efa dorri ar ei draws.

''Wy'n treial 'y ngore, sdim byd mwy na 'ny alla i neud,' meddai. 'Ga i awgrymu eich bod chi'n cael gair gyda Ceri?'

'Ry'n ni wedi neud hynny sawl gwaith, Mrs Williams, a does fawr ddim newid. Os rhywbeth, mae hi'n waeth ers iddi ddechre canlyn 'da'r bachgen carafáns 'na.'

'Chi'n gwbod am hwnnw?' holodd Efa mewn syndod. Rhaid bod y Pennaeth yn treulio llawer mwy o amser yn poeni am ei hepil nag a ddychmygodd erioed.

'Ei gweld hi o gwmpas y lle yn y dre,' ategodd Meirion Tomos. 'Amser ysgol fel arfer.'

Mygodd Efa yr ysfa ynddi i ofyn beth oedd Meirion Tomos yn ei wneud yn crwydro'r dref adeg ysgol. Ni allai weld yn iawn beth oedd gan driwantiaeth Ceri i'w wneud â hi. Hyn a hyn oedd rhiant yn gallu ei wneud.

'Ma hi'n un ar bymtheg mewn pythefnos, llawer rhy hen i fi allu gwneud iddi wrando arna i.'

'Pythefnos,' dechreuodd y Pennaeth. 'Tan hynny, eich cyfrifoldeb chi yw gwneud yn siŵr ei bod hi'n dod i'r ysgol. Fe allen ni fynd mor bell â throi at y gyfreth…' meddai wedyn.

'Chi'n jocan!' chwarddodd Efa. 'Sôn am ladd pryfyn 'da twelf bôr.'

'Ni'n moyn iddi neud 'i gore,' meddai'r Pennaeth. 'Fel chithe, ma'n siŵr 'da fi.'

A'r geiriau hynny gorddodd Efa go iawn, o bopeth a ddywedwyd, yn fwy na'r bygwth cyfraith hyd yn oed. Y 'ma'n siŵr' bach 'na, fel pe bai amheuaeth, yn y bôn, faint o awydd gweld Ceri'n gwneud ei gorau oedd gan Efa mewn gwirionedd. Fel pe na bai ganddi iot o ots sut ddyfodol fyddai i'w merch. Hi, Efa, oedd yr un na fedrai wneud dim byd yn y sefyllfa hon, hi oedd yn y canol rhwng y ddau rym a groesdynnai – Ceri a'r sefydliad addysgol. Doedd ganddi ddim mwy o obaith dylanwadu ar Gastell Aberystwyth i symud i lawr i Aberaeron am newid bach nag oedd ganddi o lwyddo i gael Ceri i fynd i'r ysgol bob diwrnod fel plant eraill o'i hoed. Os rhywbeth, po fwyaf y gwasgai arni i fynd, lleiaf yn y byd o obaith oedd y byddai Ceri'n gwrando. A nawr bod Christian, blydi Christian, wedi dod i'r golwg, roedd llai o obaith nag erioed ganddi o ddylanwadu arni. Go brin ei fod e'n mynd i wasgu arni i elwa ar ei haddysg er mwyn ymestyn ei gorwelion ac yntau â'i orwelion yn ymestyn dim pellach na phen draw'r cae carafáns. Doedd e ddim am i Ceri weld dim pellach na gwaelod y gwely a doedd dim angen deg TGAU arni i allu gwneud hynny.

'Fel chithe, ma'n siŵr 'da fi.' Atseiniai geiriau'r Pennaeth yn ei phen gan wneud i'w gwaed ferwi. Llwyddodd i ddod allan o'i ystafell a thrwy ddrws a gatiau'r ysgol cyn ei regi. Cerddodd ar hyd y pafin o'r ysgol am y lle bỳs gan ei alw'n bopeth dan haul, yn ddigon uchel i ambell un ei chlywed yn rhegi. Doedd dim cywilydd arni gael ei chlywed: roedd y cywilydd i gyd yn y 'ma'n siŵr' bach 'na o eiddo'r Pennaeth. Fe hoffwn allu rhwbio ei drwyn yn y 'ma'n siŵr' 'na, meddyliodd wrthi ei hun gan wybod nad oedd hi'n gwneud unrhyw synnwyr o fath yn y byd.

A thrwy ddryswch ei thymer berw, gwyddai mai Ceri oedd y ffocws i'r cyfan. Drwyddi ac o'i herwydd hi roedd hi'n berwi unwaith eto, hi a'r cwdyn Christian 'na oedd yn ei dwyn hi oddi wrth Efa, yn ei dwyn hi oddi wrth unrhyw ddyfodol o werth iddi hi'i hun. Ac roedd y diawl Prifathro 'na gystal â bod wedi bygwth y gyfraith arni hi, Efa!

*

''Wy'n neud beth 'wy'n ffacin moyn 'da 'mywyd,' sgrechiodd Ceri yn wyneb Efa gan fygwth byddaru Mr Mukherjee yn Nhy'n Rhos, heb sôn am ei mam.

Roedd Efa wedi dechrau'n ddistaw, yn cadw'r caead ar y sosban lle roedd y cyfan yn berwi y tu mewn iddi. Wedi gofyn i Ceri lle roedd hi heddiw – heb wrando'n iawn i glywed beth oedd ei hateb – cyn dweud wrthi lle buodd hithau. Codi ei hysgwyddau a wnaeth Ceri ar ôl clywed – doedd clywed am eiriau'r Pennaeth yn poeni dim arni. Wedyn roedd Efa wedi crio, yn ôl ei harfer, er gwaethaf pob ymdrech i beidio, wrth weld ei bod hi'n colli'r ddadl. Crio, a chodi llais, a Ceri'n codi ei llais hithau, gan boeni dim am ddagrau Efa – roedd hi wedi gweld digon o'r rheiny o'r blaen – nes bod y ddwy'n gweiddi yn wynebau ei gilydd.

Fel pob tro arall, doedd yr un o'r ddwy wedi dysgu sut i osgoi'r patrwm anorfod oedd i bron bob cweryl rhyngddynt. Cyn gorffen sgrechian ar ei gilydd, byddai Efa wedi galw Ceri'n 'bitsh hunanol' droeon a Ceri wedi dweud wrthi am ffwcio, neu ffacio, off sawl gwaith yn fwy. Dyna oedd y patrwm. Gallai Mr Mukherjee fod wedi ategu mai dyna oedd y patrwm, er nad aeth ati erioed i gyfrif na gwrando'n rhy ofalus, dim ond myfyrio'n fwy dwys a cheisio cau'r sŵn ar ben arall y llain o gae allan o'i ben. Trwy fyfyrio y dôi heddwch, barnai – iddo ef ac i'r ddwy boenus oedd yn gymdogion iddo.

'Wasto fe wyt ti. A wasto'n arian i yn y broses. Ti'n meddwl bod dillad yn tyfu ar goed? Dy fwyd di? Wyt ti? 'Na hyd a lled dy frên di?'

'Ffac off, Mam.'

'Ti'n meddwl bod petrol yn tyfu ar goed?'

'Nage dy betrol di 'wy'n iwso, petrol Christian 'wy'n iwso.'

'O ie, Christian…'

'Beth ma 'na'n feddwl?'

Cau hi, Efa, meddai wrthi ei hun. Gan bwyll bach. Paid â rhoi'r pleser iddi o dy gael di'n ynganu dy gas ar ei chariad. Paid â rhoi'r boddhad iddi wybod mai hi oedd yn iawn drwy'r amser, mai ei gasáu gyda phob gewyn yn dy gorff wyt ti mewn gwirionedd er gwaetha'r croeso ffug, a hithau'n gwybod hynny drwy'r amser, yn aros i ti ei cholli hi a cholli dy oruchafiaeth drosti pan wyt ti'n cuddio dy wir deimladau tuag ato. Paid â rhoi'r fuddugoliaeth iddi.

'Gwed e, ti'n 'i gasáu fe, nag wyt ti? Ti'n meddwl taw Christian sy ar fai achos bo fi'n mitsio, taw fe yw'r dylanwad drwg.' Ynganodd Ceri'r geiriau'n orddramatig.

Tynnu arna i mae hi, wiw i fi ddangos dim, meddyliodd Efa.

'Ti'n casáu fe achos bod e'n Sais, gwed y gwir.'

'Dim o gwbwl. Nage 'i fai e yw lle gath e'i eni. Sai'n casáu Mr Mukherjee am gael 'i eni yn India, odw i?'

'Ag achos bo fi'n ca'l tamed. Ma 'da fi *sex life*, a ti'n jelys. Ti'n ffili godde bo fi'n 'i ga'l e a ti ddim, 'na beth sy.'

'Os taw 'na dy syniad di o *sex life*,' methodd Efa â dal, ''da twat bach fel 'na, gw on, bostia.'

'W, *touché*…!'

Gallai Ceri fforddio gwên, nawr ei bod hi'n dechrau ennill,

ond roedd Efa wedi'i cholli hi ormod i allu camu'n ôl o'r gors.

'Blydi hel, rhaid bod 'da fe goc a hanner, achos do's bygyr ôl arall 'da fe.'

'Aaaa! 'Na ni. Ti'n cyfadde. O'n i'n gwbod.'

Roedd Efa'n casáu ei hun am fethu dal. Doedd dim posib crafangu ei ffordd yn ôl o'r llacs nawr.

'Ti'n cyfadde bo ti'n 'i gasáu fe, yr holl gelwydd 'na, y neud bwyd, y gwenu neis, y siarad 'da fe fel 'set ti'n meddwl rwbeth ohono fe, o'n i'n gwbod taw ddim 'na beth o't ti'n feddwl, o'n i'n gwbod!'

Roedd dagrau Efa wedi dechrau rhedeg eto a wnaeth hi ddim ymdrech i geisio'u sychu oddi ar ei bochau. Arni hi ei hun a neb arall roedd y bai fod cweryl bach wedi troi'n gweryl mawr unwaith eto fyth, a hithau heb lwyddo i chwarae'r gêm yn iawn er mantais iddi hi, unwaith eto fyth, heb guddio'i chardiau. Teimlai fel anelu slap at foch Ceri a safai reit o'i blaen yn ei hwyneb a'r wên giaidd o fuddugoliaeth y tu ôl i'r rhes o regfeydd ac ensyniadau ffiaidd.

''Na fi'n gwbod y gwir nawr,' edliwiodd Ceri.

Ches i erioed fod yn dy sgidiau di, meddyliodd Efa wrth i'r llefen roi taw ar ei thafod am y tro. Ches i erioed fam i ladd arni a beio popeth arni.

Chododd hi erioed mo'i llais at ei thad-cu, a doedd y cwlwm rhyngddi hi a fe, er mor dynn, yn ddim byd tebyg i'r cwlwm rhwng mam a merch. Ni chafodd erioed mo'r pleser a welai ar wyneb Ceri nawr wrth iddi arllwys ei phicelli i mewn iddi'n ddiymdrech bron. Efallai, pe bai ei mam wedi byw, y byddai hi wedi dysgu ganddi sut i fod yn fam i ferch bymtheg oed.

Tawelodd Ceri am eiliad a sefyll yno'n gwylio ysgwyddau Efa'n codi a gostwng wrth lefen.

'Ti'n gwbod beth yw'r peth gwaetha amdanot ti?' holodd,

heb ddisgwyl ateb gan Efa. 'Y ffaith bo ti mor pathetig,' meddai wedyn a'i llais yn llawn dirmyg.

Aeth allan heb hyd yn oed drafferthu i slamo'r drws am unwaith.

16

CYFLWR DIYMATEB PARHAOL, cofiodd Patrick yr arbenigwr yn ceisio egluro wrtho. Erbyn heddiw, 'cyson' fyddai'r doctor wedi'i ddweud, nid 'parhaol', fel pe bai iot o wahaniaeth. Sensitifrwydd pobl oedd yn wahanol, nid realiti ffeithiol unrhyw sefyllfa, sensitifrwydd y bobl nad oedd yn y sefyllfa eu hunain, dim ond y gynulleidfa, fel petai, y gwylwyr. Fe oedd y gwyliwr yn achos Rachel, a fyddai e ddim wedi bod mewn unrhyw sefyllfa i oedi'n rhy hir dros y gwahaniaeth rhwng 'cyson' a 'pharhaol'. Bid a fo am derminoleg, dyma fel y byddai hi am byth, er na ellid rhag-weld y byddai'r 'am byth' yn eithriadol o hir. Deng mlynedd, pymtheg. Ychydig iawn oedd wedi para degawdau.

Wrth edrych arni'n gorwedd yn eu gwely priodasol, roedd Patrick wedi pendroni'n hir pa lysieuyn yn union oedd hi. Dan gwrlid oren, ai moronen oedd hi? Tebycach i banasen, barnodd. Ond nid oedd hynny'n ei argyhoeddi chwaith. Doedd dim bywyd o gwbl mewn llysiau o'u cymharu â'i hwyneb hi, a'r llygaid yn symud heb lanio ar ddim a'r geg yn tynnu at ei gilydd weithiau ac yn lledu wedyn gan adael i lafoer lifo'n ddi-hid o'i chorneli. Bresychen, efallai, gyda'r plygiadau a'r haenau a berthynai i'r cyfryw lysieuyn. A fyddai Rachel yn graddol droi'n flodfresychen wrychiog wrth heneiddio pe câi hi ddegawdau?

Meddyliai Patrick am ei hunan blaenorol, hapus, a'i unig nod oedd cael aros yn y cyflwr hwnnw, rhwystro bysedd amser rhag gweithio'u gwaith weddill ei ddyddiau, eu dyddiau. Wyddai e ddim ai ei feddwl yn chwarae triciau ag ef oedd hynny chwaith: mai dyfais ei bresennol oedd hi, ac na theimlodd yr hapusrwydd hwnnw erioed yn llwyr. Yn wir, fe gafodd yr hyn y dychmygai iddo'i ddymuno yn ei hen fywyd: na wnâi amser symud yn ei flaen i hon, a thrwy hynny iddo ef. Roedd eu bywydau ill dau'n gaeth i'r ystafell wely, yn gaeth i'w gwely priodasol, fel rhyw John a Yoko llysieuaidd. Ni lwyddodd Patrick i gydorwedd â hi'n hir: byddai cyhyrau Rachel yn rhy aflonydd, a symudiadau sydyn, diwahoddiad ei choesau a'i breichiau cryfion, a'i synau bach anifeilaidd gydol y nos, yn ei gadw rhag cysgu. Gwnaeth wely iddo'i hun ar soffa fechan hirsgwar a wthiodd i'r ystafell o'r parlwr er mwyn iddo gael rhannu ystafell, os nad gwely, â'i wraig ifanc.

Cofiodd Patrick y dyddiau wedi i lif teulu a chydnabod, cyfeillion a chydweithwyr arafu, dros wythnosau wedi iddi ddod gartre o'r ysbyty. Roedd pob un, chwarae teg, wedi'i siarsio i godi'r ffôn, unrhyw adeg o'r dydd neu'r nos, os oedd e eisiau help neu gwmni neu ysgwydd iddo gael chwydu ei deimladau drosti, ac yntau'n gwybod na wnâi. Sut mae lleisio gofid pan fo'r gofid yn bopeth? A sut mae rhoi trefn ar feddyliau ac yntau prin yn ymwybodol o drefn dim byd y tu allan i'w feddyliau? Credai, wrth edrych yn ôl, fod ei feddwl wedi mynd i gysgu pan aeth ei meddwl hi i gysgu, ac mai cysgu byw a wnâi yntau, lawn cymaint â hithau, bellach. Parhau heb barhau, y llun llonydd ar ganol ffilm eu bywydau, a'r switsh i'w symud nhw ill dau ymlaen wedi diflannu.

Ac eto, roedd cylch diwrnod o symud ynddo. Cylch diwrnod i'w ailadrodd weddill ei dyddiau. Codi i'w throi hi yn y bore, i newid ei choban a'r glafoer wedi caledu ar ei choler, ei bwydo drwy'r tiwb yn ei stumog, y golchi wyneb a golchi ei chorff, mor debyg i'r corff a garodd, mor debyg i'r ferch a gysgai o dan ei drem wedi'r caru – ond ei bod hi'n effro, yn gwylio'r gwacter, ac yn glafoerio. Rhythm ei ddiwrnod, o bryd i bryd, o olchi i olchi, o gysgu i gysgu. Oes mewn diwrnod, diwrnod yn oes.

Dôi eraill i mewn i'w diwrnod, er mai prin yn ymwybodol o'u presenoldeb oedd e mewn gwirionedd, bron mor anymwybodol â hi. Doent yno yn eu hiwnifform i'w throi a'i golchi a'i newid, fel y gwnâi ef, a'i adael ef i'w gwylio'n gwneud ei waith drosto. Dôi Walter ac Olwen i aros am gyfnodau, bob penwythnos i ddechrau, yna'n llai aml, ac nid oedodd ef i boeni am eu hanghysur yn gorfod cysgu ar fatras yn y lolfa. Nid oedodd ychwaith dros eu teimladau hwy'n gwylio'r ferch fyw-farw'n cyhwfan rhwng bod a pheidio, yn glafoerwenu arnyn nhw yn eu gofid.

Dyma ddaw o obeithio gormod am fabi, meddai wrtho'i hun droeon yn y dyddiau hynny, wrth iddo newid y clwt mawr a warchodai'r gwely rhag y symud normal y tu mewn i'w chorff normal. Eisiau babi, ac eisiau i fywyd aros yn llonydd iddo allu'i fwynhau fel y mae am byth. Dyma fabi am byth, ei fabi ef, o'r un cnawd â'i wraig, ond nid ei wraig…

Ceisiodd ddychmygu beth welai eraill a ddôi i'r tŷ wrth edrych arno ef. Âi drwy bob mosiwn yn beiriannol berffaith. Nid oedd yn wylofain na rhincian dannedd. Cadwai ei deimladau dan glo. Gallai ymddangos, fel hithau, fel cragen, yn ddigythrwfl. Go brin iddo'u twyllo nhw'n llwyr, ond beth fedrai neb ei wneud ond gadael iddo? Ef ei hun a fynnodd ei chael hi gartre. Fel pe bai gartre yn mynd i'w dihuno hi, fel mewn stori dylwyth teg, o'i thrwmgwsg effro. Fel pe bai ei dychwelyd i'w gwely priodasol yn mynd i ddod â'r ferch briododd e 'nôl iddo.

Cafodd ras gan y coleg am amser hir, ond roedd dyddiau'r adran yn symud yn eu blaenau'n wahanol i'w rai ef. Ymhen chwe mis wedi'r ddamwain, a Rachel yn dal yn yr ysbyty, bu'n rhaid iddo ddewis rhwng mynd yn ôl at ei ymchwil neu adael ei swydd a'i gyflog. Nid oedd ei feddwl mewn sefyllfa i ddewis, felly parhaodd â'r hyn a wnaethai ers misoedd. Wedi i Rachel ddod gartre, galwodd ei Athro heibio am sgwrs wedi iddo anwybyddu'r llythyr yn gofyn iddo beth oedd ei fwriad. Gofynnodd ei Athro iddo sut roedd Patrick yn gweld ei ddyfodol, a methodd Patrick â'i ateb, dim ond dweud yn syth nad oedd e'n mynd i allu ei gadael yn ystod y dydd am oriau bwygilydd i fynd i'w waith. Doedd dim mwy na hynny o ddewis i'r peth mewn gwirionedd. Bu'r Athro'n garedig iawn wrtho, cofiai, yn addo y câi ddychwelyd gan fod prinder meddyliau athrylithgar fel un Patrick ym mywyd academaidd y genedl y dyddiau hynny. Wrth i'r Athro ddweud hynny, roedd meddwl athrylithgar Patrick eisoes ar y cyflenwad o gydau hylif roedd angen iddo'u casglu o'r ysbyty er mwyn iddo'u bwydo drwy'r tiwb i'w fresychen.

Weithiau, caniatâi i'w hun, fel rhodd achlysurol, ei gwylio hi'n cysgu a dychmygu mai hi, fel roedd hi, oedd yno. Gwobr am fod yn dda fyddai hyn fel arfer, am beidio â gadael i'w hun deimlo gwendid, am gyflawni ei orchestion dyddiol heb wastraffu eiliad yn llyfu'i glwyfau. Roedd gofyn iddo fod yn ofalus er hynny. Byddai'n dweud wrtho'i hun yn ystod y dydd bod y rhodd yn dod iddo heno, y câi ei gwylio a llithro i lesmair lle gallai gredu mai'r hen hi a gysgai o dan y cwrlid o'i flaen. Ond ar yr un pryd, byddai'n tynnu ar bob owns o gadernid ynddo'i hun i ragbaratoi at yr eiliad y dôi'r rhodd i ben, yr eiliad pan fyddai'n rhaid iddo orffen dychmygu, a dychwelyd i'w realiti. Gwyddai y gallai gracio ar eiliadau felly pe na bai'n rhagbaratoi digon, a byddai cracio'n agor y drws ar bob math o uffernau dyfnach na'r un roedd e ynddi'n barod. (Sylweddolai Patrick heddiw y byddai cracio wedi'i arwain allan o'i uffern yn y pen draw, ond Patrick heddiw oedd yn sylweddoli hynny, nid Patrick 1970.)

Dyma oedd Patrick yn ei wneud y noson honno pan graciodd e mewn ffordd nad oedd e wedi gallu paratoi ar ei chyfer. Gwylio'i wraig yn cysgu, a dychmygu mai dim ond gwylio'i wraig yn cysgu roedd e. Dim ond cysgu…

17

'VAN'S BUGGERED,' MEDDAI Christian o berfeddion yr injan a hanner ei din yn y golwg dros ben y trowsus oedd â'i fforch i lawr ger ei benliniau.

Daethai Christian i mewn i'r tŷ heb gnocio ar y drws. Roedd Efa ar ganol golygu nofel hanesyddol orlawn o ffeithiau na chyneuai ddim o'i diddordeb, ond a fynnai ei sylw, pan gyrhaeddodd.

Er i Efa ddweud nad oedd Ceri gartre, rhoddodd ei drwyn heibio i ddrws ei hystafell wely, fel pe bai'n amau ei gair. Rhaid bod Ceri wedi sôn wrtho am y cweryl a fu rhyngddynt ddyddiau ynghynt. Prin ei bod hi wedi gweld Ceri ers hynny – wnaeth hi fawr mwy na tharo i mewn i nôl dillad – ac yn sicr ni siaradodd air â hi. Roedd Efa'n amau mai yn un o statics tad Christian roedd hi wedi treulio'r dyddiau diwethaf.

'I thought she was with you,' meddai Efa wrtho wrth i don o ofn wawrio drosti. A dywedodd yntau, heb ddefnyddio gormod o eiriau, mai gyda fe oedd hi wedi bod, ie, ond iddi benderfynu mynd i'r ysgol a'i fod e'n meddwl ei bod hi wedi dweud mai dod gartre o'r ysgol oedd ei bwriad heno.

'Seems not,' meddai Efa, ac aeth Christian 'nôl at y fan heb ebwch yn ychwaneg gan ffonio mobeil Ceri.

Sylweddolodd Efa mewn rhai munudau nad oedd hi'n clywed sŵn ei fan racs yn symud, felly aeth allan ato. Dywedodd wrtho'n ddigon swta nad oedd ganddi hi fwy o syniad nag yntau sut i'w thrwsio a chynigiodd, wysg ei thin, fynd ag e i lawr i'r lle carafáns, ond bod yn rhaid iddi orffen y gwaith roedd hi'n ei wneud gyntaf, os nad oedd ots ganddo aros.

'Yeah,' mwmiodd y cythraul anniolchgar, a'i dilyn i'r tŷ gan ffonio Ceri, a oedd bellach wedi cyrraedd y garafán static anniben lle roedd Christian yn byw.

Pwyntiodd at y tegell a'r coffi a dweud wrtho am wneud paned iddo'i hun. Fyddai hi ddim mwy na hanner awr.

Yn hytrach na diflannu i ystafell Ceri fel roedd hi wedi dychmygu y byddai'n ei wneud, eisteddodd Christian yn y gadair freichiau yr ochr arall i'r bwrdd fel bod ei ben yn y golwg wrth iddi weithio. Bu bron iddi ddweud wrtho am symud ond gwyddai hefyd, po gyflymaf y câi hi orffen ei gwaith heb fynd i siarad ag e, cyflymaf yn y byd y câi wared arno.

'Has she told you?' daeth ei lais ar draws ei gwaith.

'What?' Cododd Efa'i phen yn flin. Gallai ei shyshio, dweud wrth y diawl bach am gau ei geg, ond roedd ei gwestiwn wedi ennyn ei chwilfrydedd – a'i hofn hefyd, gan mai'r peth cyntaf a ddaeth i'w meddwl oedd fod Ceri'n disgwyl babi.

'She's coming with me.'

'Where?'

'Back home. She's coming with me.'

'What do you mean?'

'She said she'd come with me,' meddai Christian eto. 'To Birmingham. I've fixed us a flat so she can come and live with me. My brother's gone up there, started a second-hand caravan business. She can help. Ceri I mean.'

'Kerreye' ddywedodd e, sylwodd Efa.

'No way,' meddai. 'She's not going anywhere.'

'Says she is. Asked me to tell yer, 'cos she's not talkin' to you.'

Slamiodd Efa ei llaw i lawr ar y bwrdd nes bod y gliniadur yn drybowndian. Roedd Christian wedi codi ar ei draed, yn ei hwynebu.

Gwyliodd Efa ef. Anadlodd yn ddwfn. Faint oedd ei oed e, meddyliodd. Hŷn na Ceri, bum mlynedd dda yn hŷn, barnodd.

Ystyriodd. Daliai Christian i'w gwylio. Anadlodd Efa'n ddwfn eto cyn siarad.

'I'd prefer her not to go,' meddai'n dawel. 'She's all I've got.'

Doedd Christian ddim yn gwybod lle i roi'i hun. Edrychodd ar ei draed, yn embarasd. Doedd e ddim hanner mor galed ag y dymunai fod, meddyliodd Efa. Edrychai'n debycach i ddarn o glai.

Ai dyna pryd y ffurfiodd y cynllun yn ei phen?

Cododd a chau'r gliniadur. Aeth at y sinc a phwyso yn ei herbyn. Safodd yno am eiliadau hir a'i phen wedi'i ostwng. Daeth y dagrau.

'It's so difficult, you see,' meddai.

Daeth Christian ati a sefyll ddwy droedfedd ddiogel y tu ôl iddi. Doedd e ddim yn gwybod beth i'w wneud, ond yn amlwg, teimlai fod angen iddo ddweud rhywbeth o leiaf.

'It's OK… seriously, it's OK… she… she doesn't hate you…'

Roedd ei lais e'n fwy addfwyn nag y meddyliodd Efa y gallai fod. Ac roedd e'n siarad, yn ei chysuro, yn dipyn mwy o foi na'r llo roedd hi wedi'i weld ohono hyd yn hyn. Mae'n bosib mai clywed y cysur yn ei lais, a chlywed yr hen, hen angen yn ei chorff hi ei hun, oedd tarddiad y cynllun wedi'r cyfan, mai dyma pryd y daeth y cyfan yn eglur iddi. Safodd â'i chefn ato am amser hir yn llefen i'r sinc, a'i lais ef yn cysuro am funudau, nes iddo fentro estyn allan a chyffwrdd ei hysgwydd â'i law.

'You mustn't cry…'

Aeth ei gyffyrddiad drwyddi fel sioc drydanol.

'You really mustn't…' meddai Christian eto a thybiodd Efa iddi glywed arlliw o banic ar ei lais.

A'i chefn tuag ato, distawodd ei llefen. Yn ei le, daeth awydd ofnadwy amdano, am freichiau cysur amdani, am gorff arall i gyffwrdd â'i chorff hi am unwaith. Unrhyw ddyn, ie – ac eto, meddyliodd, doedd dim byd ofnadwy o hyll amdano. Roedd e'n union y math o gymeriad y byddai hi wedi ffoli arno'n ifanc

– ychydig yn ddidoreth, hawdd ei drin. Ac os oedd 'na unrhyw obaith yn y byd y byddai'n cyfeirio'i gysur, a mwy, tuag ati hi, ganol oed, hanner pan i'w olwg e, a mam ei gariad, byddai'n bachu ar y cyfle...

Doedd e ddim wedi tynnu ei law yn ôl oddi ar ei hysgwydd.

Ffieiddiodd Efa ati ei hun ar amrantiad, yn ysu am hwn, cariad ei merch: o dan ba garreg roedd hi'n byw i hyd yn oed ystyried y fath beth?

Tynnodd yntau ei law oddi ar ei hysgwydd wrth ei gweld hi wedi llonyddu. Trodd Efa i'w wynebu.

'I'm sorry,' meddai wrtho. 'I love her so much, but all we seem to do is fight.'

Doedd hi ddim yn gallu ymladd rhagor, roedd hi'n colli pob gornest. Doedd hi ddim yn ddigon clyfar i frwydro yn erbyn Ceri, ac roedd gofyn bod yn glyfar.

A nawr, roedd hwn yn bygwth mynd â Ceri i ffwrdd oddi wrthi. Roedd rhaid bod yn glyfar.

Estynnodd ei llaw allan ato.

'Please don't think I'm silly...'

'I don't,' meddai Christian.

Oedodd ei llaw ar ei grys chwys, ar ei frest. Byddai'n ei thynnu oddi yno unrhyw eiliad, meddyliodd Efa, ac fe gâi hi wybod drwy hynny na weithiai ei chynllun.

Ond ni thynnodd Christian ei llaw oddi ar ei frest. Roedd e fel anifail wedi delwi. Edrychai i fyw ei llygaid a phwyso a mesur ei benderfyniad, wrth golli'r frwydr â'r presenoldeb yn ei drôns.

Ofnai Efa y byddai'n ei golli oddi ar y bachyn pe symudent o'r fan hon, er nad oedd arni fawr o awydd cyflawni'r cynllun yn erbyn sinc y gegin. Ond roedd hi'n ffordd bell at y gwely, a byddai'r cythraul wedi hen lwyddo i ddianc erbyn hynny.

Mwythodd ei frest a chodi ei llaw'n araf bach at ei war. Tynnodd ei ben tuag ati, a bu bron iddo'i chusanu, ond llwyddodd hi i osod ei ben ar ei brest hithau, bron yn famol, ystyriodd Efa, fel y gallai ddal i dynnu'n ôl a phledio diniweidrwydd pe bai e'n meiddio'i chyhuddo o'i dynnu i weithred yn groes i'w ewyllys.

Faint o ewyllys sydd gan lo, holodd Efa hi'i hun.

Rhaid bod rhyw atyniad yn dal yn ei chorff deugain oed, gan iddo afael ynddi wedyn, rhoi ei fraich am ei chanol a dechrau mwytho'i chefn. A gwyddai Efa nad oedd camu'n ôl y tro hwn, roedd y pysgodyn ar y bachyn.

Christian a'i harweiniodd hi at ei hystafell wely, ac erbyn cyrraedd yno roedd hi wedi diosg ei siwmper denau.

Oedodd Christian i edrych arni yn ei bra. Der 'mla'n, gwaeddai Efa arno yn ei phen. Cymer nhw. Roedd hi'n ysu amdano nawr, a byddai wedi methu troi'n ôl bellach hyd yn oed pe bai rhesymeg gweddill y cynllun heb ymffurfio yn ei meddwl yn y gegin.

Roedd e'n oedi'n rhy hir, yn ailfeddwl.

'Come on, Chris, show me how much of a man you are,' mentrodd Efa.

Aeth ato a dechreuodd ei bysedd ddatglymu ei wregys a Christian fel delw'n rhythu'n anghrediniol arni.

Be nei di, Christian, meddyliodd Efa. Nei di 'ngwthio i oddi wrthat ti yn dy ffieidd-dod? Neu a wnei di fachu ar dy gyfle ar blât?

Ni bu'n rhaid iddi aros yn hir cyn cael ei hateb. Hyder, dyna'r gwenwyn sy'n dy rwymo. Gallai'r wrach hyllaf oll dy ddenu i'w chedor cyhyd â'i bod hi'n argyhoeddedig o'i llwyddiant, meddyliodd Efa, doedd dim gwahaniaeth yn y byd pa mor ddeniadol oedd hi. Y dewr pia'r darian. Hyder, heb ei doddi, meddyliodd, y sicrwydd cant y cant mai 'da fi mae'r llaw uchaf, llaw am goc, a dim oll i fy rhwystro.

Anelodd Christian ei geg at ei gwefusau a'i dafod eisoes ar annel amdani, ond osgôdd Efa'i gusan. Aeth i lawr ar hyd-ddo a gweithio'i thafod ar hyd ei gorff, gan osgoi'r geg yn null y puteiniaid gwytnaf, nes ei gael yn agos, bron, bron, cyn tynnu'n ôl a gorwedd ar ei chefn iddo gael gwneud ei job yn iawn. Roedd budreddi'r sefyllfa, ei hacrwch eithaf, ei hanobaith hi yn nyfnder ei gorffwylltra, hefyd yn rhoi min ar ei nwyd hithau. Gorweddodd arni ac anadlu ei flys hyll drosti, gan ynganu maswedd Saesneg yn ei gwallt.

Iesgob, meddyliodd Efa cyn iddo orffen chwythu drosti, dwi wedi bod angen hynna.

Cododd Efa'n syth wedyn i fynd i'r gawod. Golchodd ei fudreddi oddi arni mor hawdd â diosg dillad. Edrychodd hi ddim arno wrth godi ei theits wrth waelod y gwely – ni hidiai ai edifeirwch neu fodlonrwydd oedd ar ei wyneb: ei wyneb oedd y peth olaf roedd ganddi ddiddordeb ynddo a hithau wedi cael yr hyn a geisiai ganddo. Câi gyflwyno ei frad yn anrheg i'w merch ar yr adeg gywir a sicrhau mai drws caeedig a gâi Christian gan Ceri bellach.

'Come on then, I'll give you a lift,' meddai wrtho'n eithaf swta.

'Don't tell Ceri,' clywodd e'n dweud wrth iddi fynd allan drwy'r drws. Babi mewn dillad dyn.

'Of course I won't,' meddai Efa dros ei hysgwydd, yn hafaidd braf, heb drafferthu i droi i edrych arno.

DAU

18

GWYLIODD EFA'R SEREMONI heb golli'r un manylyn. Sibrydai gwestiynau i glust Mr Mukherjee er mwyn cael mwy o oleuni ar ryw fater neu'i gilydd, a sibrydai hwnnw ateb mor llawn ag y gallai i'w chlust hithau gan geisio peidio tarfu ar yr hyn oedd yn digwydd.

Roedd elfennau o'r seremoni'n debyg i'r priodasau y bu Efa ynddynt dros y blynyddoedd. Y gŵr yn aros am ei wraig mewn man arbennig – o dan y *mandap*, y canopi lliwgar yn y briodas hon, lle roedd fflam cannwyll, y tân sanctaidd, yn tystio i'r uniad. Yna, daeth perthnasau gwrywaidd y briodferch â hi tuag ato i'w chyflwyno iddo. Siantiai'r offeiriad emynau Hindŵaidd tra cyfnewidiai'r darpar bâr priod arlantau o flodau lliwgar.

Wrth eu gwylio, cofiodd Efa am ei phriodas hi a Brian. Awr o broses a dyna hi. Gorau po leia o ffys – roedd hi wedi mynnu hynny – a gorau po gyntaf y câi'r cyfan ei gwblhau, i bawb gael mynd gartre. Tybed oedd hi'n gwybod yn y dyddiau hynny nad priodas go iawn oedd yr hyn oedd rhyngddi a Brian, dim ond dynwarediad o'r hyn y byddai pobl mewn oed yn ei wneud? Cael gorchwyl arall allan o'r ffordd.

Mae'n siŵr fod pawb arall wedi priodoli awydd Efa am 'briodas heb ddim ffys' fel arwydd o'i hymwybyddiaeth nad oedd ganddi deulu ar ôl. Roedd Morwen wedi arllwys geiriau cariadus wrthi yn ei meddwdod ar noson yr ieir, pan aeth chwech ohonyn nhw, ffrindiau o ddyddiau coleg yn bennaf, gan gynnwys chwaer Brian, na fu'n unrhyw fath o ffrind coleg iddi, allan i botio o'i hochr hi wythnos cyn y briodas.

'Cofia fod 'da ti fi a Huw yn deulu i ti,' meddai Morwen a'i thafod yn fwy trwchus na'r niwl dudew ym mhen Efa. Roedd coctels cymysg â choctels eraill yn addo'i gwneud hi'n ddiwedd nos na chofiai'r un ohonyn nhw.

'Dwi'n gwbod,' llwyddodd Efa i lefaru. 'Dwi'm yn gwbod pam dwi'n boddran priodi.'

A doedd hi ddim. Ddim pan ddywedodd hi 'Ie, ocê' wrth Brian pan ofynnodd e iddi, ddim tra bu'n paratoi priodas leiaf ffyslyd y ganrif a ddim wedyn chwaith. Byddai seicolegydd wedi esbonio wrthi mai er mwyn cael rhyw fath o deulu y gwnâi hyn, sicrhau un perthynas yn lle'r rhai a gollodd. Ond byddai Efa wedi dadlau yn erbyn hynny. Roedd Brian yn ddylanwad sobreiddiol arni – llawer rhy sobreiddiol, meddyliai bellach – ac roedd angen tawelydd arni ar y pryd: roedd Brian yn stwff llai caethiwus na *temazepam*.

Du a gwyn ydi'n priodasau ni, meddyliodd Efa wrth sefyll gyda Mr Mukherjee yn dystion i briodas ei nith, a'r rhain yn lliwgar braf. Du neu wyn: priodas dda neu briodas wael, dim man canol a dim lliwiau eraill. Llwyddiant neu fethiant. Ffyddlon neu anffyddlon. Tybed a oedd priodasau Hindŵaidd yn rhai mwy bodlon am eu bod, o'r cychwyn cyntaf un, yn cydnabod nad du a gwyn ydi popeth? Ond sylweddolodd Efa am y tro cyntaf hefyd nad oedd ei phriodas hi a Brian wedi bod yn ddrwg i gyd o bell ffordd chwaith.

Cusanodd Shri ei phriod. Pwysodd Mr Mukherjee i lawr i sibrwd yng nghlust Efa.

'Bron ar ben,' meddai ac aeth gwayw o siom drwy Efa. Roedd hi wedi ymgolli yn yr holl draddodiadau a'r arferion llawn ystyr. Doedd hi ddim wedi edrych ymlaen at ddod, rhaid iddi gyfaddef, a difarai iddi gytuno. Ystyriodd ddweud wrth Mr Mukherjee sawl gwaith ei bod hi wedi newid ei meddwl. Gallai'n hawdd fod wedi defnyddio'r sefyllfa fregus rhyngddi hi a Ceri ar y funud fel esgus. Ond roedd yn rhaid iddi gyfaddef nad oedd y sefyllfa wedi bod hanner mor fregus ag y disgwyliai dros y chwe wythnos diwethaf. Doedd Ceri ddim wedi sôn gair am adael ysgol a mynd i Birmingham gyda Christian.

Treuliasai Efa oriau'n troi'r cyfan rownd yn ei meddwl. Ai siarad ar ei gyfer roedd Christian pan ddywedodd e wrthi y diwrnod hwnnw fod Ceri'n barod i'w gadael er mwyn ei ddilyn e i ganol y Brymis? Neu a oedd y diawl yn ddigon clyfar, ar ôl beth ddigwyddodd, i wybod na ddôi lles o lusgo Ceri oddi wrthi a hithau'n gallu gwneud y fath ddrwg iddo drwy ddweud y gwir? Oedd e eisoes wedi deall beth oedd gêm Efa? Medrai Efa fyw gyda hynny… ond dim ond o drwch blewyn. Byw gyda hi ei hun oedd yn anodd.

Y bore wedi iddi gysgu gyda Christian, roedd hi wedi chwydu'i pherfedd yn llythrennol wrth droi'r hyn a wnaethai yn ei phen. Cafodd ddyddiau o wingo gan euogrwydd ei bod hyd yn oed wedi ystyried gwneud y fath beth, a dyddiau eraill o geisio cyfiawnhau'r hyn na ellid ei amddiffyn ar sail ei gofal dros Ceri. Do, aethai i'r pydew hwnnw hyd yn oed. Roedd y cwlwm tyn o ofn ac euogrwydd y tu mewn iddi'n anodd ei gynnal, a gobeithiai â'i holl enaid y câi wared arno cyn bo hir iawn drwy i Christian a Ceri wahanu ohonyn nhw eu hunain, heb i Christian ddweud gair am yr hyn ddigwyddodd.

Cystwyai ei hun yn barhaol, heb syniad yn y byd ganddi sut oedd cael gwared â'r casineb ati hi ei hun oedd yn ei bwyta hi'n fyw. Yn ei hawydd i ddial ar Ceri, yn ogystal â'i hawydd i beidio â'i cholli, roedd hi wedi cyflawni'r anfaddeuol. Oedd, roedd gallu dweud am yr hyn a wnaeth Christian yn mynd i chwalu perthynas ei merch a'i chariad, ond beth wnâi cyffes o'r fath i'w perthynas nhw ill dwy? Doedd dim gobaith gallu mynd yn ôl a dad-wneud y weithred. Rhaid oedd ei chladdu.

Ond mynd yn ôl i beth? meddyliodd Efa wedyn. I'r cweryla a'r edliw a'r rhegi a'r dadlau, mynd yn ôl at hynny? Yn rhyfedd iawn, doedd dim cymaint o eiriau cas wedi bod rhwng Efa a'i merch ers iddi gysgu gyda Christian. Efallai mai Christian oedd yn cadw'r ddysgl yn wastad, ac efallai mai'r ffaith fod Ceri'n treulio'r rhan fwyaf o'i hamser yn y static gyda Christian oedd i gyfrif am y cyfnod tawelach hwn ym mherthynas y ddwy â'i gilydd. Ond roedd Ceri i'w gweld yn dal ati yn yr ysgol – a hyd yn oed yn dod gartre am gyfnodau i weithio at yr arholiadau.

Roedd Efa wedi llyncu gweddill unrhyw falchder oedd ynddi ynglŷn â'i gallu fel rhiant ac wedi ffonio'r prifathro wythnos ynghynt i ofyn iddo a oedd Ceri wedi bod ym mhob un o'i harholiadau hyd hynny. Yn ôl amcangyfrif Efa, byddai dros eu tri chwarter wedi'u cynnal erbyn hyn. 'Prydlon i bob un, hyd yn hyn,' oedd ei ateb. Roedd Efa wedi anadlu'n swnllyd mewn rhyddhad wrth glywed hynny.

Beth bynnag oedd o'i le ar y ferch, doedd hi ddim wedi cachu ar unrhyw obaith o ddyfodol drwy wrthod sefyll ei harholiadau. Mae'n bosib y byddai Efa'n gallu ystyried gadael iddi fynd i Birmingham gyda Christian wedi'r cyfan, gadael i bethau ddigwydd ohonyn nhw eu hunain, heb geisio ei rhwystro drwy ddweud wrthi am frad Christian – a'i brad hi.

Y dydd Sul cynt, roedd Ceri gartre'n adolygu ar gyfer ei harholiad Cymraeg Llên, a'i llyfrau'n drwch dros fwrdd y gegin. Roedd Efa wedi bod am dro gyda Gwen ar hyd un o'r llwybrau cyhoeddus y tu ôl i Dy'n Mynydd a Thy'n Rhos a edrychai i lawr dros y pentref. Doedd hi ddim wedi disgwyl gweld Ceri yno pan gyrhaeddodd hi'r tŷ, ac am eiliad, fel y digwyddai bob tro y dôi Ceri gartre y dyddiau hyn, ofnai Efa bod Christian wedi datgelu'r hyn oedd wedi digwydd rhyngddyn nhw a'i bod hi yno i boeri ei sarhad cyn troi ei chefn am byth.

Ond gwelodd Efa'r llyfrau'n syth, a chefn twt Ceri'n plygu drostyn nhw wrth iddi wneud nodiadau i'w rhoi ar gof.

Llithrodd Efa ei llaw dros gefn ei merch a gofyn iddi beth

fyddai hi'n ei hoffi i swper. Atebodd Ceri heb godi ei phen mai 'nôl i'r garafán fyddai hi'n mynd, gan fod Christian wedi addo prynu *chow mein* iddi o'r dref.

'Whare teg iddo fe,' meddai Efa. 'Ma'n bwysig bo ti'n byta digon dros yr arholiade.'

Der gatre, gwaeddai pob un o enynnau ei chorff.

'Oes rhwbeth alla i neud i helpu 'da'r adolygu?' holodd yn lle hynny.

Ysgwyd ei phen a dal ati i sgrifennu a wnaeth Ceri. Wnaeth Efa ddim pwyso arni. Aeth ati i osod twten yn y ffwrn at ei swper hi, a diolch am eiliad o gael troi ei chefn at gefn Ceri. Roedd brath cydwybod yn bygwth ei mygu unwaith eto. Gwyddai na fyddai'n bwyta'r dwten.

'*Second thoughts*, cei fe gei di.' Sythodd Ceri yn ei chadair. 'Themâu. 'Wy'n ffili'n deg â'u cofio nhw i gyd.'

'Nofele?' holodd Efa. 'Neu'r cerddi?'

Eisteddodd gyferbyn â Ceri a derbyn pentwr o bapurau ganddi. Edrychodd ar lawysgrifen ei merch a'i chalon yn ei gwddf wrth ystyried mor blentynnaidd yr edrychai. Sut gwnes i'r fath gawlach o bethau, holodd ei hun. Sut na welais i mai plentyn yw hi o hyd, mai 'y merch fach i yw hi, mai yma i'w chynnal hi dwi fod, nid i racso'i bywyd hi?

'Diolch, Mam,' meddai Ceri ar ôl i'r ddwy gyrraedd tudalen olaf y nodiadau. 'Fydden i byth wedi neud e hebddot ti.'

Ceisiodd Efa gau'r drws ar y tywyllwch y tu mewn iddi a mwynhau'r eiliad.

'Fe nei di'n iawn,' meddai wrth Ceri.

'Dwi'n gwbod,' meddai'r ferch yn llawn hyder. ''Wy moyn neud yn ocê. A 'wy'n dyall pam ti moyn i fi neud yn ocê. Ma Christian moyn i fi neud yn ocê 'fyd.'

Beth oedd yn mynd drwy ben hwnnw, meddyliodd Efa. Gwybod mai cadw'r ochr iawn i Efa oedd y ffordd o gadw'r rhwymyn ar ei thafod? Neu a oedd e'n meddwl digon o Ceri i fod yn dymuno'r gorau iddi yn yr arholiadau? Yn bendant, roedd un o'r ddau wedi rhoi stop ar y sôn am symud i Birmingham – dros dro o leia.

Roedd Ceri wedi codi a dod rownd ymyl y bwrdd i roi ei breichiau am wddf ei mam. Teimlodd Efa'r cynhesrwydd a gwingo wrth i gywilydd dynhau eto yn ei brest.

''Wy ddim moyn cweryla drwy'r amser,' meddai Ceri gan bwyso'i gên ar ben Efa.

'Na finne,' meddai Efa'n floesg. Gwasgodd law Ceri'n dynn, gan ddyheu am gael aros fel hyn am byth, heb neb i darfu arnyn nhw, neb i ddatgelu cyfrinachau.

'Ma'n haws bod 'da Christian yn y garafán am nawr,' meddai Ceri wedyn. 'Agosach at yr ysgol.'

Am nawr, meddyliodd Efa. Y fath obaith mewn dau air.

'O's dim rhaid i fi fynd 'nôl 'na heno, cofia. Prynhawn fory ma'r arholiad. Gallen i aros 'ma heno os ei di â fi mewn.'

'Beth am y *chow mein*?' holodd Efa.

'Gewn ni fe nos fory,' meddai Ceri'n ddidaro.

'Af i lawr i'r dre i ga'l *chow mein* i ni'n dwy,' meddai Efa gan godi o goflaid ei merch. 'A geith Christian ddod lan i ga'l peth hefyd os yw e moyn.'

'Fydd e ddim moyn,' meddai Ceri. 'Fe sy ar diwti heno.'

Aeth Efa i'r dref i nôl y pryd Tsieiniaidd, ac ewyllysio'r car bach drwy ei dannedd i lwyddo i ddringo'r rhiw yn ei ôl at y tŷ. Bwytaodd y ddwy eu prydau o flaen y teledu, er i Efa gael gwaith mynd drwy hanner ei hun hi.

Y noson honno, treuliodd oriau'n effro yn ei gwely'n ceisio dygymod â'r rhaff dynn o edifeirwch oedd ynghlwm wrth ei chalon. Byddai wedi rhoi popeth oedd ganddi am gael galw ar Ceri yn ei hystafell wely ar draws y landin, a defnyddio esgus y llygod.

Ond Ceri oedd popeth oedd ganddi, ac roedd pethau llawer gwaeth na llygod yn dod rhyngddi a chwsg.

Ers chwe wythnos, gwaethygu wnâi ei hedifeirwch ar ôl pob diwrnod difrwydr rhyngddi hi a Ceri. Roedd hi'n hynod o falch o gael dianc rhagddo, am awr neu ddwy o leiaf, ym mhriodas nith Mr Mukherjee.

'Dyna'r traddodiad, nawr am y gorllewinol,' meddai Mr Mukherjee gan bwyso a mesur pob gair yn ei ymdrech i gyfleu ei hun. 'Parti Caerdydd fydd e,' meddai wedyn. 'Nid parti Indiaidd.'

*

Y bore hwnnw, er mwyn dangos i Mr Mukherjee ei bod hi'n gwerthfawrogi ei awgrym, aeth draw i adeilad y Senedd yn y Bae i geisio cael gair â'i chynrychiolydd yno am Ysgol Pen-cwm. Mynnodd Mr Mukherjee aros amdani ym maes parcio'r sinema gyferbyn yn hytrach na mynd gyda hi. Teimlai Efa mai gwastraff amser llwyr oedd yr holl beth, ac y byddai Mr Mukherjee wedi gallu gadael argraff ddyfnach ar y lle nag y gallai hi obeithio'i wneud, ond roedd ei ffydd e ynddi hi, a pharodrwydd Aelodau'r Cynulliad i wrando ar ei phregeth, yn absoliwt.

'Dyma eich awr fawr,' meddai wrthi'n gyffro i gyd â'i lygaid yn serennu. 'Fe fydd Ysgol Pen-cwm ar agor am byth ar ôl i chi egluro wrthyn nhw.'

Er ei bod hi'n deall ei fod e'n ddigon craff i ddeall na wnâi ei hymweliad ffagotsen o wahaniaeth i ddyfodol Ysgol Pen-cwm, parhaodd y ddau i chwarae'r gêm.

Ar ôl mynd o olwg y car a'i berchennog, ystyriodd Efa ddargyfeirio'i chamau tuag at y sinema a mynd i weld ffilm am awr a hanner yn lle gwastraffu ei hegni yn adeilad y Senedd ar draws y ffordd. Ond gwyddai na fyddai'n gallu byw gyda'i chydwybod wrth dwyllo Mr Mukherjee. Câi ddigon o drafferth byw gyda hwnnw y dyddiau hyn fel roedd hi.

Camodd i'r palas gwydr ac estyn ei bag i'r dynion yn eu du

gael tynnu llun o'i gynnwys. Cerddodd i'r lobi agored enfawr ac edrych o'i chwmpas fel adyn ar goll. Gwelodd y ddesg a dwy dderbynwraig yn sefyll y tu ôl iddi, ac aeth ati.

'Meddwl cael gair â fy Aelod,' mwmiodd wrth un o'r menywod.

'I'm sorry, I don't speak Welsh,' meddai honno, cyn troi at ei chydweithwraig. 'Siân, one for you.'

Gwenodd ei dannedd i gyd ar Efa i ddangos cymaint o wit oedd hi a daeth y Siân, a oedd mor ddanheddog â'r gyntaf, i siarad â hi. Cymaint o hwyl oedd i'w gael mewn gwlad ddwyieithog!

'Sut alla i'ch helpu chi?' holodd Siân heibio'i gwên.

'Oes posib i fi gael gair gyda fy Aelod ar fater sy'n bwysig iawn i fi?'

'Wrth gwrs!' cyhoeddodd Siân fel pe bai hi'n dylwythen deg ddi-hudlath a wireddai bob dymuniad. Ystyriodd Efa ofyn i hon sicrhau bod Ysgol Pen-cwm yn cael parhau i fodoli, gan y byddai'n siŵr o allu trefnu gwyrth o'r fath.

Sgroliodd i lawr ei sgrin cyn datgan, heb adael i'r wên lithro: 'Mae'n ddrwg iawn gen i, ond dyw'r Aelod ddim yma heddiw. Oes rhywun arall hoffech chi weld?'

'Oes, Iesu Grist, Barack Obama a Hywel Gwynfryn,' mwmiodd Efa, yn grac â hi ei hun am wastraffu amser.

'Pardwn?' holodd Siân a dyrchafu ei haeliau plyciedig yn gwestiwn.

'Y Gweinidog Addysg,' meddai Efa. 'Yw e 'ma?'

'Y Gweinidog dros Addysg a Sgiliau,' canodd Siân gan sgrolio eilwaith. 'Mae'n ddrwg iawn gen i…' dechreuodd wedyn.

'Oes rywun yn gweitho yn y lle 'ma?' holodd Efa, a chwarddodd Siân dros y lle i ddangos cymaint o synnwyr digrifwch oedd ei angen i afael yn llygoden y cyfrifiadur. Pwysodd ymlaen dros y ddesg.

'A gaf i ofyn pa fater oeddech chi moyn ei drafod â'ch Aelod?

Fel arfer, mae angen trefnu ymlaen llaw i gyfarfod â'r Aelodau.'
Edrychodd eto ar ei sgrin. 'Bydd y ddau yma ddydd Mawrth
nesa,' datganodd yn fuddugoliaethus.

'Fydda i ddim,' meddai Efa, gan ystyried mor addas oedd
y term 'Aelodau'.

'Os felly, 'wy'n siŵr gallwn ni ddod o hyd i rywun fyddai'n
cofnodi'r mater ry'ch chi am ei drafod.'

Bu bron iddi â dweud wrth Siân am stwffio holl Aelodau'r
Cynulliad i fyny ei thin, ond cofiodd am y siom a gâi Mr
Mukherjee pe bai'n dychwelyd ato heb fod wedi chwydu ei
phregeth yn y Gysegr Sancteiddiolaf.

Mynegodd ei phryderon wrth swyddog heb ddigon o
ddylanwad i allu gofyn i'w wraig neu ei fam sythu ei dei yn
daclus, a gwyliodd e'n cofnodi bodolaeth pob darn o bapur
llawn ffeithiau a gyflwynodd Efa iddo o'i bag, a phob gair a
ynganodd hi wrtho.

'Mi wna i'n siŵr bod y cyfan yn cael ei ddwyn i sylw'r
Gweinidog,' meddai'r swyddog yn bwysig i gyd. 'Oes rhwbeth
arall?'

'Oes,' meddai Efa wrth gau ei bag a sefyll ar ei thraed. 'Lle
ma'r tŷ bach?'

Daeth Mr Mukherjee allan o'r car wrth ei gweld hi'n
nesu.

'Weloch chi rywun?'

'Do,' meddai Efa, 'ac fe roddes i 'marn fel mae cannoedd
o rai eraill wedi rhoi eu barn, ac fe geith fynd ar y silffoedd
gyda'r gweddill i gyd i hel llwch, tra maen nhw yn fyn'na'n
gwneud yn union yr un penderfyniadau ag roedden nhw'n
bwriadu eu gwneud reit ar y cychwyn. Wedyn, ar ôl tipyn
bach o amser, fe fyddan nhw'n malu'r cyfan, yr holl bapur,
cynnyrch ein holl chwys a'n gofidiau ni, fel pe na bai e eriôd
wedi bodoli. Ymgynghori â'r cyhoedd maen nhw'n ei alw fe.'

Anadlodd Efa'n ddwfn wrth i Mr Mukherjee danio'r car,

a difaru'n syth. Ni fynnai'r byd am ei glwyfo, ac yntau mor awyddus i helpu.

Ond cafodd ei synnu.

'Ac mae hynny,' dechreuodd Mr Mukherjee, 'yr ym-gyng-hori, yn costio tua'r un faint yn union â'r arian maen nhw'n arbed mewn gwirionedd wrth...'

Stryffaglodd i feddwl am y gair.

'Wrth wireddu eu cynlluniau,' porthodd Efa. 'Yn yr enghraifft bresennol, drwy gau ysgolion.'

'Gwmws,' meddai Mr Mukherjee. 'Does dim byd tebyg i ddemocratiaeth.'

'Democratiaeth fydd yn lladd yr iaith Gymraeg,' meddai Efa. 'Am wastraff amser.'

'Ddim yn llwyr,' anghytunodd Mr Mukherjee. 'Ry'ch chi o leiaf yn gwybod eich bod chi wedi trio.'

A hefyd fe gafodd hi bisiad yn un o gyfleusterau cyhoeddus mwyaf posh Caerdydd, meddyliodd Efa.

19

GOSODODD CERI EI beiro i lawr ar y ddesg a thynnu ei dwylo dros ei hwyneb. Un arholiad arall drosodd, dau i fynd. Edrychodd ar y cloc a gweld bod ugain munud cyfan arall cyn i'r amser ddod i ben. Gallai ddarllen drwy ei hatebion eto, ond roedd hi eisiau munud i gasglu ei meddyliau ynghyd cyn gwneud hynny. Doedd dim i'w rhwystro rhag mynd allan nawr, gadael y neuadd arholiadau a'i bachu hi 'nôl am y garafán, ond roedd rhywbeth yn ei hatal rhag gwneud hynny.

Doedd y garafán ddim yn nefoedd o bell ffordd, ond teimlai Ceri mai dyna lle roedd hi fod. Am nawr. Dros yr arholiadau. Câi lonydd yno gan Christian i adolygu tra byddai hwnnw'n gweithio'i shifftiau, a llonydd hefyd rhag ei mam. Pan oedd hi angen help gyda'i hadolygu, er hynny, 'nôl i Dy'n Mynydd yr âi, ac roedd hi'n ddiolchgar ei bod hi wedi gallu gwneud hynny o dro i dro. Roedd ei mam yn llawer llai stormus y dyddiau hyn beth bynnag, ac i'w gweld yn ceisio cadw pethau'n heddychlon rhwng y ddwy. Ymddangosai fel petai'n gwneud ymdrech i dderbyn ei charwriaeth hi a Christian hefyd – derbyn go iawn, nid y chwarae gwirion a'r esgus bach roedd hi wedi'i wneud ar y cychwyn.

Doedd Ceri ddim yn siŵr iawn beth i'w wneud o'r derbyn chwaith. Roedd mynd gyda Christian yn hawdd, rywsut, pan oedd Efa'n ei gasáu: doedd y cymhlethdod fod ei mam yn dechrau arfer â'i fodolaeth ddim yn fêl i gyd o gwbl. Wyddai Ceri ddim beth i feddwl na lle roedd hi'n sefyll ers i Efa ildio i'r sefyllfa. Doedd Ceri ddim am ildio'i hun, felly roedd Efa unwaith eto ddau gam ar y blaen iddi yn y gêm.

Y gwir amdani oedd nad oedd Ceri'n gwybod ai dyma oedd hi ei eisiau ai peidio – yr oll a wyddai, mewn gwirionedd, oedd nad oedd ganddi syniad i ble roedd hyn yn arwain. Ni allai ddychmygu aros gyda Christian am fwy na 'nawr', a doedd ganddi ddim syniad pa mor hir roedd y 'nawr' yn mynd i barhau. Roedd e wedi crybwyll Birmingham, ac nid oedd ar Ceri fwy o awydd mynd i fyw i'r fan honno nag oedd ganddi o awydd mynd i'r lleuad. Deuddydd neu dri, falle, ond mwy na hynny? Doedd hi'n nabod neb yn y fan honno, neb ond Christian.

Roedd e'n garedig iawn wrthi, yn annwyl hyd yn oed, yn ei ffordd fach ddwl ei hun. Ond Christian oedd yn nabod Birmingham, a byddai mor ddibynnol arno yno, heb ei hunaniaeth ei hun, fel na fyddai Birmingham yn ddim mwy na charchar iddi. Carchar, a Christian yn dal yr allweddi. 'We'll see' oedd hi wedi'i ddweud wrtho y tro cyntaf y soniodd e am y bwriad, a'r un fath yr eildro a'r trydydd tro, nes iddo beidio gofyn wedyn.

Nes bore 'ma, doedd e ddim wedi sôn gair am Birmingham ers wythnosau, a hithau wedi meddwl ei fod wedi deall, wedi'r cyfan, nad oedd ei chalon hi ar fynd yno. Doedden nhw ddim o'r un byd, sylweddolai, ond go brin y gallai hi gyfaddef hynny wrth neb. Yn nhawelwch y neuadd arholiadau y gwawriodd hynny arni'n iawn.

Trodd y llyfryn drosodd i ddarllen drwy ei hatebion, a dechreuodd wneud hynny'n frysiog, heb amsugno'r hyn roedd hi'n ei ddarllen.

Nes y nos Wener cynt, doedd y teimladau at Rhodri ddim wedi cilio'n llwyr, ond roedd hi wedi aeddfedu, wedi dysgu gwawdio'r hen ferch fach wirion oedd hi'n arfer bod, yn meddwl am fyd yn llawn o enfysau ac ieir bach yr haf a haul a thedi bêrs. Roedd hi wedi dechrau dod i arfer â'r cachu oedd yn bresennol ym mhob man, ac yn ymgodymu â'i wynt. Mater o arfer yw pob dim yn y diwedd, meddyliodd.

Nos Wener yn y clwb, a Christian yn syrfio y tu ôl i'r bar, roedd Shelley wedi dod ati wedi colli Rhodri, a golwg ddigon cynhyrfus ar ei hwyneb, yn anarferol iawn i Shelley.

Gwaeddodd Ceri uwch sŵn y miwsig nad oedd hi wedi'i weld, a thynnodd Shelley hi i gyfeiriad y tai bach.

''Wy ddim wedi'i weld e ers hanner awr,' meddai Shelley. 'Wedodd e bod e'n mynd mas i ga'l ffag.'

'Edrychest ti'n iawn? Ma dwsine mas 'na'n ca'l ffag. Ac ma hi'n dywyll mewn 'ma. Cer i whilo 'to.' Doedd gan Ceri fawr o amynedd gyda hi.

'Ei di mewn i bogs y bois i edrych?'

'No wê!' atebodd Ceri gan anelu am allan.

Bachodd Shelley yn ei braich. 'Plis, Ceri, os a' i, bydd e'n meddwl bo fi'n whilo amdano fe.'

'Ti *yn* whilo amdano fe!'

'Nagw, jyst ise gwbod lle ma fe 'wy.'

Rhegodd Ceri ac anelu eilwaith am y drws.

'Lle ti'n mynd?'

'I bogs y blwmin bois!'

'Esgusa bo ti ar goll.'

'Creist!'

Cerddodd Ceri drwy ddrws toiledau'r dynion heb i ddau neu dri o'r bechgyn mwya meddw sylwi arni, er i ddau neu dri 'We-hei!' gan eraill ei dilyn i giwbicl agored rhwng dau giwbicl â'u drysau wedi cau. Dôi sŵn o'r un ar y chwith a ddangosai'n glir beth oedd yn digwydd yno. Safodd Ceri ar y sedd ac edrych dros y top. Yno, gwelai ben penfelyn Rhodri, a eisteddai ar y sedd, a phen penfelyn arall rhyw flonden ddieithr a benliniai rhwng ei goesau. Pwysodd Rhodri ei ben yn ôl â'i lygaid ar gau mewn llesmair. Arhosodd Ceri iddo'u hagor. Cyfarfu eu llygaid a gwenodd Ceri'n llydan arno, fel na allod wneud ar goridorau'r ysgol dros y ddwy flynedd ddiwethaf.

'Diolch, mêt,' meddai wrth gamu i lawr oddi ar y sedd. Diolch i'r cwd mochynnaidd am ladd yr hedyn olaf o deimlad fu ganddi ato erioed. Yr unig broblem nawr oedd sut oedd dweud wrth Shelley.

'Oedd e 'na?' holodd honno'n awchus wrth i Ceri ddod yn ôl drwy ddrws tai bach y bechgyn.

'Oedd.'

'Beth oedd e'n neud?'

Ystyriodd Ceri ddweud y cyfan graffig wrthi.

'Cael cachad,' meddai yn lle hynny.

'Ers hanner awr?'

'Ie. Ac mae e mor llawn o *shit*, fydd e wrthi am ache eto. Dere.'

Llusgodd Shelley ddiddeall allan at y llawr dawnsio, i ganol y cyrff, yn ddigon pell o'r tai bach. Gwnaeth yn siŵr na welodd Shelley e'n gadael, a'i orchest flond o'i flaen.

Wrth i'r trac sain newid o un gân sgrechlyd i un arall, ceisiodd Shelley anelu eto am y tai bach.

'Fi'n mynd i moyn e.'

Gadawodd Ceri iddi fynd, gan wybod y byddai Rhodri bellach ar ei ffordd i garafán y flonden ac wedi llwyr anghofio am Shelley.

Pan ddychwelodd honno at y llawr dawnsio â golwg ar goll arni, tynnodd Ceri bapur ugain punt o'i phoced a dweud wrth Shelley am fynd i chwilio am gwpwl o dabledi gan Kevin Whitesands yn lle gorfod dioddef edrych ar ei gwep hir, salw hi am weddill y noson.

*

Bore 'ma, Birmingham eto. Ei grybwyll yn betrus wnaeth Christian y tro hwn, fel pe bai'n disgwyl iddi wrthod yr awgrym ar ei ben. Roedd ei dad wedi prynu busnes gwerthu carafanau ail-law ar gyrion y ddinas gyda'r bwriad i Kevin, yr hynaf, ei redeg, gyda help Christian.

Daliodd Ceri ei hun unwaith eto'n methu ateb y naill ffordd na'r llall.

'I'll have to go,' meddai Christian y tro hwn.

'Let me think about it,' oedd y cyfan y gallai Ceri ei ddweud, oedd yr un mor ddi-rym â 'We'll see', fe wyddai.

Y peth olaf roedd hi ei eisiau oedd mynd i Birmingham. A'r peth olaf arall roedd hi ei eisiau oedd rhoi'r boddhad i'w mam o weld pethau'n dirwyn i ben gyda Christian.

*

Caeodd Ceri ei llyfryn arholiad ar y ddesg o'i blaen. Dyna gau pen y mwdwl ar ei gwyddoniaeth am byth. Roedd hi'n bryd troi dalen newydd.

Beth oedd ar y ddalen newydd ar ei chyfer – doedd gan Ceri ddim iot o syniad.

20

CYRHAEDDODD Y DDAU'R gwesty lle roedd y parti a gwelodd Efa beth oedd Mr Mukherjee'n ei feddwl. DJ yn chwarae CDs o ganeuon Eingl-Americanaidd oedd uchafbwynt gweddill y noson, a phlant a hen wragedd yn eu saris a llanciau arddegol yn eu *sherwanis* yn dawnsio i synau byddarol, robotaidd cerddoriaeth ddisgo.

'Awr, dyna i gyd,' gwaeddodd Mr Mukherjee yng nghlust Efa. 'Dim mwy na hynny.'

Diolchodd Efa. Byddai eistedd yn ei hystafell wely yn y Travelodge drwy'r nos yn fflipio drwy sianeli teledu yn well na hyn. Gadawodd i Mr Mukherjee fynd i gofleidio pob un o'i berthnasau pell o un i un ac addo'u gweld eto'n fuan.

'Oedden nhw'n grac ein bod ni'n gadael yn gynnar?' gofynnodd Efa iddo wrth iddyn nhw gerdded ar hyd Heol y Frenhines i gyfeiriad eu gwesty.

'Dim o gwbwl,' meddai Mr Mukherjee gan wenu. 'Fe ddwedes i wrthyn nhw eich bod chi'n dechrau cael *migraine* ac angen mynd i orwedd.'

Rhythodd Efa arno'n gegagored cyn rhoi pwniad sydyn i'w fraich.

'Oes ots?' Cododd Mr Mukherjee ei freichiau i amddiffyn ei hun gan chwerthin. 'Roeddech chi eisiau mynd, felly pa ots pa reswm?'

'Beth feddylian nhw ohona i?' ebychodd Efa.

Roedd e wedi dweud wrth ei deulu mai cymydog oedd Efa, dim mwy. Ond gallai hi weld o'u hedrychiadau swil a'u hanner gwenau na chredent hynny'n llwyr chwaith. Doedd hynny ddim yn ei phoeni fel y cyfryw: go brin y gwelai hi'r un ohonyn nhw byth eto, er gwaethaf ysfa ryfedd pobl i greu argraff dda, hyd yn oed ar ddieithriaid llwyr.

'Beth am rywbeth i'w fwyta?' gofynnodd Mr Mukherjee wrth gyrraedd traed Aneurin Bevan.

'Mm,' oedodd Efa'n amheus. 'Byddai'n well i fi fynd i'r gwely. Y *migraine* wyddoch chi…'

Cymerodd hi hanner eiliad i Mr Mukherjee sylweddoli mai tynnu ei goes roedd hi.

*

Lawr yn y Bae, roedd ffenest y tŷ bwyta'n llawn o'r haul yn machlud dros Benarth a'r dŵr yn lliwiau fel y deunyddiau yn y briodas y prynhawn hwnnw. Mynnodd Mr Mukherjee fynd i le drutach nag y byddai Efa wedi'i ystyried gan mai fe fyddai'n talu. Roedd Efa wedi dadlau ac yntau wedi dweud mai i ddiolch iddi am ddod yn gwmni iddo roedd e'n prynu'r pryd, ac wedi erfyn arni i adael iddo gydymffurfio â defodau siofinistaidd traddodiadol am y tro.

Gwenodd Efa, wedi blino braidd, neu efallai y byddai wedi dadlau a mynnu talu hanner.

Cyrhaeddodd llond platiaid o fwyd môr a goleuodd ei llygaid wrth ei astudio. Doedd hi ddim yn cofio pryd y bu hi allan am bryd o fwyd ddiwethaf. Roedd rhaid bod dwy flynedd o leiaf, gan fod cymaint â hynny a mwy ers i Morwen ymweld â Thy'n Mynydd, a doedd Efa ddim yn cofio bod allan am bryd o fwyd efo neb arall. Rhoddodd y gorau i wneud trît o fynd i gaffis neu dai bwyta yn y dref gyda Ceri wrth i honno gychwyn yn yr ysgol uwchradd, gan fod cael ei gweld yng nghwmni ei mam bellach yn gymaint o artaith i'r ferch.

Tyrchodd Mr Mukherjee i'w gregyn gleision. Roedd Efa

wedi cymryd yn ganiataol mai llysieuwr oedd e a gwnaeth awgrym i'r perwyl wrth i Mr Mukherjee roi ei archeb i'r gweinydd.

'Hanner llysieuwr,' meddai yntau. 'Fy esgus fel arfer yw mai blodau'r môr yw pysgod.'

'Wela i,' meddai Efa. 'Ac fe allwn innau ddweud mai coed symudol yw gwartheg.'

Chwarddodd Mr Mukherjee i mewn i'w lemonêd nes bod dafnau o'r ddiod yn tasgu. Daliodd Efa'i hun yn gwenu am iddi lwyddo i wneud iddo chwerthin.

Roedd Efa wedi archebu potelaid o Rioja ac wedi mynnu mai hi oedd yn talu amdani. Addawodd Mr Mukherjee gymryd gwydraid gyda'i fwyd pan ddôi, felly dewisodd Efa botel gyfan. Aeth gwayw bach o anniddigrwydd drwyddi wrth i Mr Mukherjee archebu gwydraid o lemonêd wedyn, am na fyddai dim yn well ganddi na chael ambell wydraid i ymlacio ar ôl diwrnod hir o deithio a dathlu mewn priodas ddialcohol (nes y parti), ond doedd fawr o hwyl mewn yfed ar ei phen ei hun. Roedd hi wedi cymryd, cyn hynny, nad oedd Mr Mukherjee yn yfwr, ond roedd e wedi'i chywiro ar hynny hefyd:

'Rydw i'n yfed ychydig bach weithiau. Ond yn anaml iawn,' meddai'n ofalus.

'Gwin gwyn ddyliwn i fod wedi'i gael,' meddai Efa wrth fwyta'r bwyd môr. 'Ond mae gwin coch gymaint yn fwy blasus, mae e fel pe bai e'n cydio yn eich tu mewn chi a gwneud i'ch gwaed chi lifo.'

Gwenodd Mr Mukherjee ac estyn ei wydryn gwin ati iddi arllwys iddo. Llenwodd Efa ei wydr.

'Fe wnes i lawer o yfed o'r blaen,' meddai Mr Mukherjee gan edrych ar ei win. Edrychodd Efa arno gan ddisgwyl clywed mwy ond ni ddaeth rhagor.

'A finnau,' meddai Efa wedi saib. 'Yn y coleg. Mae'n draddodiad yn y wlad yma. Yfed yn y coleg.'

'Dyna sut mae plant yn troi'n oedolion yn y wlad yma,' meddai Mr Mukherjee. 'Dechrau yfed.'

Syfrdanwyd Efa fymryn gan yr olwg negyddol oedd ganddo o'r 'wlad yma'. Ond gadawodd iddo egluro:

'Dim ond trwy ddechrau yfed maen nhw'n teimlo eu bod nhw'n gadael eu marc ar y byd,' ymdrechodd Mr Mukherjee i fynegi ei hun yn araf. Ond doedd Efa ddim yn siŵr a oedd hi'n dilyn ei resymeg.

'Yfed a meddwi sy'n dweud wrth eu rhieni, "Rydw i'n oedolyn nawr." Does dim byd arall. Ry'ch chi wedi colli eich traddodiadau sy'n delio â thyfu fyny. Rites of passage. Dim ond yfed sy 'na.'

'Rhyw yn achos Ceri,' meddai Efa cyn gallu stopio'i hun. Ond ar ôl dechrau, rhaid oedd parhau. 'Dyna mae hi'n ei ddefnyddio i ddweud "Rydw i'n oedolyn."'

'Mae rhyw yn llai...' meddyliodd Mr Mukherjee yn hir cyn dewis ei air, 'dinistriol nag alcohol,' meddai.

'Ydi,' meddai Efa a chymryd llond ceg o'i gwin. Doedd hi wir ddim eisiau siarad am laslencyndod. Ond roedd Mr Mukherjee wedi dod o hyd i focs sebon.

'Yn eich diwylliant chi,' dechreuodd, 'mae'n anodd iawn tyfu'n oedolyn. Mae rhieni eisiau... rheoli eich bywyd, eich addysg, eich gyrfa ... eich dyfodol a phob dim arall, ac eto, maen nhw eisiau i chi dyfu fyny ac actio'n gall. Mae'n rhaid i bobl yn eu... harddegau gael amser i beidio bod yn gall. Ond mae rhieni, yn rhy... *possessive* o'u plant, yn mynnu eu bod nhw ddim yn cael peidio bod yn gall.'

'Wela i,' meddai Efa, yn gweld dim. 'Ry'n ni'n eu caru nhw ormod, dyna ry'ch chi'n ei ddweud?'

'Ie, mewn ffordd. Mae rhieni'r Gorllewin wedi'u sbwylio. Maen nhw'n meddwl eu bod nhw pia eu plant. Mae eu caru nhw ormod... yn eu dinistrio nhw.'

'Ydw i'n rhy warchodol o Ceri?' holodd Efa wrth weld nad oedd modd dargyfeirio'r sgwrs i bwnc llai poenus.

'Ydych,' meddai Mr Mukherjee ar ei ben.

Cymerodd fforciaid o'i fwyd heb sylwi ar effaith ei ateb plaen arni. Oedodd Efa uwch ei phlât. Roedd hi'n teimlo bron fel pe bai e wedi anelu pelten ati. Doedd hi erioed wedi ystyried ei hun yn fam dda, ac yn sicr, dros y chwe wythnos diwethaf, roedd hi'n dechrau amau mai hi oedd y fam waethaf a grëwyd erioed.

Edrychodd Mr Mukherjee arni wrth sylwi ar ei distawrwydd.

'Dwi wedi'ch brifo chi,' meddai. 'Do'n i ddim wedi bwriadu. Ry'ch chi gyd yn rhieni rhy warch... beth oedd y gair?'

'Gwarchodol.'

'Ie. Pawb. Yn y wlad hon. Rydych chi'n meddwl fod caru a pia yr un peth. Dy'ch chi ddim yn deall caru go iawn. Caru go iawn yw gadael i'ch plant fod yn rhydd i wneud unrhyw ddewis maen nhw eisiau.'

'Ond beth os y'n nhw'n gwneud y dewisiadau anghywir? Fel bydd plant yn 'u harddegau? Fe wnes i sawl dewis anghywir pan o'n i'n tyfu.'

'Does dim dewisiadau anghywir, dim ond dewisiadau gwahanol ar wahanol amserau mewn bywyd, dyna i gyd.'

'Felly...' dechreuodd Efa heb wybod beth i'w ddweud.

'Ry'ch chi'n poeni gormod am Ceri. Rydych chi'ch dwy'n iawn. Bydd Ceri'n iawn. Ceisiwch beidio gwylltio.'

Cofiodd Efa am yr holl weiddi dros y blynyddoedd – y cyfan yn gwbl glywadwy led cae bach, bach i ffwrdd.

'Does dim da o wylltio. Dim ond geiriau... a... *acts*... sydd ddim yn *reflect what you really mean*.' Ildiodd Mr Mukherjee ei awydd penstiff i gadw at y Gymraeg yn ei ysfa i gyfleu'r hyn oedd ar ei feddwl.

Acts, meddyliodd Efa a chofio amdani ei hun yn ymroi i Christian heb oedi i hyd yn oed dynnu ei dillad yn iawn heb sôn am oedi digon i feddwl pa effaith fyddai'r weithred yn ei chael ar Ceri. Tymer, awydd, o ie, awydd. Dyna oedd ar fai. Tymer ac ysfa i ddial. Ac wedyn… chwe wythnos o sylweddoli nad dyna'r ffordd.

'Dwi'n gweld cyfri deg anadl yn ddefnyddiol,' meddai Mr Mukherjee, a dechreuodd anadlu'n araf, araf ddeg o weithiau. Cymerodd sawl munud iddo, ac Efa'n ei wylio drwy'r cyfan, wedi'i mesmereiddio ganddo.

'Wedyn, does dim tymer ar ôl,' meddai Mr Mukherjee a hawdd y gallai Efa gredu hynny, gan ei bod hithau, ar ôl dim ond ei wylio, yn teimlo wedi ymlacio'n llwyr. 'Hynny, a myfyrio dyddiol.'

'Ry'ch chi'n grefyddol iawn,' meddai Efa, a thagodd Mr Mukherjee ar ei win eto.

'Ry'ch chi'n camgymryd,' eglurodd. 'Dyw ffordd o fyw ddim bob amser yn arwydd o ba mor grefyddol yw person.'

Fel pe bai am danlinellu ei ddiffyg crefydd, arllwysodd Mr Mukherjee wydraid arall o win iddo'i hun.

Dyna welliant, meddyliodd Efa. Mae'n dechrau ymddwyn yn fwy fel dyn normal nag fel duw. Edrychodd o'i chwmpas am y gweinydd gyda'r bwriad o ofyn am botelaid arall. Yn wahanol i sut y teimlai gwta awr ynghynt pan archebon nhw'r gyntaf, gallai Efa ddychmygu treulio sawl awr arall yn y cwmni presennol yn trafod y gwahaniaeth rhwng diwylliannau'r Dwyrain a diwylliant bywyd modern y Gorllewin. Doedd hi ddim yn argyhoeddedig fod Mr Mukherjee yn deall cymaint ar y Cymry ag y tybiai, ac roedd e'n or-barod i'w cynnwys gydag Eingl-Americaniaid a gwneud y camgymeriad mai un bywyd Gorllewinol oedd 'na. Ond doedd Efa heb gynnal sgwrs gall – ie, sgwrs oedolion – â neb yn iawn ers amser hir.

*

'Pam y'ch chi'n casáu'r Saeson?' holodd Mr Mukherjee ar draws ei meddyliau wedi i'r gweinydd glirio eu platiau.

Lloriwyd Efa gan y cwestiwn llawn cyhuddiad.

'Dwi ddim,' meddai Efa, yn gryg braidd.

'You seem to want to distance yourself from them, even though there are such similarities in your ways of life.'

'Dwi ddim yn casáu Saeson am fod yn Saeson,' meddai Efa, gan farnu ar unwaith nad oedd pwynt iddi geisio dadlau nad oedd ganddi, mewn gwirionedd, y gallu i gasáu neb. 'Dwi'n casáu Saeson am fod yng Nghymru.'

Nodiodd Mr Mukherjee.

'Fel yn India cyn i fi gael fy ngeni,' meddai.

Felly, faint bynnag oedd ei oed, doedd e ddim hŷn na chwe deg tri os nad oedd e wedi'i eni yn 1947, cyfrodd Efa'n sydyn yn ei phen. Pe bai hi'n bod yn onest, doedd hi erioed wedi oedi'n ddigon hir i feddwl faint oedd ei oed e. Ond roedd hi eisiau gwybod heno, am ryw reswm, a hithau wedi treulio diwrnod cyfan yn ei gwmni. Gallai'n hawdd gredu bod ei farf yn ychwanegu deng mlynedd at ei oed go iawn.

'Ond roedd fy rhieni'n cofio'r Saeson,' meddai heb gynnig rhagor o wybodaeth ynglŷn â'i oedran.

Daliodd Efa ei hun yn dal i bendroni dros ei oed yn hytrach na gwrando arno'n sôn am ormes y Sais dros ei drefedigaethau tramor, ymdrech Ghandi i sicrhau ei hannibyniaeth i India a'r tensiwn rhwng yr Hindw a'r Mwslim adeg y Partisiwn.

'Mae eu presenoldeb nhw ynddo'i hun yn bygwth yr iaith,' meddai Efa. 'Dyna'r cyfan. Heb yr iaith, fyddwn i ddim yn fi. Wedyn, rydw i, a Chymry tebyg i fi, yn ymladd am ein heinioes.'

'Heinioes...?' holodd Mr Mukherjee.

'Einioes. Bywyd. Enaid. Rhyw gymysgedd o'r ddau,' ceisiodd Efa egluro.

Roedd llond pen o wallt ganddo o hyd, a hwnnw ond yn hanner brith. Ac roedd ei groen e'n llyfn, llyfn. Pe bai e'n siafio'r farf, fyddai e ddim yn edrych lawer yn hŷn na hi ei hun, ystyriodd

Efa tra sipiai ei gwin. Yn rhyfedd iawn, doedd hi erioed wedi meddwl amdano felly, fel dyn ac iddo bosibiliadau.

'Mae deall yn anodd i rywun sy'n siarad yr un iaith â miliynau... biliynau o rai eraill,' aeth Mr Mukherjee rhagddo, er nad oedd Efa'n talu sylw bellach i'r hyn roedd e'n ei ddweud.

Pan gysgodd hi gyda Christian, doedd hi ddim wedi hyd yn oed ystyried bod dyn yr un oed â hi – fwy neu lai ta beth – wedi bod yn gymydog iddi ers deuddeg mlynedd. A doedd Christian fawr hŷn na hanner ei hoed hi. Yn rhyfeddach byth, meddyliodd, a diolch nad oedd Mr Mukherjee'n gallu darllen ei meddyliau, roedd hwn yn dipyn harddach ei olwg, er gwaethaf y farf, na'r cwdyn Christian.

Barnodd Efa mai'r gwin oedd yn siarad yn ei phen.

'Roedd Abha wedi arbenigo yn y Sanskrit,' meddai Mr Mukherjee. Crychodd Efa ei haeliau. Doedd hi ddim wedi clywed Mr Mukherjee yn sôn gair am neb o'i deulu heblaw teulu ei gyfnither a'r ferch oedd yn priodi, a dim ond y bore hwnnw y soniodd am y rheiny, ar eu ffordd i lawr yn y Volkswagen melyn. 'Fy ngwraig,' esboniodd yntau.

'Nefoedd,' ebychodd Efa gan fethu peidio. 'Wydden i ddim eich bod chi wedi bod yn briod. Beth ddigwyddodd iddi?'

'Dwn i ddim,' meddai Mr Mukherjee. 'Mae hi'n dal ym Mwmbai am wn i. Doedden ni ddim yn gweddu i'n gilydd,' meddai wedyn, fel pe bai'n disgrifio dau ddilledyn. 'Roedd hi'n breuddwydio am fynd ymhell, a finnau ddim eisiau mynd i unman.'

'Ry'ch chi wedi dod yn bell,' meddai Efa.

'Mewn daearyddiaeth, do,' atebodd. 'Ond wedyn oedd hynny, beth bynnag.'

'Abha,' ailadroddodd Efa'r enw.

'Ie,' meddai yntau. 'Mae hi wedi cyfarfod â rhywun arall. Anfonodd hi lythyr ata i i ddweud, rai blynyddoedd yn ôl.'

'Mae'n ddrwg 'da fi,' meddai Efa, cyn ystyried yn iawn beth roedd hi'n ei ddweud.

'Dyw hi ddim yn ddrwg gen i,' meddai Mr Mukherjee gan roi'r geiriau at ei gilydd yn y drefn gywir yn ofalus. 'Roedd hi'n wahanol iawn. Roedd hi'n, beth yw'r gair, uchel…'

'Uchelgeisiol?'

'Hollol. Yn uchelgeisiol. A bob dydd, roedd hi'n colli mwy a mwy o amynedd gyda fi. Yn fy hoffi fi llai a llai.'

'O,' meddai Efa ac ymatal rhag cydymdeimlo eto.

Rhoddodd Mr Mukherjee chwerthiniad bach wrth edrych ar ei adlewyrchiad yng ngwydr y ffenest yn dechrau trechu'r hyn oedd yn weddill o'r golau dydd y tu allan. 'She had an arse so tight she probably had trouble shitting needles through it.'

'Mr Mukherjee!' Methodd Efa â mygu'r ebychiad o syndod.

'Pam? Beth sy'n bod? Ydw i'n chwalu y stereoteips sydd gennych chi yn eich pen amdanaf i?' meddai, gan gymryd sip arall o'i win.

'Na, na, ddim o gwbwl,' ceisiodd Efa ddadlau. Dyma'r tro cyntaf iddi ei weld heb fod yn oddefol wrth siarad â hi. Rhaid bod gwin yn rhoi hyder iddo.

'Dyna ry'ch chi'n ei weld wrth edrych arna i,' meddai, heb i'w lais fod mor gyhuddgar â'i eiriau. 'Stereoteip. Ro'ch chi'n meddwl fy mod i'n grefyddol, ac yn synnu nad ydw i. Ry'ch chi'n synnu fy mod i'n yfed, fy mod i wedi torri fy mhriodas â fy ngwraig.'

'Ydw,' meddai Efa'n bendant. 'Wrth gwrs 'y mod i. Ond nid stereoteipio ydw i. 'Wy wedi bod yn dysgu Cymraeg i chi ers deng mlynedd a dyma'r tro cynta i chi ddweud eich bod chi wedi priodi. Dyma'r tro cynta i chi ddweud unrhyw beth am eich bywyd cyn i chi gyrraedd Cymru. Dy'ch chi erioed wedi siarad am bethau personol… ac nid dweud y dylech chi ydw i. Fe gewch chi ddweud cymaint o gelwyddau yn y wers ag y dymunwch chi – dim ond dweud ffaith. A nawr eich bod chi'n dweud pethau am eich bywyd cyn i chi ddod i Gymru, am eich bywyd personol… wel, mae'n syndod i fi. Dyna i gyd.'

Roedd e'n gwenu. Yn amlwg, roedd e'n hoffi tynnu arni, er iddi gymryd deng mlynedd iddo fagu digon o blwc i wneud yn iawn. A doedd e ddim yn bwriadu rhoi'r gorau iddi eto chwaith.

'Ry'ch chi'n barod iawn i gwyno am y ffordd mae'r Saeson yn stereoteipio'r Cymry,' cyhuddodd hi'n ysgafn. 'Eich disgrifio chi fel cenedl o…' oedodd i ystyried, 'bobol sy'n caru defaid, rygbi a chanu mewn corau… ond rydych chi'n meddwl mewn stereoteipiau yn union fel y Saeson. A cofiwch, Mrs Williams, cam bach iawn sydd rhwng stereoteipio a hiliaeth.'

Er ei gwaethaf, teimlai Efa ei hun yn gwylltio.

'Shwt allwch chi weld bai arna i am feddwl 'ych bod chi'n grefyddol? Sawl gwaith ydw i wedi galw gyda chi a chithau ar ganol gweddïo…?'

'Myfyrio,' cywirodd Mr Mukherjee hi.

'Myfyrio, gweddïo, rhywbeth yn debyg y'n nhw.' Cododd ei llaw i'w rwystro rhag dadlau. 'Rydych chi'n byw bywyd meudwy – *hermit* – yn gwneud dim byd gyda phobol eraill ar wahân i'r gwersi Cymraeg. Ac wedyn… mae'r fuwch. Eich creadur sanctaidd chi. Chi eich hun sy'n dweud hynny.'

'Ie,' cyfaddefodd. 'Ond dim ond ei ddweud e ydw i. Mae'r fuwch yn gwmni. Dydw i ddim wedi meddwl amdani fel duw, ond mae hi'n fy atgoffa i bob dydd fod mwy i fywyd na phobol a'u problemau. Byd natur. Wel… i raddau beth bynnag. Hanner naturiol ydi buwch. Ond dwi'n cyfadde, rydw i wedi tyfu'n agos ati. Mae hi a fi'n rhannu llwybr drwy'r byd yma. Er nad yw hi'n dduw, hi yw'r unig gwmni sydd gen i.'

Teimlodd Efa frath o siom wrth glywed hyn. Doedd hi erioed wedi bod yn gymydog perffaith ond roedd hi bob amser wedi bod yn barod iawn ei sgwrs ag ef. Yn wir, roedd ei ddrws yntau ar agor yn barhaol iddi, yn ei gwahodd i arllwys gofidiau ei chalon – fwyfwy dros y flwyddyn neu ddwy ddiwethaf – felly roedd ei glywed yn gosod y fuwch yn uwch na'i feddwl ohoni hi yn destun peth poen iddi.

'A ta beth,' meddai Mr Mukherjee wedyn, heb sylwi ar ei thawelwch, yn anarferol iddo ef (dyna'r drwg gyda gwin: mae'n pylu'r antenae cymdeithasol), 'dy'ch chi ddim yn casáu defaid, rygbi na chorau meibion, ydych chi? Does dim rhaid i'r gwrth-stereoteip fod yn llwyr. Ildio i'r ochr arall yw hynny.'

Doedd Efa ddim wedi oedi'n hir gyda'i siom. Sylweddolodd fod y botel yn wag rhyngddynt ac edrychodd o'i chwmpas eto am weinydd i ddod â rhagor iddyn nhw.

21

Y<small>M MHEN ARALL</small> y brifddinas, daeth Patrick yn ymwybodol bod rhywun yn ymuno ag ef ar ganol ei jog a cheisiodd reoli ei anadlu fel na swniai mor llafurus ag roedd e mewn gwirionedd.

'Yr un hen lwybrau,' meddai Marcus gan redeg wrth ei ochr.

'O ble doist ti?' Arafodd Patrick. 'Does dim rhaid i ni redeg…'

'Oes, siŵr,' meddai Marcus gan fynd yn ei flaen. 'Dwi wedi benthyg pâr o drowsus jogio 'da ti.'

Doedd gan Patrick fawr o awydd i'w fab fod mewn sefyllfa i allu mesur gymaint yn fwy ffit roedd e o'i gymharu â'i dad ond nid ymddangosai fod ganddo fawr o ddewis. Roedd Marcus eisoes wedi rhedeg o'i flaen.

'Ie, yr un hen lwybrau,' meddai Patrick wrth ddal i fyny â'i fab. Byddai'n llawer gwell ganddo redeg heb orfod siarad, waeth faint o arafu a wnaent. 'Does nunlle fel Parc Fictoria. *Gym* awyr-agored gorau'r byd.'

'Ddim cystal â Pharc y Rhath,' meddai Marcus.

Roedd hi bron yn naw o'r gloch a'r haul yn dal i dywynnu drwy frigau'r coed.

'Ddoist ti ddim yr holl ffordd o'r Waun Ddyfal i gymharu parciau Caerdydd nac i jogio efo dy dad septiwagenaraidd.'

'Mae 'da ti flwyddyn arall cyn y cei di ddisgrifio dy hun yn un o'r rheiny,' cywirodd Marcus ef.

'Mae'i gysgod e drosta i ers sbel,' meddai Patrick.

'Dyna pam wyt ti'n jogio ddwywaith y dydd. I geisio cael gwared ar y ci du.'

'Pwy ddwedodd 'mod i'n jogio ddwywaith y dydd?'

'Mam.'

'Wrth gwrs.'

Rhoddodd Patrick y gorau i sgwrsio er mwyn adfer peth ar ei wynt heb ddangos ei fod yn gwneud hynny. Arafodd fymryn gan obeithio nad oedd Marcus yn sylwi.

'Does dim angen i ti deimlo'n hen, Dad bach. Os oes rhywun yn gwbod beth yw gwerth genynnau da fel sy gynnon ni'r Kings, ti yw e.'

'Sticia di at dy Ymerawdwr Siarlymaen, a gad y geneteg i fi.'

Bu'r ddau'n rhedeg mewn distawrwydd am rai eiliadau'n rhy hir wedyn i Patrick beidio ag amau nad galw heibio i weld sut roedd e roedd Marcus yn ei wneud.

'Â sôn am eneteg,' dechreuodd Marcus yn betrus gan gadarnhau amheuon Patrick. 'Dwi wedi bod yn meddwl.'

Ar hynny, rhoddodd Patrick y gorau i'r rhedeg. Cerddodd at fainc gyfagos ac eistedd. Ni cheisiodd guddio'i anadlu trwm, ac roedd cael eistedd yn fendith. Pa ots os rhoddai'r argraff i Marcus ei fod e'n mynd yn hen, meddyliodd Patrick – roedd e yn mynd yn hen, yn enw'r mawredd.

'Do, mae'n siŵr,' atebodd Patrick. 'A finnau hefyd, cofia. Rydw innau wedi bod yn meddwl hefyd.'

'I gychwyn,' anwybyddodd Marcus awgrym ei dad, 'roedd e'n sioc. Gwbod fod gen i chwaer a finnau erioed wedi'i nabod hi. Fel darganfod fod gen i fraich neu goes arall, un sy wedi bod yn cuddio dan y croen neu rywbeth.'

'Paid â siarad yn wirion,' meddai Patrick yn ddistaw. 'A hanner chwaer ydi hi beth bynnag.'

'Mae hi'n blentyn i ti lawn cymaint ag ydw i'n blentyn i ti.'

Doedd Patrick fawr o awydd mynd i hollti blew dros eneteg sylfaenol am na welai unrhyw berthnasedd yn hynny i'r sefyllfa. Mae pobol o gig a gwaed yn wahanol i fformiwlâu cemegol: i beth mae angen ceisio priodi'r ddau beth?

'Ac fe hoffwn i ei chyfarfod.'

'O ble daeth hyn?'

'Dwi wedi cael amser i feddwl am y peth. A dyna ydw i ei eisiau.'

Ebychodd Patrick ei anghrediniaeth. Gwyddai y byddai Marcus yn chwilfrydig ynglŷn â'i ddatgeliad e am Eve – siŵr dduw y byddai – yn union fel roedd Sophie pan ddywedodd e wrthi hi wedyn. Roedd y ddau wedi cael llond eu crwyn o syndod, ofn, ysgytwad go hegr, ac roedd hi wedi cymryd wythnos neu ddwy i Sophie ddod drosto i allu siarad yn iawn ag ef unwaith eto. Trwy Sheila y bu'n cyfathrebu, gan fentro gofyn ambell gwestiwn am Eve wedyn, ceisio gwybod mwy, er mwyn lleddfu awch y sioc o bosib. Ac yntau wedi methu dweud fawr ddim mwy na ffaith ei bodolaeth – os oedd hynny'n ffaith bellach. Doedd e ddim hyd yn oed yn siŵr o hynny, er bod yr hyn ddywedodd Marcus am safon genetig y Kings yr un mor berthnasol i Eve ag i'w blant eraill.

Ond doedd Patrick ddim wedi dychmygu y dôi dim byd pellach o'i ddatgeliad. Ysgytwad, wedyn symud ymlaen gan adael Eve ar ôl yn y gorffennol lle roedd hi'n perthyn. Yn sicr, roedd Sophie wedi dweud yn y diwedd, pan wynebodd ei thad yn iawn am y tro cyntaf ar ôl y tawelwch estynedig, nad oedd hi eisiau gwybod rhagor. Roedd hi'n mynd i osod Eve mewn ystafell yn ei meddwl, derbyn yr hyn a ddywedodd ei thad wrthi a chloi'r drws arno. Ers chwe wythnos, roedd Patrick wedi cymryd y byddai Marcus yn gwneud yr un fath.

Marcus, yn bendant! Marcus a ddymunai gau'r drws ar ei blentyn ei hun. Byddai ef, yn fwy na'r un o'i blant, yn dymuno gadael i bethau fod, i'w neilltuo i blith yr hyn a fu yn hytrach na'r hyn a fydd. Ac eto, meddyliodd Patrick, onid yn union hyn oedd pen draw ei resymeg dros ddweud wrth Marcus am Eve yn y lle cyntaf: ceisio'i gael i weld nad yw'n bosib cau drws ar y gorffennol, fod Eve yn dal yn fyw i Patrick a thrwy hynny'n cadarnhau ffolineb Marcus yn ceisio cau'r drws ar unrhyw ddyfodol rhyngddo a'i blentyn yntau? Rhaid bod hynny wedi gweithio os oedd Marcus yn dymuno cyfarfod ag Eve.

'Mae 'da fi hawl,' dechreuodd Marcus.

Cododd Patrick ei law i'w dawelu. 'Paid â dechrau honni 'mod i'n gwadu dy hawliau i ti, Marcus. Alla i ddim newid y ffaith fod Eve yn bodoli. Rhaid i fi dderbyn hynny, yn union fel mae'n rhaid i ti dderbyn hynny, a dwi'n cymryd dy fod di bellach yn derbyn hynny.'

'Ydw...'

'Felly mae dy berthynas di a hi'n amlwg ac wrth gwrs y cei di wneud fel mynni di. Nid mater o hawl yw e. Mater o beth sy'n iawn i ti yw e. Ac os wyt ti'n sôn am gyfarfod Eve, dwi'n cymryd yn ganiataol dy fod ti wedi newid dy feddwl ynglŷn â dy blentyn di.'

'Dod yma i siarad am Eve wnes i.'

'Ond yr un peth yw e, yn defe? Rwyt ti'n gweld hynny, yn dwyt? Alli di byth beidio â gweld mai'r un peth yw e.'

'Dim o gwbwl, mae'n hollol wahanol. Mae darganfod fod 'da fi chwaer a 'mod i ar fin cael plentyn na fydda i byth yn dad iddo fe yn ddau beth cwbwl wahanol i fi. Ddim i ti falle, ond yr unig bersbectif sy 'da fi yw fi fy hunan.'

Anadlodd Patrick yn ddwfn. Doedd e erioed wedi meddwl o'r blaen fod Marcus yn dwp, ond yr eiliad hon ni allai gredu pa mor dwp oedd e'n swnio. Roedd ei anallu i weld y tebygrwydd yn mynd â gwynt Patrick.

'Fe dyfi di'n hŷn.' Rocdd wyneb Patrick yn goch wrth iddo droi i edrych ar Marcus yn sgwâr. 'Fi fyddi di, mewn blynyddoedd.'

Roedd Marcus hefyd wedi gwylltio erbyn hyn, a'i lygaid yn fflamio.

'Dyna'r holl bwynt. Nid ti ydw i. Fi ydw i. Fi wnaeth y penderfyniad gyda Beca, penderfyniad rydyn ni'n dau'n berffaith hapus ag e. Roedd dy sefyllfa di'n hollol wahanol. Roeddet ti a Rachel yn briod ac wedi cael plentyn roedd y ddau ohonoch chi ei eisiau. Wedyn, fe gafodd Rachel ddamwain ac fe fuodd hi farw.'

Y drefn ychydig bach allan ohoni, meddyliodd Patrick, ond rhywbeth fel'na, ie.

'Fe gefaist ti amser i ddod i nabod Eve. Faint, dwy flynedd neu fwy? Wedyn fe adewaist ti iddi fynd. Paid â meddwl mai beirniadu ydw i, ddim o gwbwl. Roedd yr oes yn wahanol yn un peth.'

Rhyfedd fel mae'r ifanc yn ystyried y gorffennol fel gwlad ddieithr, meddyliodd Patrick.

'Fedret ti ddim rhoi chwarae teg i'r un fach. Ac mae'r pethau 'ma'n digwydd, fe alla i ddeall. Colli cysylltiad ac yn y blaen.'

Fe fentrai Patrick nad oedd Marcus yn deall yn iawn, beth bynnag a ddywedai. Pwy allai ddeall yn iawn? Colli cysylltiad llwyr â'i ferch. Gallai ddweud wrth Marcus yn union pa mor anfodlon oedd ei mam-gu a'i thad-cu iddo gael unrhyw gysylltiad ag Eve, ond fyddai hynny ond yn codi mwy o gwestiynau ym meddwl ei fab. Rhaid oedd ei gadael hi ar yr hyn roedd e eisoes wedi ceisio'i ddweud wrtho: fod galar wedi chwarae rhan allweddol yn anallu Patrick i gadw'r cysylltiad â'i ferch, fod y clwy a agorwyd ynddo gyda marwolaeth Rachel wedi'i lorio gymaint fel na allodd fynd i weld Eve ac y byddai'r creithiau'n ailagor wrth ei gweld hi... rhywbeth fel 'na. Mae plant yn fodlon derbyn llawer gan eu rhieni'n ddigwestiwn, ac roedd Patrick wedi gobeithio bod hyn yr un mor wir am ei fab ei hun.

'Hyn dwi'n methu'i ddeall,' dechreuodd Marcus gan osgoi edrych ar ei dad. 'Rwyt ti wedi bod yn dad da i ni, bob amser wedi rhoi'r argraff i Sophie a fi ein bod ni'n bopeth i ti. Ac eto, fe droist ti dy gefn yn llwyr arni hi a tithe wedi'i nabod hi ers dwy flynedd gyfan.'

Cystwyodd Patrick ei hun am adael i Marcus gredu hynny.

Gallai fod wedi trefnu'r bylchau amser yn well, wedi addasu'r fathemateg er mwyn ei roi ei hun mewn golau gwell. Yn ei ofid y dôi Marcus i wybod y gwir hyll yn gyfan, roedd e wedi creu celwydd a'i gwnâi'n llawn cymaint o fwystfil ag y byddai'r gwir wedi'i wneud.

Ond ni allai gyfaddef erbyn hyn na fyddai e byth wedi gallu troi ei gefn ar ei blentyn wedi cyfnod mor hir o'i nabod. Sut roedd tynnu sylw Marcus oddi ar y darlun o ferch fach ddwyflwydd oed a oedd wedi gwreiddio ym mhen ei fab?

'Fe ddifares i golli cysylltiad. Dyna'n union dwi'n ddweud,' dadleuodd Patrick. 'Os torri di'r cysylltiad â dy blentyn, fe ddifari di fel rydw i'n ei wneud.'

Beth oedd mor anodd i Marcus ei ddeall?

'Does 'na ddim cysylltiad i'w dorri rhyngo i a 'mhlentyn.'

'DNA. Dyna'r cysylltiad.'

'Gwyddoniaeth noeth,' ebychodd Marcus. 'Golygu dim byd heblaw ar bapur.'

Roedd golwg wedi ymlâdd ar Patrick. Roedd e'n ymwybodol bod eu lleisiau nhw'n cario a phobl yn edrych yn rhyfedd arnyn nhw wrth i'w clyw fachu ar rai o'r pethau roedden nhw'n eu dweud.

'Dere gatre i siarad,' meddai. 'Mae'n dechrau oeri.'

*

Roedd Sheila wedi gosod y bwrdd yn barod ar gyfer swper o fecryll mewn saws sifys a salad a thatw newydd. Neilltuai le ar gyfer Marcus bob tro y dôi ei mab i'r golwg. Gwyddai nad oedd grant myfyriwr ymchwil yn ddigon y dyddiau hyn i sicrhau ei fod yn cael digon o fwyd iachus ac roedd yr hyn a gâi'n ychwanegol ganddyn nhw yn cael ei wario ar lyfrau a dillad a chant a mil o bethau pwysicach na phum dogn o lysiau a ffrwythau y dydd.

'Gymri di win?' holodd gan ddal y botel o Sancerre o flaen Marcus.

'Cymra, ga i dacsi gatre,' meddai Marcus a gallai Patrick weld bod Sheila wedi sylwi ar ei ddefnydd o'r gair 'gatre' fel tystiolaeth o'r ffordd roedd e bellach wedi newid ei gyfeiriad emosiynol o'r fan hon i'w fflat ddiolwg. Estynnodd ei wydr i'w fam gael ei lenwi.

'Paid â diferu dros y bwrdd,' ceryddodd Sheila wrth i Patrick sychu ei wallt ar ôl bod yn y gawod wedi'r jog.

Aeth Patrick â'r tywel i'r fasged yn y gegin a dychwelyd i gymryd ei le ar dalcen y bwrdd. Doedd Marcus ddim wedi sôn gair pellach am Eve, ond gwyddai Patrick mai breuddwyd gwrach ar ei ran oedd credu na chodai'r mater eto.

'Mae Sophie wedi cael torri'i gwallt,' meddai Sheila.

'Diddorol iawn,' meddai Marcus. 'Mae'n werth dod gatre bob yn hyn a hyn i gael y newyddion syfrdanol sydd i'w glywed yma.'

Gwnaeth Sheila wyneb arno a chwarddodd Marcus. Ychydig iawn o amser, meddyliodd Patrick, oedd yna ers pan fyddai'r hogyn yn gwneud i'w fam chwerthin yn ddyddiol â'i ddatganiadau arddegol sarcastig. Cymaint gwacach oedd y tŷ ers i'r plant adael.

'Wel?' meddai Marcus wedyn a gwyddai Patrick fod y sgwrs a ddechreuwyd ym Mharc Fictoria yn mynd i orfod parhau.

'Wel beth?' gofynnodd Sheila.

'Eve,' meddai Marcus.

'Beth amdani?' holodd Patrick. 'Os wyt ti wedi penderfynu dy fod ti am fynd i chwilio amdani, wna i ddim dy rwystro di.'

'Ond wyt ti eisie i fi beidio?' holodd Marcus wedyn.

'Pa wahaniaeth beth dwi eisie?'

Doedd Patrick ddim am roi'r bodlonrwydd i Marcus deimlo ei fod wedi cael sêl bendith ei dad. Yn y bôn, doedd Patrick ddim yn gwrthwynebu i Marcus fynd i chwilio am Eve. Wedi'r cyfan, roedd e'i hunan yn cael cyfnodau o ysu am gael gwybod beth oedd ei hanes hi. Mater bach iawn fyddai dod o hyd iddi. Gwyddai fod ei thad-cu wedi marw a'i bod hi wedi mynd i'r coleg, ond byddai rhywun yn dal i'w hadnabod yn yr ardal honno yng ngogledd Sir Gaerfyrddin lle roedden nhw'n arfer byw. Efallai ei bod hi'n dal yn byw yn y pentref.

Gwyddai ei fod yn brifo Marcus trwy beidio â gadael iddo wneud yr hyn a fynnai yn gwbl rydd o unrhyw gydwybod. Doedd e erioed wedi dangos dim yn llai na chefnogaeth ddiwyro at bob un o benderfyniadau a dewisiadau ei blant. Pan welodd fod Marcus yn gwyro'n bendant rhag dilyn y pynciau gwyddonol roedd ef ei hun wedi treulio'i fywyd yn eu hastudio, gan ddewis hanes cynnar Ewrop fel pwnc – am bwnc, meddyliodd, heb unrhyw berthnasedd posib i neb heddiw – doedd e ddim wedi gwrthwynebu, dim ond ei annog ac arllwys ei ganmoliaeth a'i gefnogaeth ar bob cam o'i ddatblygiad addysgol ac allgyrsiol.

'Wrth gwrs bod gwahaniaeth beth wyt ti eisiau,' meddai Marcus gan edrych ar ei blât.

Am unwaith, roedd gwarineb ei deulu, gorystyriaeth yr aelodau o deimladau ei gilydd, yn gwylltio Patrick. Pam roedd yn rhaid i Marcus fynnu popeth ganddo, mynnu gwneud a mynnu bod ei dad yn hoffi'r ffaith ei fod yn gwneud?

'Cer i chwilio amdani,' cododd Patrick ei lais. 'Does dim math o ots 'da fi beth wnei di. Cer ar bob cyfri.'

Edrychodd Sheila arno ar draws y bwrdd, a golwg ddifynegiant ar ei hwyneb. Gwyddai Patrick fod difynegiant yn gyfystyr â beirniadaeth: doedd neb yn arfer codi llais ar ei gilydd yn eu teulu nhw.

'Mater bach o fynd lan i Sir Gaerfyrddin. Holi yn y pentre,' meddai Marcus.

Cymerodd Patrick lowciaid o'i win a cheisio cofio. Roedd ei sgwrs â Marcus yn ei lofft ef a Sheila wedi'i serio ar ei gof, ond ni allai yn ei fyw â chofio iddo sôn lle roedd Olwen a Walter yn byw. Gallai dyngu ei fod wedi gwneud penderfyniad bwriadol i gadw Rachel yn ddiwreiddyn, rhag peintio darlun rhy lawn i Marcus ar y pryd, rhag iddo gael ei gamddehongli, neu rhag rhoi gormod o faich ar ei fab ar unwaith drwy amlhau manylion.

Roedd Marcus hefyd yn cofio'r sgwrs ac yn gwybod nad ei dad a soniodd wrtho am Sir Gaerfyrddin.

'James ddwedodd,' meddai Marcus gan geisio swnio'n ddidaro. 'Does dim ots 'da ti 'mod i wedi trafod y peth gyda James…?'

'Pryd?' holodd Patrick, a gwybod yr un pryd nad oedd ots pryd, siŵr dduw.

'Wythnos dwetha,' meddai Marcus. 'Doedd dim llawer o bwynt siarad â ti, am dy fod ti'n newid y pwnc drwy'r amser.'

'Newid y pwnc! Dyna wyt ti'n 'i alw fe?'

'Does dim angen codi llais,' meddai Sheila'n bwyllog. 'Mae posib trafod y pethau 'ma'n waraidd.'

'Mae e'n mynnu troi popeth 'nôl at Beca a'r babi,' meddai Marcus.

'A dyw e ddim yn fodlon cydnabod mai dyna'r unig reswm pam dwedes i wrtho fe am Eve yn y lle cynta.'

Roedd y ddau'n defnyddio Sheila fel cyfrwng rhag ffrwydro'n rhy chwyrn drwy wrthdaro'n uniongyrchol yn erbyn ei gilydd. Mae rhai teuluoedd yn arfer creu ffrwydriadau bach yn aml – yn wir, yn ffynnu ar greu ffrwydriadau – ond mewn teuluoedd eraill, pethau dieithr iawn yw ffrwydriadau a gallant fygwth seiliau'r teulu ar yr adegau anfynych pan fyddan nhw'n digwydd. Roedd hi'n amlwg fod Sheila'n gweld y seiliau'n crynu.

'Wyt ti ddim yn gweld yr anghysondeb?' holodd Patrick gan ostwng ei lais a cheisio rhoi cymaint o chwilfrydedd diffuant ynddo ag y gallai.

Ond ei ddehongli'n wahanol a wnaeth Marcus.

'Paid â bod yn nawddoglyd wrtha i,' rhybuddiodd a'i dymer yn amlwg yn prysur godi.

'Eisiau cysylltu ag Eve, a ddim eisiau dim byd i'w wneud â'i blentyn e'i hunan.'

'Gad lonydd iddo fe, Patrick.'

'Gallen i fod wedi rhag-weld y byddet ti'n ochri ag e,' saethodd Patrick at Sheila. 'A James! I beth roedd eisiau dod â James i mewn i'r peth?'

'Dyna sy'n brifo,' meddai Sheila'n dawel, fel pe bai'r gwir wedi'i amlygu o'r diwedd. 'Cystadleuaeth rhwng y ddau frawd, y brawd bach yn methu diodde gweld y brawd mawr yn ceisio rhoi trefn ar ei fywyd drosto fe.'

'Cau dy geg,' meddai Patrick yn ddistaw wrthi, heb edrych arni. Gwyddai wrth ei ddweud na fyddai byth yn gallu llwyr ddad-wneud y drwg o'i ddweud.

Ni feiddiodd Marcus agor ei geg i ddweud rhagor. Gallai fod wedi ceryddu ei dad am yngan y fath eiriau wrth ei fam, ond wnaeth e ddim. Rhaid ei fod e'n sylweddoli bod teimladau Patrick gyda'r ffyrnicaf roedd wedi'u coleddu erioed os oedd e'n gallu dweud y fath beth wrth Sheila, na fyddai prin byth yn anghydweld â hi am yr un dim.

'Dyna fy rhoi i yn fy lle,' meddai Sheila ymhen hir a hwyr.

'Mae'n ddrwg 'da fi, She,' meddai Patrick. Plygodd ei ben i'w ddwylo. 'Mae'n ddrwg 'da fi. Ond alla i ddim gweld pam mae'n rhaid troi at James.'

'Fe oedd 'na,' meddai Marcus.

'Mae hynna'n annheg,' meddai Patrick. Ni allai yr un o'i blant ei gyhuddo o beidio â bod yno ar eu cyfer, ddim byth, ddim erioed.

'Iawn. Mae hynna'n annheg,' cyfaddefodd Marcus. 'Ond fe sy'n ddiduedd. Fe a Mam. Dwyt ti ddim yn ddiduedd. Dwyt ti ddim yn gallu gweld y gwahaniaeth rhwng dy sefyllfa di cynt a fy sefyllfa i heddiw. Dwi wedi trio dweud wrthat ti beth yw'r gwahaniaeth, ond dwyt ti ddim eisiau clywed.'

Cododd Marcus yn sydyn fel pe bai i wneud ei bwynt, a

bod dim mwy roedd e'n dymuno'i ddweud ar y mater. Ond sylweddolodd Patrick yn syth mai ei ffôn symudol oedd yn canu yn ei boced. Tywalltodd Marcus fwy o win o'r botel i'w wydr, gan daenu ambell ddiferyn ar y lliain bwrdd, cyn mynd ag e allan i'r gegin i ddarllen y neges destun oedd wedi cyrraedd ei ffôn a gadael Patrick a Sheila yn edrych ar ei gilydd fel pe baen nhw'n gweld dieithriaid.

Daeth Marcus yn ôl i mewn wedyn a rhoi ei wydr gwin i lawr ar y bwrdd. Roedd ei ffôn symudol yn ei law a golwg ar Marcus fel pe bai ei feddwl yn rhywle arall.

Cododd Patrick ato, i geisio dad-wneud ychydig o'r drwg oedd wedi digwydd.

'Marcus bach,' meddai, 'paid â gadel i ni gweryla. Moyn i ti siarad gyda fi ydw i, ddim troi at James. Siarada â fi.'

Roedd e'n dal ei ddwy law ychydig ar led a golwg fel pe bai'n ymbil arno.

'Mae'r babi wedi'i eni,' meddai Marcus.

Methodd Sheila â chuddio'r ebychiad bach o syndod a wnaeth. Ni ddywedodd Patrick air, dim ond edrych ar ei fab, tad ei ŵyr neu ei wyres.

'Beth gafodd hi?' holodd wedyn heb allu dileu'r cyffro o'i lais yn llwyr. 'Bachgen neu ferch?'

'Fe ofynnes iddi roi gwbod i fi ei bod hi a'r babi'n iawn,' meddai Marcus yn ddidaro. 'Mae hi wedi gwneud hynny. Dim mwy.' Taflodd gipolwg sydyn i gyfeiriad ei dad. 'Falle bydde hi'n syniad i fi fynd gatre.'

22

'Ma'r Senedd jyst lawr fan'co,' meddai Efa, yn ymwybodol ei bod hi'n cael trafferth geirio'n iawn.

'Ydi,' meddai Mr Mukherjee yn ddiflas wrth gofio'r ymweliad aflwyddiannus y bore hwnnw.

Roedd y drydedd botelaid o win rhyngddynt ar ei hanner, a doedd ar yr un o'r ddau awydd yfed diferyn yn fwy ohoni. Roedd golwg go sâl ar Mr Mukherjee, meddyliodd Efa, a hithau'n teimlo'n ddigon simsan. Gorau po gyntaf y caen nhw fynd allan o'r tŷ bwyta i awyr iach y Bae. Nhw oedd y ddau olaf oedd ar ôl yn y lle ac roedd hi'n amlwg bod y gweinwyr wedi colli eu hamynedd bellach yn eu hawydd i weld eu gwlâu.

'Beth am fynd draw 'na wedyn?' awgrymodd Efa. 'Gweud wrthon nhw eto beth ni'n feddwl ambitu cau Ysgol Pen-cwm.'

'Fyddan nhw ddim ar agor nawr,' meddai Mr Mukherjee. Edrychodd ar ei fraich ddioriawr fel pe bai'n amheus a fyddai Efa'n ei ddeall heb iddo wneud hynny.

'Motsh,' meddai Efa. 'Gallwn ni weiddi arnon nhw, ac os gwaeddwn ni'n ddigon uchel, fe glywan nhw,' meddai.

'Rhes... rheswm... rhesym... *stands to reason*,' meddai Mr Mukherjee gan igian unwaith wrth i'w feddwdod fynd yn drech na'i allu i siarad Cymraeg dealladwy.

Roedd y ddau ar eu ffordd drwy'r drws cyn i'r gweinydd alw ar eu holau i ofyn oedden nhw'n bwriadu talu am eu bwyd a'u diod. Trodd y ddau 'nôl, Efa gan giglan a Mr Mukherjee gan igian. Rhoddodd ei law o flaen ei geg yn boléit, er na wnâi hynny atal dim arno. Tynnodd ei gerdyn banc allan.

'Ei, ei, ei,' protestiodd Efa. 'Fi sy'n talu.' Aeth i'w bag.

'It was my niece's wedding,' meddai Mr Mukherjee fel pe bai hynny'n ateb i bob cwestiwn.

'Congratulations,' meddai'r gweinydd yn sych a chymryd ei gerdyn.

'Thank you,' meddai Mr Mukherjee, cyn igian eto.

'Fi sy'n talu am y gwin 'te,' mynnodd Efa. Trodd at y gweinydd a oedd eisoes yn rhoi cerdyn Mr Mukherjee drwy'r teclyn talu. 'I'll pay for the wine.'

Gwenodd y gweinydd yn gwrtais arni ond roedd Mr Mukherjee eisoes yn pwyso'r botymau i roi ei rif PIN i mewn. Sylweddolodd Efa ei bod hi'n rhy hwyr.

'Iawn,' cyhoeddodd. 'Fi sy'n talu am y tacsi 'nôl i'r gwesty.'

'O'r gore,' gwenodd Mr Mukherjee arni a chymryd ei gerdyn yn ôl gan y gweinydd.

Aeth y ddau allan drwy'r drws a thrawyd nhw gan wynt y môr. Roedd y tywyllwch wedi dod ag ias fach oer i'r noson a thynnodd Efa ei siôl yn dynnach am ei hysgwyddau. Sylwodd Mr Mukherjee, a oedd wedi yfed ychydig bach llai na hi, arni'n crynu.

'Hoffech chi fy ngh... fy nghot, Mrs Williams?' a dechreuodd dynnu ei got Indiaidd, ei *sherwani* hardd.

'Na, na, na, na... wel, os y'ch chi'n siŵr,' meddai Efa a'i gwisgo. Cynigiodd ei siôl i Mr Mukherjee a rhoddodd yntau hi dros ei ysgwyddau, er nad oedd les tyllog y dilledyn du yn ei wneud e ronyn cynhesach.

'Beth am fynd draw at y Senedd?' awgrymodd Efa. 'Mae hi'n rhy gynnar i fynd 'nôl i'r gwesty.' Ac anelodd i gyfeiriad yr adeilad gwydrog, a Mr Mukherjee gam neu ddau ar ei hôl.

*

Eisteddodd Mr Mukherjee ar risiau'r Senedd i gael ei wynt. Aeth Efa yn ei blaen rownd ochr yr adeilad gan addo dod yn ei hôl ymhen munud neu ddau. Credai Mr Mukherjee mai mynd i chwilio am gornel dywyll i wagio ei phledren a wnaeth hi, felly barnodd mai taw pia hi. Ond dechreuodd weld ei cholli ar ôl cryn ddeg munud o eistedd ar ei ben ei hun yn gwylio goleuadau Penarth, a'r gwin yn ei ben yn gwneud i'r dyfroedd lliwgar ddawnsio.

Daeth Efa yn ei hôl yn cario bricsen.

'Beth yw hwnna?' holodd Mr Mukherjee, wedi dychryn braidd.

'Anrheg i'n cynrychiolwyr ni,' atebodd Efa ac astudio'r ffenestri mawr gwydr.

Deallodd Mr Mukherjee ar amrantiad beth oedd ei bwriad.

'I don't believe in throwing bricks, Mrs Williams.'

'Bricsen ddi-drais yw hi, Mr Mukherjee,' meddai Efa heb droi ei golwg oddi ar destun ei llid. Roedd llygaid gwydr y Lefiathan yn ei herio i daflu'r fricsen.

'I must admit, it doesn't look non-violent to me, Mrs Williams,' meddai Mr Mukherjee gan godi ar ei draed yn nerfus.

'Os mai di-drais y'ch chi eisie, Mr Mukherjee, fe sbreiwn ni'r fricsen gynta a'i galw hi'n Gwynfor.'

'Your Gwynfor would not approve of the brick.'

'Na'ch Gandhi chi, Mr Mukherjee, ond wela i ddim arwydd o'r un o'r ddau.'

A lluchiodd Efa'r fricsen gyda'r fath arddeliad at y bwystfil o adeilad nes iddi roi gwich o ymdrech wrth ei rhyddhau o'i llaw.

Bownsiodd y fricsen oddi ar wydr atgyfnerthedig y ffenest, ond nid cyn i larymau'r Lefiathan ganu dros bob man gan fygwth tynnu'r ddinas at fan y drosedd.

'We must call the authorities and confess,' dechreuodd Mr Mukherjee.

'Bygro conffeso, rhedwch!'

Rhoddodd Efa blwc eger ar ei fraich a'i dynnu ar ei hôl. 'Nawr!'

Roedd y larymau'n pellhau wrth i'r ddau redeg nerth esgyrn coesau nad oedden nhw wedi arfer rhedeg, a'r cotiau duon yn llifo o grombil yr adeilad ar eu holau. Roedd ganddyn nhw ddegau o lathenni o fantais ar y gwylwyr nos, a Mr Mukherjee bellach wedi ufuddhau i orchymyn Efa wrth i'r ddau ddiflannu i lawr stryd fach gul. Trodd Efa'r gornel a Mr Mukherjee yn dynn wrth ei sodlau. Wrth wneud, gwelodd Efa y ddau wyliwr yn nesu i'w cyfeiriad o'r tu ôl i'r Senedd a gwyddai na allai ei choesau redeg heibio iddyn nhw. Tynnodd Mr Mukherjee i gysgod drws cefn Canolfan yr Urdd a'i wasgu yn erbyn y drws. Daliodd y ddau eu gwynt wrth i'r ddau ddyn diogelwch eu pasio ar yr ochr arall i'r ffordd heb eu gweld yn llechu fel dau gariad yn nhywyllwch y drws.

Diolchodd Efa'n ddistaw bach i Gymru, i gyd-ddyn, i Gandhi ac i Gwynfor.

Roedd y ddau wedi pwyllo wedyn ac ystyried am eiliad ond roedd y prysurdeb nyth gwenyn wrth adeilad y Senedd yn gwahardd oedi'n rhy hir: buan iawn y dôi llygaid y camerâu i sbragio mai dynes ganol oed yn ei *sherwani* oren, flodeuog ac Indiad yn ei bantalŵns gwyn, ei dabard oren a'i siôl les ddu oedd y troseddwyr. Go brin y bydden nhw'n nabod Efa fel yr ymwelydd a ddaethai yno i leisio'i chŵyn y bore hwnnw gan ei bod hi'n gwisgo dillad mor wahanol, a chanddi sgarff fechan goch am ei phen dros y gwallt sbeics a'r jîns llac a wisgai yn gynharach. Edrychodd Mr Mukherjee ar Efa a phwyso a mesur eu sefyllfa mewn eiliad gwta.

'Os caf i…' dechreuodd, cyn methu egluro. Rhoddodd ei fraich yn betrus am ei hysgwydd. 'Dewch,' meddai, ac anelu allan i'r stryd.

Deallodd Efa'n syth mai ei fwriad oedd rhoi'r argraff mai

dau gariad oedden nhw, yn anelu gartre ar ôl tro bach ar hyd y Bae, dau adyn od yn eu hoed a'u hamser o blith adynod od eraill y brifddinas. Pa wyliwr nos neu heddwas fedrai amau mai'r ddau liwgar yma a daflodd fricsen at ffenestri gwydr y Senedd? Rhaid fyddai dibynnu nad oedd un o'r dynion diogelwch a redasai ar eu hôl wedi gweld sgriniau'r camerâu cyn anelu allan o'r adeilad.

Pasiodd gwyliwr nos ac oedi am eiliad i'w holi, ond cyn i'r cwestiynau ddechrau gadael ei geg roedd ei ymennydd wedi'i hysbysu nad y rhain a fu'n gyfrifol am y fath anfadwaith.

Brysiai Mr Mukherjee yn ei flaen gan geisio tynnu Efa'n gynt â'i fraich amdani, ond arafu a wnâi hithau wrth ddeall pa mor llwyddiannus fu eu dihangfa.

'What happened?' holodd Efa'r gwyliwr nos a theimlo braich Mr Mukherjee yn gwingo amdani.

'Did you see someone running past you?' holodd y gwyliwr.

'What kind of someone?' holodd Efa wrth ei bodd, ond roedd Mr Mukherjee wedi'i thynnu yn ei blaen cyn i'r gwyliwr ateb.

'No,' meddai Mr Mukherjee yn bendant dros ei ysgwydd. 'We saw no-one.'

Cyrhaeddodd y ddau ben draw Rhodfa Lloyd George cyn i Mr Mukherjee feiddio tynnu ei fraich oddi ar ysgwydd Efa. Roedd y ddau allan o wynt braidd ar ôl cerdded ar hyd y rhodfa o un pen i'r llall cyn gyflymed ag y medrai eu coesau eu cario. Aeth Mr Mukherjee yn ôl i gragen ei swildod wrth weld nad oedd achos bellach dros actio bod yn gariadon, fel pe bai'r fraich am yr ysgwydd wedi bod yn gamofflaj ac yntau nawr yn noeth wrth ei diosg. Ymddiheurodd am ei hyfdra, a dywedodd Efa wrtho am beidio bod mor wirion, mai ei hyfdra a'u hachubodd rhag noson yn y celloedd.

'Lle nawr? Mae hi'n rhy gynnar i fynd i'n gwlâu,' meddai Efa wedyn wrth groesi'r stryd i gyfeiriad canol y ddinas. 'Ydych chi'n nabod rhywun arall yng Nghaerdydd, Mr Mukherjee? Rhywun heblaw eich nith, achos does gen i ddim syniad pa ffordd mae'r briodas.'

'Yng Nghaerdydd,' ailadroddodd yntau nes bygwth gwaredu'i donsils. 'Neb arall,' meddai wedyn. 'Ydych chi'n nabod rhywun sy'n byw yng Nghaerdydd, Mrs Williams?'

'Mae fy nhad yn byw yma,' meddai Efa. 'Hynny yw, os nad yw e wedi marw.'

'Do you have his address?' Ysgydwodd Efa ei phen. 'Then we might have many doors to knock on, Mrs Williams.'

'Na. Ddim heno,' meddai Efa'n bendant.

Dechreuodd Mr Mukherjee chwerthin yn dawel wrtho'i hun.

'Be sy?' gofynnodd Efa.

'"Na dim heno" oedd enw fy ngwraig,' meddai Mr Mukherjee gan dynnu ei sbectol wrth gerdded er mwyn sychu ei lygaid. Ffrwydrodd y chwerthin ohono.

'Mr Mukherjee!' ebychodd Efa.

Eisteddodd yntau ar y pafin i ddod dros y pwl. Ac wrth iddi eistedd wrth ei ymyl, teimlodd Efa don o chwerthin yn dod drosti hithau hefyd. Chwarddodd y ddau nes bod eu hochrau'n brifo.

'Ddylwn i ddim bod wedi neud hynna,' meddai Efa'n dawel ymhen amser ar ôl iddi sobri.

'Chwerthin…?' holodd Mr Mukherjee heb ddeall.

'Towlu bricsen at y Senedd. Un sy 'da ni. Beth bynnag yw hi, so hi'n haeddu bricsen drwy'i ffenest.'

'Ddim drwy'r ffenest,' meddai Mr Mukherjee yn bwyllog wrth ymdrechu am gywirdeb.

'At, 'te. At y ffenest.'

'A moment of madness,' meddai Mr Mukherjee yn gymodlon, a chymerodd rai eiliadau cyn i'r geiriau orffen saethu drwy Efa. Syllodd arno'n syfrdan.

'Beth sy'n bod?' holodd Mr Mukherjee, wedi dychryn braidd gan dreiddgarwch ei llygaid.

'Dyna oeddwn i,' meddai Efa. Crychodd Mr Mukherjee ei dalcen. 'Dyna ydw i. Eiliad o wallgofrwydd.'

'Dydw i ddim yn deall.' Parhâi'r crych yn y talcen.

Penderfynodd Efa rannu.

'Gwallgofrwydd? Madness. Insanity. A moment of madness.'

'Chi?' anghrediniol.

'Fi.' Trodd ei phen i wylio tacsi'n gwibio heibio i gyfeiriad y Bae. 'Dyna alwodd fy nhad fi.'

'Sut dad sy'n...?' dechreuodd Mr Mukherjee holi, cyn distewi.

Nid oedd neb, hyd yn oed hi ei hun, wedi'i chlywed yn yngan y geiriau hyn yn uchel erioed o'r blaen. Pwyllodd Efa.

'Dyw e ddim yn bwysig,' meddai.

'Ond... ydi, mae e'n bwysig,' mynnodd Mr Mukherjee.

'Fy mam-gu a fy nhad-cu fagodd fi,' eglurodd Efa. 'Doedd fy nhad ddim isie neud. Ond farwodd – bu farw fy mam-gu. Ac yn yr angladd fe glywes i 'nhad yn dweud wrth fy nhad-cu mai dyna oeddwn i.'

'A moment of madness.'

'Hollol.' Ceisiodd Efa ysgafnu ei llais. 'Dyna'r unig dro i fi gofio ei weld.'

'Wel, wel,' meddai Mr Mukherjee ar ôl ystyried. 'Wel, wel.'

'Beth am ffonio rhywun i weld ble ry'n ni?' Cododd Efa. Nid oedd golwg symud ar Mr Mukherjee. Daliai i droi'r hyn a luchiasai hithau ato rownd a rownd yn ei ben. 'Gwell peidio galw'r heddlu o dan yr amgylchiade.'

'Ac yng Nghaerdydd mae e'n byw?' holodd Mr Mukherjee gan wneud cryn ymdrech i ynganu'r treiglad llaes yn gywir drwy'r gwin.

'Gallen ni ffono'r gwesty...'

'Dyna ddwedoch chi, Mrs Williams. Yng Nghaerdydd mae eich tad yn byw.'

'Ond dyw rhif y gwesty ddim gyda ni. Beth oedd enw'r lle 'to?'

'Awn ni i weld e! Eich tad.' Roedd llygaid Mr Mukherjee yn pefrio. 'I gael... i gael goleuni ar y mater.' Cofiodd un o idiomau Efa. Cododd ar ei draed a'i ddwylo'n chwifio, fel pe bai hynny'n mynd i helpu ei Gymraeg. 'Roeddech chi'n ferch fach, roeddech chi'n clywed ddim y gwir, does dim tadau'n dweud pethau fel yna, gallwn ni gael y gwir. Ble mae e'n byw?'

Rhythodd Efa arno.

'Dydych chi ddim gwybod? Gallwn ni *find out*! Ble gweithiodd fe? Rydych chi'n gwybod rhywbeth, rhaid bod... rhywbeth...'

Baglai'n bendramwnwgl trwy ei Gymraeg heb boeni iot, am unwaith, ynglŷn â'i chywirdeb.

'Travelodge,' meddai Efa i dorri ar ei lifeiriant a'i anwybyddu'r un pryd, 'Travelodge, Cardiff Central.' Dechreuodd ddeialu. 'Helô? Gaf i rif ar gyfer... chi fod yn siarad Cymrâg, y rhif ar gyfer siarad... can I have the number for Travelodge Cardiff Central?'

'Mae siarad yn bwysig,' meddai Mr Mukherjee.

'Dwi wedi siarad gormod,' meddai Efa wrth aros am ateb ar ben draw ei ffôn.

'Mrs Williams.' Daeth ati a chyffwrdd ei braich.

'Na,' poerodd Efa ato. 'Hyd yn oed os bydden i'n gwbod lle i ddachre edrych, pam nisen i shwt beth? Iddo fe ga'l ailadrodd beth ddwedodd e, iddo fe ga'l...' Clustfeiniodd i'w ffôn, cyn ei ddiffodd yn ddiamynedd. 'Blydi sentral switshbord! No blydi iws!'

'Ble rydych chi'n mynd i?'

'I ble rydych chi'n mynd!' saethodd Efa dros ei hysgwydd wrth frysio ar hyd y pafin oddi wrtho.

Clywai ei sandalau'n pitian-patian ar ei hôl i gyfeiriad canol y ddinas.

'I'r gwesty,' taranodd llais Efa wedyn cyn iddo ffurfio fersiwn cywirach o'r cwestiwn. 'I 'ngwely.'

23

R OEDD PATRICK YN ddyn gwahanol erbyn y bore. Roedd e
eisoes wedi bod allan am ei jog foreol ac wedi cael cawod
a gwneud paned iddo'i hun a Sheila erbyn i'w wraig agor ei
llygaid.

Doedden nhw ddim wedi siarad rhagor am Eve y noson
cynt. Roedd hi'n amlwg fod Sheila'n barnu mai cadw rhag
hynny oedd orau, ac roedd Patrick yn llawn o blentyn Marcus
beth bynnag. Diolchodd Patrick i'r duwiau nad arhosodd
Marcus ar ôl derbyn y neges, ac am unwaith roedd e'n gallu
gweld bod Sheila'n falch o weld cefn Marcus hefyd. Diflannodd
cyn i Patrick allu mynd ato i roi coflaid dadol iddo a fynegai
rywbeth heblaw 'Rwy'n falch ohonot ti, fy mab, am barhau fy
llinach, am agor pennod yn dy fywyd a fydd yn llawn o orfoledd
byw drwy dy blant, yn gyforiog o gariad teuluol nad oes gen ti
eto, a thithau ond ar y trothwy, ddim syniad pa mor ddwfn a
phleserus mae'n gallu bod.' Na, nid hynny fyddai yn ei goflaid.
Llawer, na allai roi geiriau iddo, fyddai ynddi.

Ond roedd Marcus wedi diflannu cyn i Patrick allu rhoi
coflaid iddo.

Wedyn roedd e wedi helpu Sheila i glirio'r bwrdd heb
ddweud gair. Yn y gegin, a hithau'n cau drws y peiriant golchi
llestri i roi cychwyn ar y golchi, gafaelodd ynddi. Syllodd hithau
arno a rhoi gwên fach nad oedd yn wên chwaith yn fwy na
gwingad fach o benderfyniad i wynebu pob her – gyda'i gilydd,
gobeithiai Patrick. Doedd e ddim wedi gorfod ymddiheuro
wedyn am ddweud wrthi am gau ei cheg wrth y bwrdd bwyd.
Roedd Sheila'n ei ddeall yn well na neb. Hi oedd y cwch oedd yn

llywio ei hun drwy stormydd geirwon ei ofidiau ef, a doedd hi ddim eto wedi dangos unrhyw arwydd o ddymchwel.

'Gad iddo fe,' meddai Sheila wrtho neithiwr. 'Fe ddaw i weld ei ffordd yn y diwedd, ac fe wnaiff e hynny ar ei ben ei hun.'

Nodiodd Patrick a rhoi cusan iddi ar ei gwefusau. Oedodd i wthio'i dafod i mewn i gyffwrdd â'i hun hithau, a llifodd rhyddhad drosto wrth ei theimlo'n ymateb i'w gyffyrddiad. Un fantais o gael plant yn tyfu'n oedolion oedd bod y tŷ'n dod yn ôl yn eiddo i'r sawl sy'n talu'r morgais, meddyliodd Patrick wrth arwain ei wraig i fyny'r grisiau, gan wybod bellach ei fod wedi cael maddeuant ganddi.

Ar ôl iddyn nhw garu, roedd Sheila wedi tynnu'r dwfe drosti erbyn i Patrick ddod yn ei ôl o'r tŷ bach. Roedd caru'n mynd yn fusnes digon blinedig yn eu hoed nhw, meddyliodd Patrick, gan geisio – a methu – anwybyddu'r ffaith fod Sheila dros ddeng mlynedd yn iau nag ef. Roedd e'n dal yn gobeithio y byddai hi yr un mor barod i garu ymhen deng mlynedd pan fyddai hi ei oed e. (Doedd dim amheuaeth ganddo ynghylch ei barodrwydd e i garu, ddeng mlynedd yn ddiweddarach.)

'Sut deimlad yw bod yn fam-gu?' gofynnodd Patrick i siâp Sheila yn y gwely, gan lefaru'r geiriau er mwyn ei frifo'i hun yn fwy nag i frifo Sheila.

'Ddim cweit fel o'n i wedi'i ddisgwyl,' meddai Sheila rhwng cwsg ac effro.

Aeth Patrick i'r gwely ati. Plygodd drosti i roi cusan iddi, gan wybod nad oedd hi'n barod i gysgu go iawn, mai esgus bach oedd hi, rhag gorfod trafod pethau nad oedd hi awydd eu trafod.

Ac roedd e'n ddyn gwahanol erbyn y bore. Cododd Sheila ar ei heistedd yn y gwely i dderbyn y baned.

'Dwi am fynd i mewn am awr neu ddwy,' meddai Patrick wrthi gan estyn siaced ei siwt.

'Oes gen ti ddarlith?'

'Na, dim ond taro heibio, gweld sut mae hi'n mynd 'na. Trafod y diweddara gyda Sy.'

'Fe ddaw 'na amser pan fyddi di fwy o dan draed nag o help i'r adran,' tynnodd Sheila ei goes.

'Os daw'r amser hwnnw,' meddai Patrick gan wenu, 'fi fydd yr ola i sylwi.'

Gadawodd Sheila yn ei gwely ac aeth â'i gwpan i lawr i'r gegin lle bachodd allweddi ei gar oddi ar y rac allweddi a mynd allan.

Wrth yrru am Ysbyty'r Brifysgol, lle roedd rhan o adran astudiaethau geneteg y Brifysgol wedi'i lleoli, daliodd Patrick ei hun yn troi i'r dde wrth adeiladau'r Brifysgol a thorri ar draws i gyfeiriad fflat Marcus.

Clirio'r aer oedd ei unig awydd, gwneud iawn am fethu â ffrwyno ei deimladau neithiwr a chreu hen anniddigrwydd rhyngddo a'i fab a'i wraig. Roedd e am i Marcus wybod mai fe a Sheila oedd yn iawn. Roedd e hefyd am iddo wybod ei fod e bellach yn barod i adael i Marcus wneud yn union fel y mynnai heb ymyrryd yn ei fywyd. Pa les a wnâi hynny mewn gwirionedd? Roedd Sheila'n llygad ei lle: gadael i Marcus ddod o hyd i'w ffordd drwy'r byd ar ei liwt ei hun oedd yr unig ateb, waeth beth oedd ei benderfyniadau. Gwnaethai Patrick y cyfan a allai i geisio'i gael i ailfeddwl a doedd e ddim wedi ailfeddwl, felly doedd fawr o bwrpas iddo barhau i wasgu. Na, roedd hi'n hen bryd iddo yntau symud ymlaen a gadael llonydd i Marcus.

Ond roedd e eisiau i Marcus wybod hefyd mai dyma oedd ei benderfyniad. Ac roedd e am ddweud wrtho nad oedd ganddo unrhyw wrthwynebiad yn y byd i Marcus fynd i chwilio am Eve. Efallai'n wir mai dyna'r peth gorau a allai ddigwydd i'r ddau ohonyn nhw. Ac os na wnâi cyfarfod ag Eve newid meddwl Marcus ynglŷn â'i blentyn ei hun, yna byddai'n rhaid i Patrick fyw gyda hynny. Y bore 'ma, meddyliodd, roedd e'n dechrau deall dadl Marcus fod gwahaniaeth mawr rhwng tad sydd wedi gafael yn ei blentyn, wedi'i magu rywfaint, a thad nad yw hyd yn oed yn gwybod ai merch neu fachgen sydd ganddo.

'Helô!' gwaeddodd wrth agor y drws. Clywodd sŵn y gawod.

'Fi sy 'ma!'

'Dere i mewn,' gwaeddodd Marcus o'r ystafell ymolchi. 'Fydda i ddim chwinciad.'

Roedd 'na groeso iddo felly, meddyliodd Patrick. Ond gwyddai y byddai – nid teulu i ddal dig oedd eu teulu nhw, roedden nhw'n llawer mwy gwâr na hynny.

Llerciodd Patrick o gwmpas y fflat am ddwy funud. Roedd y lle'n llawn o Marcus – yn gyforiog o lyfrau cadw-drws-yn-agored a phapurau, a dim trefn i'w weld yn unman. Roedd y rhan o'r fflat a neilltuwyd ar gyfer pethau ceginaidd hefyd yn llawn o lyfrau a phapurau. Nid fflat myfyriwr oedd hi'n hollol – go brin y byddai gan fyfyriwr cyffredin gymaint o lyfrau'n llenwi pob twll a chornel, ac roedd llewyrch ar gelfi'r gegin a'r teils fel newydd ar y wal. Ond doedd hi ddim yn ddigon mawr i fod yn fflat i weithiwr proffesiynol chwaith. Rhywle yn y canol. Fel Marcus ei hun. Rhyw ddydd fe ddigwyddai lanio ar yrfa, mae'n siŵr.

Sylwodd ar liniadur Marcus ar agor ar y bwrdd coffi llawn staeniau o flaen y soffa ac eisteddodd o'i flaen. Sylweddolodd fod hynny'n edrych yn union fel pe bai'n busnesa, felly symudodd eto, cyn i syniad ei daro.

Gwrandawodd am eiliad i sicrhau ei fod yn dal i glywed sŵn dŵr o'r ystafell ymolchi fach drwy'r drws. Plygodd a gweld mewnflwch Marcus ar agor o'i flaen a rhestr o e-byst gan wahanol ddieithriaid a chwmnïau. Mater bach o wasgu dau neu dri botwm oedd darganfod cyfeiriad e-bost Beca os oedd e yno. Rhaid bod rhywfaint o gysylltiad wedi bod rhwng y ddau os oedd Beca wedi anfon neges destun ato ddoe, felly roedd hi'n rhesymol iddo gredu y gallai Marcus fod wedi cadw ei chyfeiriad e-bost – rhag ofn. Doedd e ddim gwaeth nag edrych, meddyliodd Patrick, a heblaw bod camera cudd yn yr ystafell, doedd yna'r un ffordd yn y byd y dôi Marcus i wybod ei fod e wedi edrych. Gallai ystyried wedyn beth i'w wneud â'r cyfeiriad os oedd e yno. Gallai ddewis peidio â gwneud dim byd ag e, neu gallai ddewis llwybr arall. Ond ar hyn o bryd, doedd yr hyn na wyddai ddim yn mynd i frifo Marcus.

Gwasgodd y cyrchwr uwchben y botwm Cyfeiriadau ac oedi. Doedd ganddo ddim syniad beth oedd cyfenw Beca. Syllodd yn agosach a gwelodd ei henw'n syllu 'nôl arno: Beca Green. A'i chyfeiriad e-bost bron yr un mor hawdd i'w gofio â'i henw gan mai cyfuniad o'i henw a'r rhif 477 oedd e. Beca Green. 477.

Hawdd, meddyliodd. Gwasgodd y botwm Dychwelyd i fynd yn ôl i'r sgrin flaenorol. Dyna'r cyfan. Dau glic, ac roedd y wybodaeth ganddo, wedi'i serio ar ei gof. Prin y gellid galw'r hyn a wnaeth yn gamwedd.

Wedi'r cyfan, atgoffodd ei hun eto, doedd dim rhaid iddo wneud dim byd pellach. Gallai ddewis peidio.

'Ddim i bregethu doist ti yma, gobeithio,' meddai Marcus, a ymddangosodd o'i flaen â thywel am ei ganol.

'I'r gwrthwyneb. I ymddiheuro,' meddai Patrick. 'Ac i ddweud 'mod i tu cefn i ti beth bynnag wyt ti'n ei benderfynu – am y babi, ac am Eve.'

Oedodd Marcus i syllu arno, cyn gwenu'r un wên fach ingol ag a welodd gan Sheila neithiwr.

'Fe helpa i ti i chwilio amdani os wyt ti eisiau,' meddai wedyn, heb fod yn siŵr a fyddai'n gallu wynebu gwneud hynny go iawn. 'Neu o leia dy roi di ar ben ffordd.'

'Gawn ni weld,' meddai Marcus. 'Mae'n gam mawr. Paned?' holodd wedyn, gan droi'r pwnc yn syth.

'Ar 'yn ffordd i'r adran ydw i,' meddai Patrick. 'Ond os wyt ti'n gwneud…'

'Meddwl gofyn i ti wneud o'n i,' meddai Marcus, gan wenu'n hy ar ei dad. 'Tra dwi'n gwisgo.'

Gwenodd Patrick yn ôl arno ac estyn bobi gwpan iddyn nhw.

*

Yn yr adran, aeth Patrick i'r drôr yn y cwpwrdd ffeilio lle cadwai ychydig o bapurau a disgiau. Yna tynnodd ei gof bach o boced ei siaced a'i roi i mewn yn un o'r cyfrifiaduron yn yr ystafell fawr agored. Eisteddodd yno am amser hir yn ceisio penderfynu beth i'w ddweud.

Yn y diwedd, ysgrifennodd yn eithaf brysiog, wrth i'r cyfan ddod iddo ar unwaith. Ymhen rhai munudau'n unig roedd y neges wedi'i chyfansoddi:

Annwyl Beca

Tad Marcus ydw i. Maddeua i fi am ysgrifennu, ond roeddwn i'n teimlo bod rhaid. Gwn nad yw Marcus mewn cysylltiad â thi, a theimlaf ychydig yn bryderus ynglŷn â hyn. Nid yr un fydd Marcus ymhen blynyddoedd â'r hyn ydyw nawr: mae pobol yn newid, mae blaenoriaethau a dyheadau'n newid. O dy ran di hefyd, gallwn drefnu dy fod yn derbyn arian tuag at fagu'r plentyn.

Hoffwn yn fawr dy gyfarfod am sgwrs.

Oedodd. A ddylai ddweud wrthi nad oedd angen iddi ddod â'r plentyn gyda hi, neu a fyddai hynny'n swnio'n rhyfedd, a ble fyddai hi'n gadael y plentyn tra dôi i'w gyfarfod? Gallai fynd ati hi, ond sut oedd awgrymu hynny? Doedd e ddim am iddi feddwl nad oedd e eisiau gweld y babi, ond yn sicr, nid hynny oedd ganddo mewn golwg wrth ofyn am ei chyfarfod. Eisiau cael pethau'n glir oedd e, agor cil y drws fel bod modd i Marcus gamu'n ôl drwyddo yn weddol rwydd pe bai'n newid ei feddwl ar unrhyw adeg, yn dod i weld nad ynys mohono.

Roedd ganddo syniad fod y Beca a ddisgrifiodd Marcus yn ferch ddigon call. Gwnaethai benderfyniad anodd i beidio â rhwydo ei fab mewn perthynas lai na delfrydol, ac roedd hi wedi bodloni ar fynd heb gyfraniad ariannol ganddo er mwyn gwneud hynny. Golygai hynny ei bod hi'n mynd i beidio â chynnwys ei enw ar y dystysgrif geni, a ble roedd pen draw hynny pe bai Marcus, rhyw ddydd, yn ailfeddwl? A phe bai Beca, y pryd hwnnw, yn gwrthod gadael iddo wneud prawf tadolaeth, ni fyddai fawr o obaith iddo greu cysylltiad â'i blentyn hyd nes y byddai hi neu fe'n ddigon hen i benderfynu drosto'i hun a oedd am wybod pwy oedd ei dad. Ond roedd gwrthod cyfraniad ariannol ynddo'i hun yn dangos cadernid cymeriad, doedd bosib? A allai ddibynnu ar yr un cadernid cymeriad i sicrhau y rhoddai wrandawiad i'r hyn oedd ganddo ef i'w ddweud?

Nid syniad Marcus yw hyn: yn wir, nid yw'n gwybod fy mod yn cysylltu â thi. Erfyniaf arnat i fy nghyfarfod mewn man o dy ddewis am sgwrs, cyn gwneud dy benderfyniad terfynol ar dorri cysylltiad â Marcus (neu â minnau) yn llwyr. Dyna'r oll. Addawaf adael llonydd i ti'n derfynol wedyn.

Yr eiddot mewn gobaith,

Patrick King

Roedd llawer mwy y gallasai fod wedi'i ddweud, ond penderfynodd fentro gobeithio y byddai Beca'n cytuno i'w gyfarfod ac y câi ddweud mwy wrthi wyneb yn wyneb. Efallai y byddai o fudd iddo adrodd ei brofiad wrthi, fel y gwnaethai wrth Marcus: efallai y gwelai Beca synnwyr yn ei ddadl na ddeuai lles o beidio â chadw cysylltiad o ryw fath rhwng tad a'i blentyn.

Oedodd eto uwchben y neges orffenedig. Drwy ei hanfon gallai un o ddau beth ddigwydd. Gallai fod yn weithred na fyddai Marcus na neb arall yn gwybod amdani, ond ar y llaw arall, pe bai Marcus yn cael clywed amdani, gallai fygwth eu perthynas nhw fel tad a mab. Gallai Beca ddewis cadw'n ddistaw, peidio â dweud wrth Marcus ei bod hi wedi derbyn y neges – pa un a fyddai'n cytuno i'w gyfarfod ai peidio – neu gallai ddweud wrtho. Roedd perygl gwirioneddol y gwnâi hi hynny, ac eto, dim ond un senario bosib ymysg llawer oedd honno. Darllenodd y neges drosodd a throsodd tan i Sy ddod drwy'r drws yn y diwedd.

'Patrick! Sut hwyl?'

Gwasgodd Patrick y botwm ar y llygoden i anfon y neges er mwyn rhoi terfyn ar y pwyso a mesur yn ei ben a allai fod wedi parhau hyd dragwyddoldeb.

24

TRODD MR MUKHERJEE drwyn y Volkswagen i fyny'r lôn at y ddau dyddyn, a deffrodd Efa wrth i'w hisymwybod synhwyro lle roedd hi. Roedd hi wedi bod yn cysgu ers dwyawr dda, cwsg dwfn, diolch byth, a hithau wedi poeni mai cwsg pytiog hangofyr a theimlo'n sâl fyddai'n ei hwynebu yn y car wrth gychwyn o Gaerdydd. Gyda'i ofal arferol, cyfrodd Mr Mukherjee unedau alcohol neithiwr yn ei ben ac aros digon o oriau cyn cychwyn y daith tua thri o'r gloch y prynhawn. Erbyn hynny, roedd Efa'n falch iddyn nhw fynd i'r gwely'n eithaf cynnar y noson cynt ar ôl yfed cymaint neu byddai'n rhaid iddyn nhw fod wedi aros tan ganol nos cyn gallu cychwyn. Gorofalus oedd e, ond roedd e hefyd yn ymwybodol nad oedd wedi arfer yfed ac y gallai hynny ei wneud yn fwy agored i gael damwain.

Wrth nesu at y tŷ, gwelai Efa fan Christian wedi'i pharcio o'i flaen, a daeth ton o ddiflastod drosti. Roedd meddwdod neithiwr a'r hangofyr heddiw wedi bwrw'r euogrwydd o'r neilltu am ychydig ond dyma fe'n ôl nawr yn gryfach nag erioed. Teimlodd Efa am y tro cyntaf mai'r unig ffordd y gallai hi gael ei wared bellach oedd drwy gyfaddef y cyfan wrth Ceri, gosod ei throsedd ger ei bron a chydnabod ei bai yn llwyr heb geisio defnyddio'r weithred, fel y bu mor ffôl â meddwl unwaith yn ei thymer, fel arf i gadw Ceri gyda hi. Hyd yn oed os oedd perygl y byddai'n colli Ceri drwy ddweud wrthi, doedd dim dyfodol arall. Doedd chwe wythnos ddim wedi lleddfu dim ar gancr yr euogrwydd oedd yn ei bwyta'n fyw.

'Oh God, no!' gwaeddodd Mr Mukherjee wrth wthio'i ben

at ffenest flaen y car i weld yn well. Ceisiodd Efa ddilyn ei edrychiad.

Yn y cae rhwng y ddau ddyddyn, roedd buwch Mr Mukherjee'n gorwedd ar ei hyd.

'Beth sy'n bod arni? Yw hi'n iawn?'

Heb allu ei hateb, stopiodd Mr Mukherjee y car a rhedeg allan i'r cae gan adael y drws yn hongian ar agor.

Dilynodd Efa, gan obeithio mai cysgu oedd y fuwch, dim mwy na hynny. Roedd hi'n cofio'r gofal roedd Mr Mukherjee wedi'i ddangos tuag at ei anifail cyn mynd i ffwrdd a'i adael am y tro cyntaf erioed. Roedd e wedi gofalu llenwi'r preseb â gwellt a'r cafn â dŵr glân. Droeon, roedd e wedi cerdded ffin y cae bach oedd ganddo, gan ofalu nad oedd modd yn y byd i'w fuwch ddianc.

Nid dianc oedd y broblem. Gorweddai Mr Mukherjee drosti a'i ddwy fraich amdani a'i glust at ei hystlys.

'Beth ddigwyddodd?' sibrydodd Efa. Gwyddai na allai Mr Mukherjee ateb y cwestiwn a'i bod, drwy ei ofyn, yn amharu ar ei ymdrech i weld oedd y fuwch yn dangos unrhyw arwydd o fywyd. Ni thrafferthodd Mr Mukherjee i'w hateb ta beth. Gwthiodd y fuwch drosodd fel ei fod yn gallu edrych ar yr ochr arall iddi. Dim byd.

Ceisiodd Efa feddwl am rywbeth buddiol i'w wneud, ond ar wahân i atgyfodi buwch, gweithred nad oedd o fewn ei gallu, doedd dim y gallai hi ei wneud.

Crychodd Mr Mukherjee ei dalcen arni fel pe na bai'n gallu deall bod y fath beth yn bosib.

'Mae hi wedi marw,' cyhoeddodd yn ddistaw.

'Ffonia i'r fet.'

'I beth? Mae hi wedi marw.'

'Ond sut?'

'Dim syniad. She was quite well… nothing wrong with her… I turn my back on her, and she dies.'

Gorweddodd Mr Mukherjee i lawr wrth ymyl y fuwch unwaith eto heb boeni dim ei fod e'n baeddu ei jîns a'i siwmper gwddw-V.

Ar ôl eiliadau, penderfynodd Efa na allai hi gynnig cysur i'w chymydog ar hyn o bryd ac mai gadael iddo oedd garedicaf. Anelodd at ei thŷ.

'Mae buwch Mr Mukherjee wedi marw.'

'"Helô bawb, dwi gatre" o'n i'n ddisgwyl,' meddai Ceri'n sarcastig wrth ddod allan o'i hystafell wely a Christian wrth ei chwt. Ond roedd hi'n gwenu. Aeth ati i dynnu coes ei mam.

'Wel? Shwt amser gest ti 'da fe 'te? Odi fe wedi gofyn i ti 'i briodi fe? Neu jyst mynd bant 'da'ch gili am dyrti wîcend oedd e, *no strings attached*? Gallwch chi bonco man 'yn, chi'n gwbod. Odi Hindws yn ca'l bonco cyn priodi?'

'O'ch chi'n gwbod 'i bod hi wedi marw?'

'Pwy?'

'Buwch Mr Mukherjee.'

'Shwt fydden i'n gwbod?'

'Christian?'

'Wha'?'

'Did you know?'

'Know wha'?'

A dyna pryd y trawodd y gwirionedd Efa. Fyddai buwch iach ddim yn marw, fel 'na, dros nos fwy neu lai, heb i rywun fod wedi gwneud rhywbeth iddi.

'That Mr Mukherjee's cow is dead.'

Ac roedd hi'n hollol amlwg pwy fyddai wedi gwneud hynny.

'No.'

Byddai hwn wedi bod wrth ei fodd yn dod o hyd i ffordd o'i rhybuddio hi i gadw ei cheg ar gau am bethau. Ac roedd Ceri, siŵr iawn, wedi bod yn peintio darlun a roddai gamargraff iddo o berthynas ei mam â'r dyn drws nesaf.

Pa ffordd well o roi rhybudd, heb dynnu gormod o sylw, na thrwy frifo'i chymydog a'i chyfaill?

'How could you not notice?'

Roedd hi'n ymwybodol ei bod hi'n codi ei llais.

Ac roedd gan hwn frodyr, dau neu dri o'r diawliaid. Gallai'n hawdd ddychmygu mai pethau'r National Front 'na oedden nhw, neu beth bynnag oedd wedi cymryd lle hynny heddiw, y British National Party, gwehilion hiliol, twp. Byddent wrth eu boddau'n brifo rhywun gwahanol iddyn nhw, y bastards diegwyddor. Ond tynnodd Efa y ffrwyn ar ei thymer. Araf bach mae dal gwybedyn – os oedd hwn yn haeddu cael ei ddyrchafu i'r fath statws aruchel yn y gadwyn esblygiadol.

'O'dd y fuwch yn gorwedd. Fydden i ddim wedi meddwl 'i bod hi wedi marw os o'dd hi'n gorwedd,' ceisiodd Ceri ymresymu.

'Ma gorwedd marw yn wahanol i orwedd gorwedd,' meddai Efa.

'Nag yw ddim,' dadleuodd Ceri. 'Ddim os nad wyt ti'n edrych yn ofalus.'

'Wha's goin' on?' holodd Christian. 'Don't speak that lingo.'

Trodd Efa ato. Byddai angen iddi fod yn santes i gnoi ei thafod rhag mynd benben â hwn. Ac roedd Efa'n siŵr o un peth: doedd hi ddim yn santes.

'Are you telling us not to speak our own language now?'

'No, just…'

'Shut up you ignorant little English cunt.'

Nid actio oedd Ceri wrth iddi rythu ar ei mam â'i cheg led y pen ar agor.

'You killed that cow. You and your brothers, you killed the cow because you're racists.'

'Nhw yn racist!' ebychodd Ceri.

'What poison did you use? Looked it up on the internet, did you? How to kill a cow.'

'Mam! Wyt ti'n gall?'

'You killed the cow to make sure I wasn't going to spill the beans.'

'Pwy *beans*?'

Doedd Efa ddim wedi tynnu ei llygaid oddi ar Christian. Doedd dim troi 'nôl nawr. Roedd hi wedi penderfynu dweud y gwir wrth Ceri cyn dod i mewn i'r tŷ. Sylweddolai Efa hynny nawr, ar ôl gweld y fuwch farw a gwybod mai hwn wnaeth, pa un a oedd Ceri'n gwybod ai peidio.

''Wy moyn i ti wbod shwt fachan yw hwn,' meddai Efa.

'Fydde fe byth wedi lladd y fuwch. Fydde fe byth.'

'Na fydde fe? Shwt ti'n gwbod?'

'Wha's goin' on?' holodd Christian eto, yn uwch y tro hwn. 'Don't listen to her,' meddai wrth Ceri. 'She's full of shite, don't listen to her.'

Roedd y diawl yn crynu yn ei esgidiau.

'Weda i wrthot ti shwt…'

'Don't you dare!'

'Dare what? What's going on?' Gwelai Ceri fod Christian yn deall mwy ar bethau na hi.

'Weda i wrthot ti shwt alle fe fod wedi lladd y fuwch,' meddai Efa, 'a pham bydde fe wedi lladd y fuwch.'

Oedodd am eiliad. Rhaid bod ffordd well o wneud hyn. Nid dyma oedd ganddi mewn golwg wrth ddychmygu cyfaddef wrth Ceri. Ond roedd y cwdyn 'ma wedi sbwylio pethau unwaith eto.

'She's just a twisted, spiteful cow, you said so yourself,' meddai Christian wrth Ceri i geisio atal y llif. Doedd eironi ei ddewis o drosiad anifeilaidd ddim i'w weld yn ei daro. 'Don't listen to a word she says.'

'Ladde fe'r fuwch i'n rhybuddio i i gadw 'ngheg ar gau.'

'Am beth?' Roedd dychryn yn llygaid Ceri.

'You gotta…'

'Shut up, Christian!'

Ceri'r tro hwn. Rhyngddi hi a'i mam roedd yr unig sgwrs roedd Ceri am ei chlywed bellach.

'Ceri,' dechreuodd Efa. ''Wy wedi neud rhwbeth fydda i'n difaru am weddill 'y mywyd. 'Wy moyn i ti ddyall mai 'i neud e 'nes i, ar y pryd, i ti ga'l gweld shwt un yw hwn.'

'I'm off.'

Anelodd Christian at y drws. Ond camodd Efa o'i flaen i'w rwystro. Gafaelodd Christian ynddi'n giaidd, ond rhoddodd Efa ei holl bwysau yn erbyn y ffrâm i'w rwystro. Roedd e'n gwasgu ei breichiau'n galed.

'Isie i ti weld shwt un yw e o'n i. Drych, Ceri, drych shwt un yw e.'

Roedd e'n ei hysgwyd i gau ei cheg. Ond doedd e ddim yn llwyddo.

'Achos bo fi ddim moyn i ti fynd bant gydag e, 'na pam 'nes i fe. Gysges i 'dag e. Gysgodd e 'da fi. A do'dd dim gwaith perswadio arno fe.'

Heb wybod beth oedd yn dod o'i cheg, wyddai Christian ddim yn iawn a oedd y bom wedi disgyn ai peidio. Ond pan welodd yr olwg o arswyd ar wyneb Ceri, a'i sodrodd at y llawr am eiliadau maith, yn raddol fe wawriodd ar Christian fod y gwir wedi'i ddatgelu.

Yna llamodd Ceri at ei mam i'w hyrddio, gyda help Christian, o'r drws, a bron na hedfanodd Efa at gornel y bwrdd, lle tarodd ei phen uwch ei llygaid a thynnu gwaed.

*

Wyddai hi ddim a fu'n anymwybodol ai peidio. Clywai Christian yn ystafell Ceri yn erfyn arni i wrando ar ei ochr ef i bethau, a Ceri'n gweiddi arno i symud o dan draed. Clywai ddroriau a drysau'n cael eu hagor a'u slamio ar gau.

Yna, roedd Mr Mukherjee yn sefyll uwch ei phen.

'Y fuwch…' meddai Efa wrtho a theimlo'i thafod yn floesg. 'Poisoned… she was.'

'Of course she wasn't poisoned,' meddai Mr Mukherjee. 'What on earth gave you that idea?'

Doedd gan Efa ddim taten o ots fod golwg y diawl arni, ei gwallt yn y cwt uwch ei llygaid a'r gwaed a cholur du y noson cynt yn gymysg â'r dagrau ar hyd ei hwyneb.

'O'dd hi'n holliach,' dechreuodd ddadlau ag e.

'Ond ddim *poison*,' meddai Mr Mukherjee cyn iddi allu dweud rhagor. 'Ydych chi'n gall?'

Trodd Efa i geisio ei wthio allan o'i chegin. Y peth diwethaf oedd ei angen arni nawr oedd rhywun i gadarnhau pa mor wallgof oedd hi. Gafaelodd Mr Mukherjee yn ei breichiau i'w gwthio'n ôl i'w chadair gan nad oedd ganddo unrhyw fwriad o'i gadael, ac am unwaith wnaeth e ddim ildio'n llywaeth i ewyllys rhywun arall.

Dechreuodd dynnu ei gwallt yn ofalus iawn o'r cwt.

Eglurodd wrthi'n dawel bach nad oedd hi'n rhyfedd bod y fuwch wedi dod i ddiwedd ei hoes a hithau mewn gwth o oedran. Doedd e ddim yn siŵr iawn faint oedd ei hoed hi pan ddaeth hi ato fe, ond roedd hynny bymtheg mlynedd yn ôl, felly ni allai fod yn ddim byd ond hen iawn. Ac wrth ddweud ei bod hi'n iach cyn iddyn nhw adael am Gaerdydd, dweud oedd e ei bod hi mor iach ag arfer o ystyried ei hoed mawr. Yr unig beth oedd yn rhyfedd – neu'n anffodus – oedd mai yn ystod yr unig ddeuddydd y bu ef i ffwrdd oddi wrthi erioed y bu farw'r fuwch yn y diwedd.

'Ond falle fod hynny'n gwneud synnwyr,' meddai wedyn. 'Doedd hi ddim eisiau i fi orfod ei gweld hi'n marw.'

Cododd Mr Mukherjee i estyn lliain glân o ddrôr wrth y sinc i sychu wyneb Efa. Rhedodd ychydig o ddŵr drosto cyn ei osod yn dyner ar y briw.

'Fe gysges i 'da fe,' meddai Efa. Doedd hi ddim yn mynd i allu peidio cyfaddef wrth ei chymydog, beth bynnag fyddai effaith ei chyffes. 'Gyda Christian.'

Disgwyliai iddo ofyn am eglurhad ynglŷn â beth yn union oedd hi'n ei feddwl wrth 'cysgu', ond pa un a ddeallai ai peidio, ni roddodd y gorau i'w nyrsio.

Gadawodd iddi siarad. Synnwyd Efa: llifai'r geiriau ohoni'n eithriadol o rwydd wrth ystyried maint ei chamwedd.

Ac wrth iddi adrodd ei stori, roedd Efa'n dad-wneud gwaith Mr Mukherjee o olchi'r briw a'r colur drwy ailddechrau llefen.

'A nawr ma Ceri'n mynd i 'ngadel i.'

Ar ôl iddi orffen siarad, gosododd Mr Mukherjee y lliain ar y bwrdd a'i ddwylo ar ei arffed, un yn y llall, ac anadlu'n ddwfn cyn dechrau siarad o'r diwedd. Roedd hi'n amlwg ei fod wedi bod yn pwyso a mesur yn ddwys yr hyn roedd e am ei ddweud.

'You stupid woman.'

Ysgydwodd ei ben yn anobeithiol. Gwyddai Efa, ar ôl aros mor hir am ei ymateb, mai dyma'n union beth roedd Mr Mukherjee yn ei feddwl ohoni.

Anadlodd Efa'n ddwfn a gwthio'r gwayw a deimlodd wrth glywed ei eiriau o'r neilltu: dyna, wedi'r cyfan, oedd hi. Sut yn y byd allai hi anghytuno ag e?

Plygodd ei phen yn ei chywilydd a sibrwd: 'A moment of madness.'

Oedodd Mr Mukherjee eto cyn ei hateb.

'No, not a moment. A moment passes quickly. You have more than moments of madness.'

Wedyn, cododd Mr Mukherjee a mynd allan.

*

Lluchiai Ceri bob dilledyn y gallai gael ei bachau arno i mewn i hen gês rhacs a ddylai fod wedi cael ei daflu i'r bin flynyddoedd ynghynt.

Daeth Efa i mewn o'r gegin wrth i Christian fynd â bag plastig o bethau Ceri allan i'r fan. Edrychodd e ddim arni wrth ei phasio ond roedd holl sylw Efa ar Ceri ta beth.

'Alli di ddim mynd,' meddai Efa gan geisio'i gorau i beidio codi'i llais. Roedd hi am i hyn fod yn wahanol, am i drac yr olygfa redeg ar drywydd na fentrwyd ar hyd-ddo cyn hyn. Ceisiodd lyncu ei gwylltineb a rhesymu â'i merch.

Bwriai Ceri ati fel corwynt i roi cymaint o'i heiddo â phosib mewn bagiau neu gesys er mwyn cael cau'r drws ar ei mam unwaith ac am byth.

'Pryd byddi di 'nôl?' holodd Efa, gan wybod mai brifo ei hun a wnâi o ofyn. Ebychiad yn unig gafodd hi'n ateb.

Ar hynny, cerddodd Shelley i mewn a syllu mewn rhyfeddod ar Ceri'n lluchio dillad i'r cês.

'Ti'n mynd ar wylie?' holodd a'i llygaid yn fawr.

'Nagw. Mynd bant 'wy,' eglurodd Ceri wrthi.

'O,' meddai Shelley. 'I ble?'

'Birmingham,' atebodd Ceri, a chadarnhau ofnau gwaethaf Efa.

''Wy'n lico Birmingham,' meddai Shelley ar ôl eiliad o ystyried.

'Wel, so ti'n ca'l dod,' meddai Ceri.

''Wy ddim moyn dod,' meddai Shelley'n bwdlyd. ''Da Christian ti'n mynd?'

'Nage,' meddai Ceri'n finiog. ''Da Mr Mukherjee drws nesa! Wrth gwrs, 'da Christian! 'Da pwy arall fyddet ti'n feddwl bydden i'n mynd?'

'Dy fam?' holodd Shelley ac edrych ar Efa.

'Mynd bant oddi wrth 'yn fam 'wy,' meddai Ceri. 'Os galli di alw hi'n fam i fi. Hwren alwen i hi. Hwren fach bathetig.'

Roedd llygaid Shelley'n anferth a'i cheg hi'n grwn mewn syndod wrth edrych ar Efa. Cadwodd Efa ei hwyneb yn ddifynegiant yn ei hymdrech i beidio â dilyn ei thrywydd arferol o wylltio a llefen. Doedd ganddi ddim egni ar ôl, ta beth, i wneud y naill na'r llall.

'God!' ebychodd Shelley yn y diwedd. 'Beth sy wedi bod yn mynd 'mla'n 'ma?'

'O, synnet ti,' meddai Ceri wrthi ac estyn dau fag plastig yn llawn o golur a bocsys tampons i Shelley eu cario o'r ystafell. Cliciodd y cês ar gau, gyda darnau o ddillad yn hongian allan o'i ochrau, ac aeth allan o'r ystafell wely.

Anadlodd Efa'n ddwfn a gorfodi'r dagrau yn eu holau i'w phen, a oedd yn llawn ohonyn nhw. Aeth allan ar ôl y ddwy.

'Ailystyria,' meddai Efa wrth ddod i mewn i'r lolfa lle roedd Ceri'n tynnu manion o'i heiddo oddi ar silffoedd a'u lluchio i fagiau. 'Fe wna i unrhyw beth i neud iawn am beth 'nes i. Aros 'ma. Ddown ni drosto fe.' Oedodd. 'Fe geith Christian ddod man hyn i fyw 'da ti os oes well 'da ti. Fe gadwa i chi'ch dau.'

Roedd hi'n ymwybodol ei bod hi'n is na baw'r domen, ac yn cynnig troi ei hun yn forwyn i'r ddau, unrhyw beth er mwyn cadw Ceri.

'Rhy hwyr,' meddai Ceri.

'Dyw hi byth yn rhy hwyr. Rho un cyfle arall i fi.'

Clywodd Efa sŵn fan Christian yn refio y tu allan a gwyddai fod yn rhaid i unrhyw beth a newidiai feddwl Ceri ddigwydd o fewn y funud nesaf.

'Dwi eriôd wedi begian arnot ti...' dechreuodd.

'Ti'n begian arna fi rownd y blydi rîl,' cywirodd Ceri hi. ''Wy ddim yn mynd i ddadle, 'wy'n mynd.'

'Alli di ddim. Ti ddim wir yn 'i garu fe, mynd 'dag e i'n sbeito fi wyt ti – 'na i gyd, dyw e ddim werth e. Ers y dachre, sdim byd rhynto chi mewn gwirionedd, ti'n 'i iwso fe ers y dachre un i dreial 'y ngwylltio i. Iawn! Ti wedi llwyddo. Ti wedi 'ngwylltio i. Plis, gewn ni symud 'mla'n nawr? 'Mla'n i'r gêm nesa os ti moyn, ond gadawa iddo fe fynd 'i hunan i

Birmingham, gadawa fe fynd, Ceri. Arosa fan 'yn 'da fi, a 'da Shelley. Paid towlu dy fywyd bant jyst er mwyn sbeito fi. Sbeito dy hunan ti'n neud fel 'ny.'

'Rhy hwyr,' meddai Ceri eto, wrth i wên fach faleisus wawrio ar ei gwefusau. ''Wy'n dishgw'l 'i fabi fe.'

'Ffocin nora!' meddai Shelley ymhen eiliadau, wedi iddi ddeall beth oedd Ceri newydd ei ddweud.

*

Eisteddai Ceri yn y fan, yn sedd y pasinjyr, ac roedd Shelley yn y cefn ar ôl i Ceri gynnig pas iddi i lawr i'r pentref. Aeth Efa i sefyll o flaen y bonet fel na allai Christian yrru yn ei flaen heb fynd drosti.

Rhoddodd Ceri ei phen allan drwy'r ffenest.

'A fwy na hynny, 'wy'n mynd i fagu fe'n Sais. Ond dyw e ddim yn mynd i neud unrhyw wa'nieth i ti, Mam, achos ti byth yn mynd i ga'l 'i weld e, ta beth.'

Refiodd Christian yn swnllyd, cyn bacio 'nôl a throi'r fan yn ddigon cyflym i allu pasio Efa o drwch blewyn. Gwegiodd hithau wrth i'r fan sgrialu i lawr y lôn oddi wrthi.

Roedd Mr Mukherjee yn sefyll yn nrws ei dŷ, wedi gweld y cyfan.

25

'SUT GALLET TI?'
Roedd wyneb Marcus bron yn cyffwrdd â'i wyneb e a doedd Patrick erioed wedi gweld y fath olwg ffyrnig ar ei fab.

'Eisiau gwneud yn siŵr na fyddet ti'n difaru…'

'Ymyrryd! Dyna ti'n neud. Drwy'r amser. Ymyrryd yn 'y mywyd i. Dwi'n ddau ddeg pump. Yn ddigon hen i neud 'y mhenderfyniadau fy hun, diolch yn fawr.'

Roedd Marcus wedi cerdded i mewn a mynd yn syth at ei dad. Gwyddai Patrick nad oedd unrhyw fath o bwynt ceisio gwadu neu esgus na wyddai am beth roedd ei fab yn sôn. Gwyddai mai hon oedd y senario waethaf o'r rhai a ddychmygodd, ond roedd ynddo ffydd y dôi Marcus i weld pethau'n wahanol wrth i'r blynyddoedd fynd rhagddynt. Ni fyddai Patrick wedi gallu maddau i'w hun pe bai wedi gwneud dim byd.

''Y mhenderfyniad i oedd e,' meddai Marcus eto.

Fe dawelith, meddyliodd Patrick, mae'n hollol naturiol ei fod e wedi gwylltio nawr. Fe ddaw i weld.

'Beth sy'n mynd 'mlaen 'ma?'

Daeth Sheila i ddrws y lolfa a menyg garddio am ei dwylo a *secateurs* yn ei llaw. 'Glywes i sŵn.'

'Dad!' poerodd Marcus. 'Wedi bod yn ymyrryd unwaith 'to.'

'Beth mae e wedi neud?'

'Anfon e-bost at Beca, dyna i gyd,' meddai Patrick. 'Fe weles i 'i chyfeiriad hi ar liniadur Marcus bore 'ma a meddwl y gallen i ofyn iddi am gyfarfod. Un cyfarfod. 'Na i gyd o'n i moyn oedd gwneud yn siŵr bod cil y drws ar agor i Marcus os neith e newid 'i feddwl am bethau.'

'Busnesa yn 'i gyfrifiadur e…?' holodd Sheila gan edrych ar Patrick mewn braw, fel pe na bai wedi clywed dim o'i reswm dros wneud hynny.

'Dim ond i edrych am 'i chyfeiriad hi.'

Dechreuodd Marcus chwerthin fel dyn lloerig. Gwyddai Patrick ei fod e wedi gwylltio'n gacwn, ond doedd e ddim wedi disgwyl y fath gasineb yn Marcus. Casineb nad oedd e wedi'i deimlo erioed o'r blaen gan ei fab.

'Yr idiot!' saethodd Marcus i'w gyfeiriad, nes bod Sheila'n tynnu gwynt clywadwy.

'Marcus!' ceryddodd.

'Ddim yr un Beca yw hi.'

Ni allodd Patrick brosesu'r wybodaeth ar unwaith. Aeth Marcus yn ei flaen i daflu mwy o oleuni ar y mater, gan gamu o gwmpas y lolfa wrth siarad mewn ymgais i ffrwyno'i dymer.

'Nid Beca Green yw Beca mam y babi. Dwi ddim hyd yn oed yn gwbod beth yw cyfenw Beca mam y babi. Fe wnaeth hi a finne bwynt o beidio gofyn a pheidio dweud. Pan ddwedais i nad oes unrhyw gysylltiad rhyngddon ni, ro'n i'n ei feddwl e. Fe roddes i rif fy mobeil iddi gael anfon neges i ddweud eu bod nhw'n iawn. Dyna'r cyfan sydd ganddi. Fy rhif ffôn i. Does 'da fi ddim byd i gysylltu â hi.'

Rhwbiodd Patrick ei lygaid fel nad oedd raid iddo edrych ar ei fab na'i wraig. Clywodd chwerthiniad llawn casineb o gyfeiriad Marcus eto. Rhwbiodd Patrick ei drwyn. Doedd e ddim yn mynd i ddweud gair am nad oedd dim i'w ddweud. Roedd e'n ceryddu ei hun am fod mor dwp â methu rhag-weld senario waeth na Marcus yn dod i wybod am ei ymdrech i gysylltu â Beca. Byddai wedi gallu dioddef tymer ei fab o wybod bod lles uwch yn mynd i ddeillio o'i weithred yn y tymor hir. A nawr roedd Marcus yn gwybod, a Patrick heb lwyddo i ddod i gysylltiad â'r Beca gywir hyd yn oed – roedd hon yn waeth na'r un senario arall.

'Diolch i'r nefoedd, fe e-bostiodd Beca Green fi'n ôl yn syth cyn dweud wrth neb arall am dy e-bost di. Mae hi'n byw yn Llundain a ddim yn ffrind digon agos i wybod pwy wyt ti, achos dwi wedi gorfod dweud wrthi dy fod di'n dioddef o *dementia*.'

Sylwodd Patrick na lwyddodd Sheila i guddio chwerthiniad digon gwawdlyd – ar ei gownt e.

'Doeddet ti ddim yn bell o dy le, fyswn i'n dweud,' meddai Sheila wedyn i gadarnhau amheuaeth Patrick nad oedd gan ei wraig unrhyw gydymdeimlad ag ef y tro hwn.

Aeth Marcus allan heb oedi eiliad yn rhagor. Ceisiodd Sheila estyn ei llaw i'w gyffwrdd ar ei ysgwydd wrth iddo fynd, ond wnaeth Marcus ddim oedi i aros am ei choflaid. Doedd e ddim yn debygol o ddal dig yn erbyn ei fam wedi i'w dymer ostegu, gwyddai Patrick hynny, er ei fod yn ofni na fyddai pethau yr un fath rhyngddo fe a Marcus byth eto.

'Beth oeddet ti'n ddisgwyl?' gwaeddodd Sheila arno wedi i Marcus fynd. Doedd hi byth yn gweiddi, byth yn arfer troi ar Patrick. 'Beth, mewn difri, oeddet ti'n 'i ddisgwyl?'

Eisteddodd Patrick a rhoi ei ben yn ei ddwylo.

'Ti yw dy elyn pennaf dy hunan,' saethodd Sheila ato wedyn i wneud yn siŵr ei fod e wedi marw.

'Paid,' gwingodd Patrick heb godi ei ben. 'Dwi ddim angen i ti ddweud wrtha i beth dwi'n wybod yn barod.'

'Wyt ti'n gwbod, dyna'r peth,' daliodd Sheila ati. 'Wyt ti wir yn gwbod? Achos fe gredes i dy fod ti wedi derbyn pethe neithiwr, a'r peth nesa wyt ti'n wneud, y peth nesa un – yw hyn!'

'Ond ddaeth dim byd ohono fe,' dechreuodd Patrick ddadlau 'nôl, a chododd ar ei draed fel pe bai'n darlithio. 'Dyw Beca, mam y babi, ddim callach. Wnes i ddim drwg yn y diwedd. Drwy ddamwain, efallai, ond dyna yw'r canlyniad mewn termau real.'

'Wyt ti wir yn credu hynna?' Roedd Sheila wedi nesu ato a'i llygaid ar dân. 'Wyt ti wir yn credu hynna? Beth am y niwed i dy berthynas di a dy fab? Dydi hynny ddim yn cyfri?'

Roedd hi'n ei bwnio yn ei frest. A hithau'n sefyllfa mor ddieithr iddo, gadawodd Patrick iddi am eiliad neu ddwy. Yna gafaelodd yn dyner yn ei breichiau.

'Mae Marcus wedi dy addoli di ers pan oedd e'n beth bach,' meddai Sheila'n ddagreuol, gan dynnu'n rhydd oddi wrtho.

'Pam mai at James y trodd e i siarad am y pethe 'ma 'te?'

'Hynna sy'n dy wylltio di?'

'Nage, siŵr. Ond mae e'n un peth. Pam na alle fe fod wedi dod ata i i sôn am yr awydd 'ma sydd ynddo fe i weld Eve?'

'Digwydd siarad 'da James nath e, 'na i gyd. Ei weld e tra oedd e draw yn Llundain. Beth sy'n bod arnat ti, Patrick? Pwy glywodd am genfigen rhwng brodyr yn eu saithdegau?'

Aeth Patrick ddim i'w chywiro nad oedd e eto'n saith deg. Ceisiodd fynd ati a gosod ei ddwylo ar ei hysgwyddau, ond ysgydwodd Sheila ei hun yn rhydd o'i afael ar unwaith.

26

ROEDD SHELLEY WEDI mynd allan o'r fan cyn i Ceri ganiatáu i'r dagrau redeg.

Bron na fyddai wedi chwerthin yn lle crio. Chwerthin fel rhywbeth ddim yn gall wrth ddychmygu'r darlun o Christian ar ben ei mam. Bron na fyddai wedi sgrechian chwerthin am ben yr olygfa.

Ond llefen roedd hi. Gwelai ddwylo Christian yn crynu ar lyw y fan. Ni fentrai yngan gair wrthi. Gwyddai Ceri gystal ag yntau nad oedd dim y byddai wedi gallu'i ddweud yn mynd i wneud unrhyw wahaniaeth. Roedd ffeithiau moel yr holl wirionedd ffiaidd wedi'u datgelu yn Nhy'n Mynydd.

Ni fedrai ddirnad graddau atgasedd Efa tuag ati o fod wedi gallu gwneud y fath beth. Roedd mamau benben â'u merched ym mhob man, rhai ohonyn nhw'n ymyrryd ym mywydau eu merched nes creu pob mathau o annibendod. Ond roedd hyn yn waeth nag unrhyw ymyrryd arall. Petai Efa wedi'i thagu mewn ffit sydyn o dymer, byddai hynny wedi bod yn fwy dealladwy na munudau cyfan – oriau? – o fwriad a chynllwyn i'w bradychu yn y ffordd fwyaf ffiaidd oll.

Roedd hi'n ymwybodol o'r pwys yn ei stumog. Ystyriodd ofyn i Christian stopio'r fan iddi gael chwydu, ond doedd hi ddim am siarad ag e.

Wrth i'r fan droi i mewn i'r lôn at Whitesands, daeth yn ymwybodol fod Christian yn ceisio dweud rhywbeth wrthi.

'It wasn't like you think it was,' meddai yn y diwedd.

Doedd gan Ceri ddim syniad sut roedd hi'n meddwl i bethau

ddigwydd, na thamaid o eisiau meddwl am y peth yn ei erchylltra graffig.

'She made me do it. She didn't want me to take you away so she…'

Stopiodd. Fedrai e ddim llusgo'i hun yn ôl i'r olygfa chwaith.

'I hate you!' saethodd Ceri ato, a sylweddoli wrth iddi ei ddweud nad oedd hynny'n wir. I gasáu Christian am wneud y fath beth, byddai'n rhaid iddi fod wedi meddwl mwy o'r bachgen yn y lle cyntaf nag roedd hi mewn gwirionedd. Ond roedd hi'n casáu ei mam: doedd dim amheuaeth yn ei meddwl ynglŷn â hynny.

'But you came with me,' mentrodd Christian.

Daeth awydd ar Ceri i agor drws y fan a neidio allan. Doedd hi ddim tamaid o eisiau bod gydag e fwy nag oedd hi rithyn o eisiau bod yn Nhy'n Mynydd.

Ond i ble'r âi hi? Roedd yn rhaid iddi naill ai fod yn Nhy'n Mynydd neu fod gyda Christian: roedd hi'n ormod o gachgi i fod ar ei phen ei hun, ac roedd hi'n casáu ei hun yn waeth na neb oherwydd hynny.

Meddyliodd dros y celwydd roedd hi newydd ei daflu i wyneb ei mam – o ble daeth hynna? Synnodd at ei dyfeisgarwch ei hun yn dod o hyd i'r bicell finiocaf un y gallai ei thaflu at Efa, yr un fyddai'n lladd ei hysbryd yn llwyr.

Rhaid mai'r ofnau a fu'n hel ar ymylon ei hymwybyddiaeth oedd yn gyfrifol am iddi leisio'r fath beth. Gwyddai ers y bore 'ma fod ei misglwyf yn hwyr, ers iddi fynd i'r drafferth o gyfri'r dyddiau. Ond roedd hi'n hwyr fel hyn rownd y rîl, yn aml gryn dipyn yn hwyrach. Y drwg oedd mai dim ond ers iddi gwrdd â Christian y bu achos iddi boeni.

Gadawodd i'w hun feddwl am y posibilrwydd am eiliad – a dod i'r casgliad unwaith eto y byddai'n slap well na'r un i'w mam pe bai hi'n feichiog go iawn.

Yn y cyfamser, tra byddai hi'n aros am y gwaed, câi ei mam ddioddef – a pharhau'n hir heb gael gwybod. Âi sawl mislif arall heibio cyn y câi ei mam wybod nad oedd yn cario babi.

'We'll go to Birmingham tomorrow,' meddai Ceri wrth Christian yn bendant gan sychu ei dagrau. Roedd dyddiau 'We'll see' wedi hen ddod i ben.

27

DOEDD E DDIM yn siŵr am ba hyd y bu e'n cerdded ond roedd hi'n rhai oriau, fe fentrai. Cerddodd i gyfeiriad canol y ddinas ac i Barc Bute ac ar ôl dod allan anelodd yn ei ôl am Heol y Gadeirlan, ac i lawr y stryd fach ochr a arferai fod mor gyfarwydd.

Doedd e ddim wedi bwriadu glanio lle gwnaeth e, ond doedd e ddim yn ymwybodol chwaith ei fod e'n ceisio osgoi'r lle. Tra bu'n cerdded, ceisio rhoi pethau allan o'i ben roedd e, ceisio anghofio'i fod e bellach yn dad-cu. A pho fwyaf roedd e'n ceisio anghofio pa mor hen oedd e, a'r ffaith fod dwy genhedlaeth yn ei ddilyn nawr, mwyaf i gyd roedd e'n teimlo'i oed.

Nid dim ond babi'r Beca 'na oedd ar ei feddwl chwaith. Roedd tafod Sheila – tafod lem Sheila, na wyddai ei bod hi'n gallu bod mor gas – wedi'i ysgwyd. Waeth pa mor awyddus oedd Marcus i beidio â chreu crych o gwbl ar wyneb y dŵr yn sgil damwain cenhedliad y babi, roedd popeth wedi newid. Doedd dim posib iddyn nhw beidio.

Roedd Sheila'n newid, a Marcus ei hun er ei waethaf, a Patrick yntau hefyd. Pam arall y byddai wedi mynnu dweud wrth Marcus am Eve, a thrwy hynny ddweud wrth Sophie hefyd? Roedd y datgeliad wedi chwalu'r bywyd braf, bodlon roedden nhw'n ei fyw, bob un ohonyn nhw. Nid dyna'i fwriad, wrth gwrs: ei fwriad oedd cadw'r anniddigrwydd roedd e'n hen gynefin ag e am Eve y tu mewn iddo, fwy neu lai yn hollol gudd. Roedd Sheila wedi byw gyda'r peth, ond doedd hi ddim wedi rhoi'r argraff ei fod yn fwy o broblem na bod Patrick weithiau â'i feddwl ymhell neu â'i ben fymryn bach yn ei blu. Rhywbeth a basiai heibio oedd y cyfan. Trwy rannu'r wybodaeth â Marcus a Sophie, roedd e wedi agor y drws ar lifogydd na wyddai ble roedd eu pen draw.

Ynddo ef ei hun hefyd, roedd y meddyliau'n cynyddu. Bob dydd, roedd e'n byw yn y gorffennol, yn gofyn iddo'i hun: beth os, beth os...? Hyn a hyn o siarad â Jason oedd yn bosib. Ac yntau heb ddweud y gwir i gyd yn grwn ar y dechrau cyntaf un, doedd dim posib agor y fflodiart ar hynny nawr.

Am a wyddai Jason, roedd Rachel ei wraig wedi cael damwain pan oedd hi'n feichiog, damwain ddifrifol. Ganed y babi a bu farw Rachel.

Dyna'r oll oedd wedi digwydd, meddyliodd Patrick. Y pethau pwysig mewn saith gair. Ac roedd trefn y geiriad yn gywir. Ar hyd y blynyddoedd, roedd Patrick bron iawn â bod wedi argyhoeddi'i hun fod Rachel yn feichiog pan gafodd hi'r ddamwain.

Roedd e o flaen y tŷ. Edrychodd i fyny at y llawr cyntaf lle roedd eu fflat nhw'n arfer bod. Ni fu yma ers iddo adael y lle ar ôl i Rachel farw, ac wrth feddwl hynny aeth gwayw trwy galon Patrick. Sylweddolodd ei fod e'n ei cholli hi fel pe bai hi wedi marw ddoe.

Beth bynnag oedd wedi digwydd ers hynny, roedd e'n dda, meddyliodd Patrick. Roedd y cyfan yn destun cryn hapusrwydd iddo, ac roedd e'n caru Sheila.

Ond roedd y galar yn dal i fachu ar ei wynt heddiw wrth iddo edrych i fyny at y ffenest lle roedd e'n arfer sefyll yn gwylio'r myfyrwyr a oedd yn byw ar draws y ffordd yn mynd a dod, a Rachel yn gaeth i'w gwely y tu ôl iddo.

Ystyriodd roi cnoc ar y drws. Gallai ddweud wrth y sawl a'i agorai am y cariad a fu yma. Gallai ddisgrifio Rachel iddyn nhw, oedi drosti, ei sawru ei hun wrth ei hailgynnau i ddieithryn. Cyfleu beth oedd Rachel, a'i phwysigrwydd iddo. Gallai rannu hyn â rhywun arall, meddyliodd. Roedd e'n teimlo na allai gario'r cyfan y tu mewn iddo heb iddo orlifo, heb i'w gariad oferu ohono, a'r unig ffordd o'i gadw oedd ei rannu.

Yna roedd dagrau'n llifo i lawr ei wyneb, er na chlywai ei hun yn crio o gwbl. Dôi o waelod ei frest. A gwyddai mai dim ond ynddo ef roedd Rachel, ac na allai gyffwrdd yn neb arall fel y cyffyrddodd hi, yn wir fel y cyffyrddai hi o hyd, ynddo ef. Eve – lle bynnag, pwy bynnag oedd hi – oedd yr unig un a allai werthfawrogi hyn, pe digwyddai rannu'r wybodaeth â hi, er nad oedd Eve, chwaith, wedi nabod Rachel.

Dechreuodd ei war frifo o fod yn edrych i fyny ar y llawr cyntaf mor hir.

Daeth yn ymwybodol fod llenni'r fflat ar y llawr gwaelod yn symud. Cerddodd yn ei flaen yn sydyn cyn iddo fethu â gwneud hynny.

*

Roedd e yno yn yr ystafell pan sylwodd Olwen, mam Rachel.

Newydd ddod i mewn oedd e, yn cario paned iddi, ac wedi gosod y cwpan ar y bwrdd bach ar ei ochr ef o'r gwely, cyn oedi a throi at y ffenest i wylio bywyd yn mynd yn ei flaen y tu allan ar y stryd. Byddai rhywun yn chwarae recordiau Jimi Hendrix a Led Zepp ryw ben bob dydd allan o ffenestri uchaf y tŷ gyferbyn â'u fflat, yn yr ystafelloedd lle roedd bylbiau coch a merched â gwalltiau bòb fel Twiggy a ffrogiau *halter-neck* yn chwifio'u breichiau wrth ddawnsio.

Roedd Olwen wrthi'n golchi Rachel, wedi codi ei braich i roi rhwbiad o dan ei chesail, yna'r llall, ac wedi rhedeg y wlanen wleb dros ei gwegil gan ofalu codi'r pentwr gwallt o'r ffordd (ni adawodd Patrick iddyn nhw ei dorri yn yr ysbyty, ac ni wrandawai ar apêl ei fam yng nghyfraith i gael gwneud hynny ar ôl iddo ddod gartre). Roedd hi eisoes wedi codi'r goban las er mwyn cyrraedd ei cheseiliau, a'r defnydd yn un swp ar ei bron, ond doedd hi ddim wedi sylwi.

Golchodd y bronnau a rhyngddynt gan anelu i lawr am ei bol.

Doedd e ddim wedi disgwyl iddi sylwi heddiw, fwy na'r un diwrnod arall pan ymwelai hi a Walter â nhw. Byddai'n ysgwyddo rhai o'i gyfrifoldebau dyddiol e ac yn golchi Rachel yn drylwyr pan ddôi heibio bob wythnos neu ddwy. Ond doedd e ddim wedi disgwyl iddi sylwi heddiw.

Roedd e'n ymwybodol ei bod hi wedi oedi, a dyna pam y trodd ei ben oddi wrth dŷ'r myfyrwyr i weld beth oedd wedi tarfu ar y fam tra oedd hi'n glanhau cnawd ei merch.

Rhythai Olwen ar dwmpyn bol Rachel.

'Mae hi'n disgwyl!' ebychodd.

Daeth rhyw gynneddf hunanwarchodol drosto wrth iddo wthio chwerthiniad dilornus allan o waelod ei wddf.

'Amhosib.'

Cododd Olwen ei phen i rythu arno ac ailadroddodd: 'Mae hi'n disgwyl.'

Ac roedd Patrick yn gwybod hynny, yn gwybod wrth gwrs, ers misoedd. Bu'n maldodi'r twmpyn yn nosweithiol a Rachel yn tawelu wrth iddo'i hanwesu â'i law. Aethai cryn ddeufis os nad tri heibio cyn iddo sylweddoli'n raddol bach dros amser, wrth i amheuaeth fach wawrio'n wybod heb iddo sylwi. Ei gyfrinach ef a hi. Ei wybod ef a neb arall, gan na wyddai hi wrth gwrs – dim ond ei chnawd oedd yn gwybod. Roedd e'n gwybod hefyd na allai gadw'r gyfrinach ac y dôi eraill i wybod, ond doedd dirnad hynny ddim yn ei gyffwrdd mewn gwirionedd.

Roedd y diwrnod pan sylweddolai Olwen ar y gorwel ers sbel.

'Mae hi'n magu bol,' meddai rai wythnosau'n ôl.

'Gwynt,' meddai yntau, bron heb feddwl.

Y tro wedyn: 'Falle dylen ni sôn wrth y doctor.'

'Gwynt,' meddai yntau y tro hwnnw hefyd.

'Dyw gwynt sy'n para fel 'na ddim yn normal,' meddai Olwen bythefnos ynghynt.

A heddiw, tarodd yr eglurhad amhosib hi ar ei thalcen, a gwelodd fod yr amhosib nid yn unig yn bosib ond yn wirionedd. Y gwirionedd mwyaf aflan yn bod.

Gwyddai Patrick fod Rachel yn feichiog ers pum mis, a bod ymhell dros flwyddyn ers y ddamwain. Gwawriodd y sylweddoliad ym meddwl Olwen fel geni Satan ei hun o'i blaen.

Lledwenai Rachel yn angylaidd arni drwy'r tawelwch rhwng Patrick a'i fam yng nghyfraith.

Yna, yn drwsgwl wrth i'r storm ynddi dorri drwy'r hafflau, lluchiodd Olwen y dillad yn ôl dros gorff Rachel a diflannu o'r ystafell.

'Walter!'

Arswyd.

Ni ruthrodd Patrick atynt. Plygodd uwchben Rachel a'i chusanu ar ei thalcen. Pe bai'n cau ei feddwl bron yn llwyr, gallai wneud i'w hun gredu eto y gwyddai pwy a'i cusanodd a gwenu'n ôl arno, fel gwraig yn ei gwely a'i llygaid yn dawnsio uwchben ei gwên o gariad ato.

Yn y lolfa, roedd Olwen wedi'i cholli hi'n llwyr. Ceisiodd Walter ei chysuro drwy ei thynnu tuag ato, i bwyso'i phen ar ei ysgwydd. Ond fynnai hi mo'i gysur. Methai aros yn llonydd. Roedd hi wedi saethu ei newyddion ato yn Gymraeg, ynghyd ag arwyddocâd ei neges, rhag ofn bod Walter yn rhy dwp i allu deall yr holl aflendid. Wrth i Patrick ddod i mewn i'r lolfa, pwyntiodd ei bys ato.

'Sut gallet ti?'

Roedd hi'n crynu drwyddi mewn cynddaredd a'r geiriau'n dod o waelod ei bol.

Ni thrafferthodd Patrick i'w hateb. Nid oedd ganddo'r nerth i sefyll ar ei draed heb sôn am geisio amddiffyn ei hun yn erbyn y llifeiriant o eiriau ffiaidd a ddôi – yn hynod o annodweddiadol

– ohoni. Byddai wedi bod yn ddoniol ei chlywed yn arfer y fath iaith pe bai ganddo'r nerth i deimlo doniolwch.

Disgynnodd i'r soffa a chau ei lygaid rhag gorfod ei gweld yn ogystal â'i chlywed.

'Fe darfest ti arni, a hithe yn 'i gwendid. Y mochyn. Y mochyn budur. Allet ti ddim cadw draw. Allet ti ddim peido ymyrryd â hi, 'i cham-drin hi, y bastard.'

Taniodd araith arall yn Gymraeg at Walter, neu ato ef, wyddai e ddim. Ni ddywedodd Walter air yn fwy na cheisio'i thawelu, ei chysuro, drwy ailadrodd ei henw fel record wedi mynd yn sownd yn yr un rhigol.

'Olwen, O… Olwen…'

Yna teimlodd Patrick rym ei llaw ar draws ei wyneb: 'Edrycha arna i!'

Ymdrechodd Patrick i gadw ei lygaid arni er bod y lludded mwyaf eithriadol yn golchi drosto.

'Ddyle hi ddim bod wedi dod 'nôl 'ma o gwbwl, yn y sbyty oedd 'i lle hi,' gwaeddodd Olwen. 'Fe dreisiest ti hi. Dwed wrtho fe, Walter. Fe dreisiodd e Ratshel, does dim gair arall am beth nath y mochyn. Trais!'

Gwisgai wyneb o arswyd wrth i rym ei geiriau ei hun wreiddio yn ei hymwybod, a thynnodd ei llaw at ei cheg. Doedd Patrick erioed wedi arfer ag ynganiad Cymraeg ei rhieni o enw Rachel.

Cymerodd eiliadau i Walter ailadrodd ei gysur.

'Olwen…'

Dywedodd hithau rywbeth wrtho cyn anelu am y ffôn a'i godi. Deallodd Patrick y gair 'polîs', ond ni adawodd fwy o argraff ar ei deimladau na phe bai hi wedi dweud ei bod hi'n mynd am bisiad.

Safai Walter rhwng y soffa a bwrdd bach y ffôn fel dyn wedi'i ollwng gan gorwynt. Trodd at Patrick, a gwelodd hwnnw'r fath olwg ar goll ar ei wyneb fel yr ofnai ei fod yn mynd i dorri i lawr i grio.

Ni chyffyrddodd yr un o eiriau tanllyd Olwen mohono, cofiai Patrick. Y siom y tu ôl i sbectol Walter a'i trywanodd.

*

Daeth Patrick yn ymwybodol ei fod yn cerdded i gyfeiriad canol y ddinas, i ffwrdd oddi wrth ei gartref, i ffwrdd oddi wrth Sheila.

Heb Rachel, meddyliodd, go brin y byddai e a Sheila wedi cyfarfod. Rhyfedd fel mae llwybrau'n croesi ei gilydd.

Dros wely, gwely angau Rachel, y daethai Sheila i'w fyd, er na wyddai ei bod hi'n gwneud hynny nes ar ôl i Rachel ei adael, wrth gwrs. Dangosodd y nyrs fach ifanc garedigrwydd mawr at Rachel, ac ato ef. Nid pawb fyddai wedi gwneud hynny ato ef.

Daliodd i ymweld â Rachel dros y misoedd y bu hi byw wedi'r enedigaeth. Chafodd hi ddim dod gartre wedyn. Doedd y doctoriaid ddim yn dwp, ac er eu bod yn gwybod yn iawn mai naw mis yw cyfnod beichiogrwydd merch, ddywedon nhw ddim byd, ddim wrth Patrick o leiaf. Dôi i'r ysbyty ar yr adegau pan na fyddai Olwen a Walter yn ymweld â'r ddinas a'u merch orweddiog. Anaml y doent yn y misoedd olaf hynny. Roedd gofalu am wyres yn waith caled a hwythau'n drwm dan ofidiau. Gofalai Olwen roi gwybod i'r ysbyty – i Sheila os oedd hi ar ddyletswydd – pryd roedden nhw'n bwriadu dod yno fel y byddai hi'n gallu rhybuddio Patrick i gadw draw ar yr adegau hynny.

Teimlai Patrick chwerthiniad anghrediniol yn chwyddo o'i geg wrth iddo ystyried pa mor rhyfeddol oedd pethau. Ei Sheila ef, ymhell cyn iddi fod yn Sheila iddo ef, a'i cadwodd ef a'i fam yng nghyfraith ar wahân, a hynny ar ei gais e. Daethai hi ac Olwen i ryw drefniant wedyn a llwyddodd Patrick i osgoi cyfarfod â'r ddau nes y diwrnod y siaradodd â Walter yn angladd Olwen. Aeth e ddim i angladd ei wraig ei hun.

Pe na bai Sheila wedi bod yn gyfryngwr, byddai nyrs arall wedi gwneud y gwaith, meddyliodd Patrick. Ac eto, pe na bai wedi cael ei gadw rhag Olwen a Walter, efallai y byddai wedi digwydd taro arnyn nhw ryw dro uwch gwely Rachel, ac Eve gyda nhw. Byddai wedi gweld Eve. Oni bai am Sheila, efallai y byddai patrwm ei fywyd ef ac Eve wedi bod yn wahanol.

Chwarddodd eto a gyrru'r fath feddyliau ar ffo. Gwyddai mai rhyw gylch dieflig o hunan-gosb oedd y meddyliau hyn. Dangosodd Sheila garedigrwydd a dealltwriaeth o'i sefyllfa, ac nid oedd pob un o staff yr ysbyty yn barod i wneud hynny. Doedd e ddim yn siŵr ar y pryd faint oedd Sheila'n ei wybod am y sefyllfa, ond pan ddechreuodd y ddau daro ar ei gilydd yng nghaffi'r ysbyty am baned, deallodd yn fuan fod Sheila'n gwybod ei hanes ef a Rachel, ac yn gwybod mai wedi damwain Rachel y cenhedlwyd Eve. Byddai wedi bod yn amhosib iddi beidio â gwybod.

Wrth i'r ddau ohonyn nhw geisio cael Rachel i orwedd yn fwy cyfforddus yn ystod ei gwaeledd olaf, cyffyrddodd eu dwylo. Cofiai Patrick y trydan nawr, a'i ymdrech i'w ddiffodd wrth i Rachel orwedd yno rhyngddynt. Ac yn ystod yr oriau olaf, wedi i'r niwmonia yn ei brest brysuro'r diwedd i Rachel, roedd Sheila yno, yn sychu ei thalcen, yn gwmni iddo, yn rhwbio gwefusau Rachel â dŵr, yn edrych arno a'i llygaid yn llawn o ddeall...

Sheila fu ei ysgwydd bryd hynny, a hi fu ei ysgwydd byth oddi ar hynny.

Nes iddi ddechrau cymryd ochr Marcus yn ei erbyn heddiw.

Doedd Patrick ddim yn barod i fynd gartre eto. Pan laniodd yng nghanol y ddinas, anelodd am Starbucks. Roedd e'n ysu am baned o goffi.

28

'PATRICK? PATRICK KING…?'

Trodd Patrick gan hanner gwenu i gyfarch y sawl a'i cyfarchodd, ond rhewodd hanner ei wên wrth iddo fethu ag adnabod yr hen ŵr a eisteddai wrth y bwrdd yn Starbucks.

'Sori…?' dechreuodd. Roedd diferyn o'i goffi wedi glanio ar ei law wrth iddo droi gan wneud iddo wingo. Ceisiodd beidio â dangos hynny i'r dieithryn.

Gwenodd yr hen ŵr yn annwyl arno, a gwawriodd ym meddwl Patrick fod rhywbeth yn gyfarwydd yn y wên. Estynnodd y dyn ei law i Patrick:

'David Stone.'

Ysgydwodd Patrick y llaw, heb gofio ble roedd wedi'i weld o'r blaen. 'Mae'n amser hir. Sarjant David Stone oeddwn i bryd hynny.'

Tynnodd Patrick ei law yn ôl wrth iddo gofio: nid hen ddyn mo hwn wedi'r cyfan. Doedd e fawr hŷn na fe'i hunan, os o gwbl. Ond wrth gwrs, roedden nhw ill dau'n hen ddynion bellach.

'Wedi ymddeol nawr, wrth gwrs. Beth amdanat ti?'

'Do… neu'n trio gwneud,' atebodd Patrick, gan geisio anelu fel cranc i chwilio am fwrdd heb ei gwneud hi'n rhy amlwg nad oedd e eisiau sgwrs â fe.

'Mae'n amser hir dros ben. Fyswn i ddim yn disgwyl i ti fy nabod i.' Digon hwyliog. 'Maddeua i fi am darfu arnat ti…'

Rhaid bod Patrick wedi dangos yn glir nad oedd am siarad ag ef.

'Na, na, popeth yn iawn,' dechreuodd. Oedodd am eiliad yn

rhy hir. Amneidiodd David at y gadair wag gyferbyn ag ef i'w wahodd i eistedd.

Oedodd Patrick wedyn cyn tynnu'r gadair tuag ato ac eistedd gyferbyn â David Stone, a ddaeth yn ôl i mewn i'w fywyd yn gwbl ddiwahoddiad. Ddeugain mlynedd yn ôl, David Stone oedd wedi tynnu'r gadair allan o dan y bwrdd yn yr ystafell fach yn swyddfa'r heddlu ac wedi gwahodd Patrick i eistedd.

'Oer yw hi,' meddai David am y tywydd yn lle gofyn sut roedd bywyd wedi trin Patrick dros y deugain mlynedd diwethaf.

'Ac ystyried ei bod hi'n haf,' gorffennodd Patrick drosto.

Trodd Patrick ei goffi du a chymerodd David sip o'i *latte*.

*

Roedd Sarjant Stone wedi eistedd yn drwm yn y gadair gyferbyn â Patrick, ac wedi iddo wneud yn siŵr fod gan y WPC fach ifanc a eisteddai rai troedfeddi oddi wrth y bwrdd bad sgrifennu'n barod ar ei glin, bwriodd iddi'n syth. Cofnodwyd manylion enw a chyfeiriad, yr amser a'r dyddiad.

'Nawr 'te, mae 'da fi nifer o gwestiynau i'w gofyn i ti,' meddai Sarjant Stone wrth Patrick, 'ond yn gynta mae'n rhaid i fi bwysleisio difrifoldeb y cyhuddiad. Wyt ti'n siŵr nad wyt ti eisiau cyfreithiwr?'

Ysgydwodd Patrick fymryn ar ei ben heb edrych ar y sarjant.

'Dwi'n derbyn bod yr amgylchiadau'n anodd,' meddai'r sarjant wedyn, mewn llais cymodlon. 'Ond mae'n rhaid i ni ymchwilio cyhuddiad fel hwn, beth bynnag am yr amgylchiadau.'

Swniai fel pe bai'n ymddiheuro. Plismon ifanc, un o'i jobsys cyfweld cyntaf, mae'n rhaid, meddyliodd Patrick. Wel, ni wnâi e bethau'n anodd iddo. Wedi'r cyfan, beth oedd 'na i'w ddweud mewn gwirionedd?

'Mae'n sefyllfa… anarferol ddwedwn ni.'

Ydi hwn eisiau i fi gydymdeimlo ag e, meddyliodd Patrick. 'A dwyt ti heb gael dy gyhuddo'n ffurfiol, cofia. Eisiau gair 'da ti ydyn ni, dyna'r cyfan, i weld oes yna achos i'w ateb.'

Nodiodd Patrick. Doedd fawr o ots ganddo sut roedd hwn yn dymuno fframio'i ymholiadau. Câi weiddi a rhegi a'i alw'n fochyn fel y gwnaethai Olwen – doedd dim yn ei gyffwrdd.

'Ond ar yr un pryd, mae'n werth i ti gofio nad ar chwarae bach y byddwn ni'n diystyru achos honedig o drais.'

'Wel, nage siŵr iawn.' Methodd Patrick â chadw ei geg ar gau. 'Dwi'n mawr obeithio na fyddech chi'n diystyru unrhyw achos honedig o drais.'

Taflodd hynny'r sarjant bach oddi ar ei echel braidd.

'Wel,' meddai, 'fyddwn ni byth fel arfer yn edrych i mewn i achos o drais rhwng gŵr a gwraig, hynny yw… fyddwn ni byth yn ystyried… nid dweud ydw i…'

'Fydd trais byth yn digwydd rhwng gŵr a gwraig, dyna wyt ti'n geisio'i ddweud? Fe fydden i'n anghytuno 'da ti. Mae'n berffaith bosib i drais ddigwydd rhwng gŵr a gwraig. Gweithred gorfforol ymosodol yw trais. Dyw ymosodiad corfforol ddim yn llai o ymosodiad pan fydd gan y fenyw fodrwy am ei bys.'

Dwi'n malu cachu, meddyliodd Patrick. Fe fydd hwn yn siŵr o feddwl mai gwneud hynny i dynnu sylw oddi ar fy sefyllfa fy hun ydw i, ond nid dyna fy rheswm. Dwi'n ei wneud er mwyn iddo fe sylweddoli pa mor ddi-glem yw e.

Ni symudodd David Stone, dim ond llygadu ei ddwylo ei hun, ymhleth o'i flaen ar y fformeica, yn nerfus.

'Fe gychwynna i drwy ofyn pryd briodoch chi, ti a Rachel.'

'Wythfed o Fawrth un naw chwe naw,' meddai Patrick yn dawel, heb oedi.

'A dwi'n cymryd eich bod chi'ch dau'n hapus, yn fodlon eich byd… dim trafferthion?'

'Ar wahân i'r ffaith ei bod hi mewn cyflwr diymateb parhaol?' holodd Patrick.

Tynnodd David Stone ei ddwylo'n rhydd oddi wrth ei gilydd cyn eu clymu drachefn. Roedd e'n ymddwyn fel pe bai e ar brawf, meddyliodd Patrick. Ac efallai ei fod e.

'Na... nid nawr. Cynt. Cyn y ddamwain,' eglurodd Sarjant Stone yn gymysglyd.

Ysgydwodd Patrick ei ben.

'Doedd dim problemau,' ildiodd i ateb yn dawel. 'Doedd neb yn hapusach na ni,' meddai wedyn, yn oeraidd a difynegiant. 'Nid 'mod i wedi gwneud astudiaeth.'

Oedodd y sarjant dros y sylw sarcastig cyn mynd rhagddo.

'Felly pan ddigwyddodd y ddamwain, roedd hi'n dipyn o sioc, fyswn i'n gywir i ddweud?'

'Nid fi oedd yn gyrru'r car, fe welwch chi hynny o'r erthygl bapur newydd,' meddai Patrick.

'Ma'n rhaid i fi ofyn y cwestiynau 'ma,' mynnodd y sarjant.

Cododd Patrick ei lygaid i edrych arno heb symud ei ben.

'Wyt ti'n briod, Sarjant?'

Pesychodd David mewn ymgais i anwybyddu'r cwestiwn.

'Yn dilyn y ddamwain, roedd dy wraig mewn cyflwr... go enbyd,' bwriodd David yn ei flaen. 'Wedi'i gadael yn ddiffrwyth...' Cywirodd ei ddewis o ansoddair. Tynnodd ffeil denau o bapurau tuag ato a dechreuodd ddyfynnu: 'Yn ddiymateb, yn methu symud mwy na hanner uchaf ei chorff, yn methu gwneud dim drosti ei hun, yn methu dirnad dy gwestiynau iddi na dy siarad. Fyddet ti'n cytuno â diagnosis y doctoriaid ei bod hi wedi cael niwed i'w hymennydd a oedd yn ei chloi hi oddi wrth weddill y byd?'

Ystyriodd Patrick. 'Ddim yn llwyr,' atebodd.

'Ond fedrai hi wneud dim byd.' Ceisiodd Stone wthio'i ddadl, gan shyfflo rhai o'r papurau o'i flaen fel pe bai hynny'n rhoi mwy o hyder iddo. 'Allai hi ddim bwyta heb gael ei bwydo drwy diwb, allai hi ddim ymolchi heb i ti ei golchi hi, allai hi ddim mynd i'r tŷ bach oni bai dy fod ti'n newid ei chewyn hi wedyn.'

'Dyw hi ddim, dyw hi ddim, nid "allai hi ddim", Sarjant. Mae fy ngwraig i'n dal yn fyw, a chyn belled ag y gwn i, yn dal yn yr un cyflwr ag roedd hi bore 'ma.'

'Maddeua i fi, rwyt ti'n iawn wrth gwrs. Felly, os gwnei di ateb y cwestiwn, dyw hi ddim yn gallu edrych arnat ti pan fyddi di'n siarad â hi, a go brin y gallet ti ddweud ei bod hi'n dy weld di nac yn dy glywed di…'

'Mae hi'n gweld ac yn clywed,' torrodd Patrick ar ei draws heb godi ei ben.

'Yw hi?' holodd y sarjant. 'Oes gen ti dystiolaeth ei bod hi'n gweld ac yn clywed?'

'Y gallu i wneud synnwyr o'r hyn mae hi'n ei weld ac yn ei glywed – dyna sydd ar goll.' Ni chododd Patrick ei lais.

'Does ganddi ddim ewyllys ei hun,' meddai Stone, gan ddarllen yr hyn roedd e'n ei ddweud o'r nodiadau.

'Dim mwy na'r hyn mae ei chorff hi'n ei ewyllysio,' meddai Patrick, ac oedodd Stone i geisio deall beth yn union oedd ystyr hynny.

'Mewn achos o drais,' dechreuodd y sarjant, gan godi ei ben o'r nodiadau – roedd y gyfraith yn haws i'w dehongli na diagnosis doctoriaid – 'rhaid profi nad oedd y gwrthrych, dy wraig, yn dymuno cael cyfathrach rywiol â ti.'

'A dyna'r broblem,' meddai Patrick yn ddigynnwrf. 'Fedri di ddim. Fwy nag y galli di brofi ei bod hi'n dymuno cael ei bwydo, neu wneud ei gwallt. Mewn gwirionedd, mae 'da fi fwy o obaith profi ei bod hi *yn* dymuno cael cyfathrach rywiol efo fi nag sy gen ti o brofi nad oedd hi'n dymuno hynny.'

'O? A sut hynny?' holodd Stone. Roedd e'n swnio'n union fel pe bai e eisiau gwybod go iawn.

'Y corff,' meddai Patrick. 'Mae ei chorff hi'n dangos.'

Gostyngodd ei ben, a'i lais, nes y bu'n rhaid i Stone blygu ei ben ymlaen i glywed.

'Pe bawn i'n peidio â'i bwydo, buan iawn y byddai ei chorff hi'n dangos ei bod hi eisiau bwyd, ei bod hi eisiau goroesi, y pleser o deimlo'n iach... ac mae ei chorff hi'n dangos pleser pan fydda i'n gwneud ei gwallt hi. Mae hi'n llonyddu, ei chyhyrau hi'n tynnu llai, mae hi'n ymlacio.' Pesychodd Patrick. 'Yr un fath...' Llyncodd ei boer, cyn codi ei ben i edrych i lygaid y sarjant. 'Pan gerais i hi... fe ymlaciodd hi, fe deimlodd hi bleser, roedd ei chorff hi'n dangos hynny i fi.'

Ac wedi tawelwch o rai eiliadau, ychwanegodd: 'Ac wrth gwrs, mae hi'n dal yn wraig i fi.' Gostyngodd Patrick ei ben unwaith eto.

Rhwbiodd David Stone ei dalcen.

'Fy ngwaith i yw penderfynu...' dechreuodd, cyn oedi a newid cyfeiriad. 'Mae posib i ddyn gam-drin ei wraig. Rydyn ni'n ei weld e bob dydd. Ac mae hi hefyd yn bosib i briodas ymddieithrio i'r fath raddau, o dan y fath amgylchiadau, gan wneud rhai pethau, rhai gweithredoedd, yn...'

'Dwyt ti'n gwneud dim synnwyr!'

Cododd Patrick ar ei draed gan daro'r bwrdd yn siarp. Rhoddodd Stone naid fach gan mor annisgwyl oedd y symudiad.

'Eistedda, Patrick,' meddai'n ddistaw. Cymerodd eiliadau i Patrick benderfynu ufuddhau. Tynnodd David Stone ei law drwy ei wallt, yna i lawr dros ei wyneb. Dechreuodd Patrick feddwl ei fod am grio.

'Mae dy rieni yng nghyfraith wedi rhoi'r cyhuddiad ger bron. Does gynnon ni ddim dewis ond ymchwilio i weld a oes yna achos i'w ateb.'

'Fy ngwraig i yw hi,' meddai Patrick yn ddistaw.

'Ie,' meddai Stone. 'Ac mae dy amgylchiadau di'n enbyd.'

Oedodd i Patrick gael amsugno'r cydymdeimlad. 'Nawr, mae'r ffeithiau'n profi i rywun gael cyfathrach rywiol â...'

'Fi, nid rhywun.'

'... cyfathrach rywiol â Rachel...'

'Fy ngwraig i.'

'... gan fod Rachel bellach yn feichiog.'

'Fy ngwraig i.'

'Pum mis a hanner yn ôl y doctor.'

'Fy mhlentyn i.'

Rhoddodd Stone ei ben yn ei ddwylo a gwthio'r nodiadau o'r neilltu.

'Pam nest ti fynnu ei bod hi'n dod gatre o'r ysbyty atat ti?'

Nid plismon oedd yn holi nawr, ystyriodd Patrick. Gallai deimlo'r newid yn llais y sarjant yn syth. Eisiau gwybod oedd e. Cydymdeimlad. Ceisio dirnad rhywbeth ofnadwy. 'Fe fyddai hi wedi bod yn llawer llai o drafferth i ti pe bai hi mewn ysbyty yn cael gofal pedair awr ar hugain gan bobol broffesiynol.'

'Mae hi'n cael gofal pedair awr ar hugain 'da fi gatre. Neu roedd hi,' cywirodd ei hun. Roedd Olwen a'r doctoriaid wedi trefnu rhyngddynt ei bod hi'n dychwelyd i'r ysbyty dros weddill ei beichiogrwydd. Daethai'r ambiwlans yno y bore hwnnw i'w nôl hi.

Edrychodd i mewn i lygaid Stone am rai eiliadau a theimlodd Patrick yn werthfawrogol wrth weld y cydymdeimlad ynddyn nhw, gan synnu ei fod e'n teimlo unrhyw beth o gwbl. Cododd y sarjant ar ei draed.

'Gymri di baned cyn i ti fynd?' holodd.

Doedd dim angen iddo ddweud bod y cyhuddiad wedi'i ddiystyru.

'Dim diolch,' meddai Patrick. Cododd ar ei draed, a throi i gyfeiriad y drws. Ond cyn mynd ato, trodd yn ôl at Stone, er mwyn dweud wrth rywun: 'Roedd Rachel a fi wedi penderfynu mai plentyn yr un oed â'r degawd fyddai ein plentyn cyntaf ni. Cyn y ddamwain. Ar fore'r ddamwain, roedd hi wedi mynd i'r tŷ bach a gweld bod ei misglwyf hi wedi dechrau eto. Roedd hi'n ddigalon braidd, gan ei bod hi wedi gobeithio y byddai hi'n feichiog. Ac fe ddwedais i wrthi fod digonedd o amser 'da ni, digonedd. Ymhen awr, roedd y car wedi'i tharo hi, wedi taro 'ngwraig i, Rachel.

'Er 'mod i'n gwybod bod ei chorff hi'n gweithio'n iawn, mai ei meddwl hi oedd wedi mynd – dduw mawr, fi oedd yn newid ei thywelion misglwyf hi – er hynny, doedd ei gwneud hi'n feichiog ddim yn rhan o 'mwriad i.'

'Wrth gwrs.' Ceisiodd David Stone osgoi edrych i lygaid Patrick.

'Doedd dim y fath beth â bwriad yn agos i 'meddwl i. Ond roedd e'r peth mwya naturiol yn y byd i fi orwedd gyda hi, ei theimlo hi'n ymateb i 'nghyffyrddiad i, fel y gwnaeth hi erioed, ei chorff hi'n rhoi… Y cyfan oedd 'da fi i'w wneud oedd osgoi edrych yn ei llygaid hi.'

*

Sychodd Stone ei wefusau â'r syrfiét papur.

'Mae henaint yn dod â'i batrymau'i hun,' meddai.

Chwaraeodd Patrick â'i goffi â'i lwy.

'Cymryd dwy awr i godi, gwisgo, byta brecwast a dod yn gynefin â'r dydd. Trip bach i'r siop i nôl y papur a gêm bach o golff yn y prynhawniau, dim yr un tempo â byd gwaith o gwbwl.'

Chwarddodd Stone, a gwenodd Patrick er mwyn bod yn gwrtais.

'Digon gwir. Er bod 'da fi droed yn y ddau wersyll,' meddai Patrick. 'Byd gwaith a byd ymddeoliad. Efallai mai methu arafu ydw i.'

'Fe fûm i'n meddwl amdanat ti dros y blynyddoedd,' meddai Stone, a gwingodd Patrick ar ei stôl.

'Alla i ddim dweud yr un peth amdanat ti, mae 'da fi ofn,' meddai Patrick, gyda chwerthiniad bach.

'Hen fater ofnadwy oedd e. Hynny yw, i ti, wrth gwrs. Sefyllfa erchyll. Dwi'n cofio, ar y pryd, allwn i ddim rhoi'r peth allan o 'meddwl, cymaint o bethau'n gwrthdaro. Ond dyna fe, mae'n siŵr fod amser yn gwneud gwahaniaeth. Yn newid y persbectif. Waeth i fi fod yn gwbwl onest, dwi wedi pendroni llawer am beth ddigwyddodd wedyn.'

Cododd Patrick ei ben i edrych i fyw ei lygaid. Oedodd, cyn dweud:

'Ddigwyddodd dim byd. Fe fuodd hi farw.'

'Dy wraig, do. Felly o'n i'n deall. Mae'n sobor o ddrwg 'da fi.'

Fedrodd Patrick ddim atal ffrwydrad bach o chwerthin wrth glywed cydymdeimlad a oedd bron i ddeugain mlynedd yn hwyr yn dod. Ond ni tharfodd yr ymateb eironig ar David Stone a'r chwilfrydedd oedd yn bygwth ei fwyta'n fyw.

'A'r babi...?'

Crafodd y stôl y llawr wrth i Patrick godi'n sydyn.

'Os wyt ti gymaint o eisiau gwybod hanes 'y mywyd i a 'nheulu i, cer i edrych.' Roedd e'n ymwybodol fod pobl o'i gwmpas yn ei glywed, ond methai'n lân â rheoli'r cynnwrf yn ei lais. 'Ti yw'r plisman, fyddi di fawr o dro'n dod o hyd iddi. A phan wnei di, falle byddi di cystal â dweud wrtha i beth yw 'i hanes hi.'

Roedd David Stone wedi codi ar ei draed, a chledr ei law'n wynebu allan mewn ystum o ymddiheuriad ac erfyniad am gymod.

'Do'n i ddim yn bwriadu dy bechu di, mêt...'

Ond roedd Patrick eisoes a'i law ar handlen y drws.

29

Y NOSON CYNT, bu'n chwythu'n gynddeiriog yn ystod y nos, gwynt a bwrw glaw di-stop. Pe bai Efa wedi cael llonydd gan ei gofidiau i gysgu, go brin y byddai hi wedi llwyddo gan fod y synau o'r tu allan yn tarfu arni drwy'r oriau mân. Doedd dim dal y dyddiau hyn ai tywydd hydrefol neu dywydd crasboeth haf fyddai'n eich croesawu o ddydd i ddydd, daliodd ei hun yn meddwl ganol nos, a doedd y calendr yn fawr o gliw.

Ond nid meddwl am y tywydd fu Efa am y rhan fwyaf o'r noson chwaith. Y tu mewn iddi roedd storm waeth o bell ffordd.

Am ychydig, byddai ei meddyliau'n tueddu at y golau, yn llawn o rywbeth tebyg i optimistiaeth. Doedd hi ddim yn ddigon hen i fod yn fam-gu, ac yn bendant, doedd Ceri ddim yn ddigon hen i fod yn fam. Byddai'n rhaid iddi gael ffordd o gysylltu â hi, ei chael hi i ystyried erthyliad o leiaf. Âi i lawr at dad y Christian 'na, gofyn iddo ben bore lle roedden nhw wedi mynd, mynnu'r ateb ganddo. Ai i Fyrmingham, meddyliodd. Fe gâi Mr Mukherjee fynd â hi os byddai'r daith yn rhy bell i'w char hi. Fe dalai am y petrol. Fe brynai fuwch arall iddo am y ffafr. Wedi'r cyfan, doedd ganddi hi neb ond hi ei hun ar ôl i wario arni nawr.

Gallai grybwyll erthyliad wrth Ceri, gweld beth fyddai ei hymateb. Ond fyddai hi ddim yn ei gorfodi chwaith, dim o gwbl. Awgrymu, fel pob mam dda. Dyna oedd hi am fod nawr, mam dda. Roedd hi wedi trio bod yn un dros yr holl flynyddoedd ac wedi methu, ond doedd hi byth yn rhy hwyr. Doedd hi'n sicr ddim yn rhy hwyr arni hi. Gallai ddechrau o'r dechrau nawr.

Rheoli'r dymer oedd yn mynnu gwthio rhyngddi a'i merch yn barhaol, a bod yn fam dangnefeddus, lonydd. Dyna oedd ei huchelgais, bod yn fam lonydd. Ac os oedd angen iddi fod yn fam-gu lonydd yn ogystal, wel bydded felly.

Wedyn, ar ôl hanner awr o feddwl yn gadarnhaol, trodd y cyfan yn slwj unwaith eto. Cofiodd am fygythiad Ceri. Treuliodd oriau'n ystyried ei dyfodol ar ei phen ei hun, heb Ceri, heb neb. A daeth arni ofn gwirioneddol wrth iddi ystyried mai Saesneg fyddai iaith ei hŵyr bach neu ei hwyres fach. Ciciodd ddillad y gwely yn ei thymer: dyna'r dyrnod gwaethaf un y gallai Ceri ei roi iddi. A gwyddai Efa fod hynny'n bosib. Onid oedd sawl un o'i chydnabod dros y blynyddoedd wedi tyfu'n fam-gu i blant na siaradent air o Gymraeg, ac roedd rheiny'n tarddu o deuluoedd normal, teuluoedd lle nad oedd corwynt y tu ôl i bob wal yn y tŷ.

Ond po fwyaf y taflai ei meddwl yn ôl dros ddatganiad Ceri, mwyaf oll o amheuon a ddôi i'w meddwl. Yn un peth, gwyddai'n iawn fod Ceri wedi pacio'r tampons: ai yn ddifeddwl y gwnaethai hi hynny? Roedd yr edrychiad ar wyneb Ceri wedyn, wrth iddi ddweud ei bod hi'n disgwyl, yn rhy fuddugoliaethus, yn rhy hawdd o'r hanner, yn union fel pe bai hi'n ei ddweud er mwyn gwneud dolur iddi hi'n unig. Llithrodd Efa i gysgu dan gysur ei hargyhoeddiad newydd na allai Ceri fod yn disgwyl: cloten oedd hi, cloten gyfleus yn gyfnewid am yr un roddodd hi i Ceri wrth gyffesu iddi gysgu gyda Christian. Dial. Dim ond dial. Ac roedd hawl gan y ferch i hynny bach.

Rai oriau wedyn, a'r haul yn tywallt drwy ffenest ei hystafell wely fel pe na bai storm o fath yn y byd wedi digwydd gwta oriau ynghynt, deffrwyd Efa gan sŵn cnocio ar y drws a llais Mr Mukherjee yn galw o'i chegin.

'Rydw i wedi dod i helpu.'

Cododd Efa'n llesg a thynnu jîns a chrys-T ddoe amdani, gan ysu am gael llonydd i fynd yn ôl i gysgu.

'Helpu gyda beth?' holodd wrth fynd i mewn i'r gegin. Gwyddai fod golwg a hanner arni'n syth o'i gwely, ond gan fod Mr Mukherjee wedi gweld gwaeth golwg arni ar sawl achlysur arall, doedd fawr o ots.

'Edrychwch drwy'r ffenest, Mrs Williams.'

Pam na allai ddwaud wrthi'n syth? Aeth at y ffenest fel rhiant i blentyn bach yn hiwmro'i ymgais i greu argraff.

Roedd sied yr ieir yn ddarnau mân dros ei gardd lysiau, a'r ieir, y dwsin a oedd yn weddill, yn gwneud yn fawr o'u rhyddid ar hyd y lôn i lawr at y ffordd. Doedd Efa ddim yn gallu penderfynu ai rhegi ai troi ar ei sawdl a mynd yn ôl i'r gwely fyddai orau. I'r diawl â'r ieir.

'Dewch. Mae 'da fi *zinc sheets*. Gallwn ni adeiladu sied newydd. Ond bydd eisiau i chi ddal yr ieir. Does dim pwynt cael sied heb ieir.'

Beth am baned gyntaf? gwaeddodd Efa y tu mewn, gan ei ddilyn allan i'r haul.

*

'Ydych chi'n ei chredu hi?' holodd Mr Mukherjee ar ôl iddi ddweud wrtho beth ddywedodd Ceri wrthi ddoe.

'Eisiau i Ceri gael bywyd ydw i.' Anwybyddodd Efa'r cwestiwn am fod arni hi ofn ei ateb. 'Sut fywyd fydd iddi yn Birmingham, babi neu beidio?'

'Ac mae hi'n bygwth magu'r plentyn yn Saesneg...?' Crychodd Mr Mukherjee ei dalcen fel pe bai hynny'n anos i'w ddirnad na'r ffaith y gallai Ceri fod wedi dweud y fath gelwydd yn y lle cyntaf.

'Ar adeg fel hyn, moethusrwydd yw poeni am yr iaith,' meddai Efa'n ddiflas.

'Dyna sy'n beryglus,' meddai Mr Mukherjee. 'Fod pawb yn credu mai moethusrwydd yw poeni am yr iaith.'

'Ie… ond pan fo'ch merch un ar bymtheg yn dweud wrthoch chi ei bod hi'n disgwyl, wel…' Anadlodd Efa'n drwm.

Drachtiodd Mr Mukherjee weddill y coffi y mynasai Efa ei wneud iddo ac iddi ei hun, a throi 'nôl at y sied. Er bod llawer i'w wneud arni eto roedd hi o leia'n dechrau dod i siâp. Roedd iddi ochrau, a bwlch lle gallai Mr Mukherjee osod rhyw fath o ddrws i Efa allu estyn drwyddo am yr wyau. Roedd Efa wedi rhedeg ar ôl deg o'r ieir, a llwyddo i ddal saith. Rhoddodd nhw i mewn yn yr hen gwt glo a gosod carreg ar ben y caead i'w cadw yno. Daliai tair iâr arall i grwydro'r mynydd y tu ôl iddyn nhw yn rhywle, a doedd ganddi mo'r nerth na'r amynedd i fynd ar eu holau. Croeso iddyn nhw gael eu rhyddid, a chaent fod yn fwyd i lwynog. Trueni na allai fod mor ddi-hid am ei merch, meddyliodd.

'Y peth yw,' meddai wedyn, gan sylweddoli nad oedd ganddi mo'r iaith i ddweud yn iawn sut roedd hi'n teimlo, 'y peth yw…'

Daeth ton o ddiflastod drosti ac eisteddodd ar lawr a rhoi ei phen yn ei breichiau.

'Pam trafferthu rhagor? Waeth i fi fynd i fyw i rywle call. Stwffio'r tŷ, stwffio'r sied, yr ardd a'r ieir. Byw bywyd normal, saff lawr yn y dref. Fe wela i Morwen. Fe wela i gwpwl o ffrindie nad ydw i wedi'u gweld nhw'n iawn ers blynydde. Neud bywyd i fi yn lle bywyd i fi a Ceri. Achos Ceri a fi yw'r lle 'ma. 'Na beth oedd e'n arfer bod. Cyn iddi dyfu'n rhy fawr.'

Roedd Mr Mukherjee allan o wynt ar ôl bod yn taro postyn i mewn i'r ddaear â gordd. Trodd i syllu arni.

'Rydw i'n gwastraffu amser yn codi sied felly,' meddai.

'Ydych, siŵr o fod,' meddai Efa, yn rhy hunandosturiol i boeni am ei lafur diangen.

'Rydw i'n gwastraffu amser yn ceisio eich helpu.'

Cododd Efa ei phen. Roedd e'n swnio'n ddieithr. Ers Caerdydd, roedd e wedi newid, wedi gollwng rhai o'r haenau a arferai guddio rhan o'i bersonoliaeth. Ond roedd 'na chwerwder yn ei lais nawr.

'Nid nad ydw i'n ddiolchgar iawn i chi, Mr Mukherjee.'

Pwysodd Mr Mukherjee a'i ddwy law ar yr ordd, gan ymddangos i Efa fel pe bai mewn poen.

'Rydw i'n mynd drwy'r byd yn nodio fy mhen a gwenu ar bobl sy'n dweud pethau hollol groes i beth rydw i'n ei gredu,' meddai, a lilt ei lais yn gryfach nag y clywsai Efa ef ers amser. 'Ac weithiau, rydw i'n credu go iawn mai dyna'r peth iawn i wneud. Ond alla i ddim gwneud hynny gyda chi. Mae'n rhaid i fi ddweud y gwir wrthoch chi.'

Lluchiodd Mr Mukherjee yr ordd ar lawr a chamu'n bwrpasol tuag ati.

'Ewch i lawr yna!'

'Lawr i ble?'

'I'r carafáns. Ewch 'na nawr a dweud wrth Ceri eich bod chi eisiau iddi ddod gatre. Dweud wrthi eich bod chi'n mynd i fagu'r babi, os oes babi.'

'Ydw i?' meddai Efa'n syfrdan.

'Ydych.'

'Y'ch chi'n meddwl fod hynny'n beth call? Y'ch chi ddim yn cofio faint o annibendod 'nes i'r tro dwetha fages i blentyn?'

'Ewch lawr 'na,' meddai Mr Mukherjee eto. 'Fe gewch chi help.'

Oedodd, gan golli'r pendantrwydd dieithr oedd wedi lliwio gweddill ei eiriau. Roedd e wedi atal ei hun rhag addo mwy, fel pe bai'n ymwybodol o amhriodoldeb cynnig ei gymorth iddi gyda rhywbeth mor bersonol â magu plentyn.

'A beth bynnag,' ychwanegodd. 'Dyw hi ddim yn bwysig os oes babi neu beidio. Fe ddaw hynny wedyn. Chi a Ceri sy'n bwysig.'

'Fy mam-gu a 'nhad-cu fagodd fi,' meddai Efa. 'Fe wnaethon nhw hynny'n dda iawn, er gwaetha beth welwch chi. Doedd yr hyn oedd ganddyn nhw i weithio gydag e ddim yn ddelfrydol.'

'Sori?' meddai Mr Mukherjee, ddim yn deall.

'*Raw materials,* deunydd crai,' meddai Efa'n ddistaw gan bwyso'i gên ar ei braich. 'Doedd y deunydd crai ddim yn ddelfrydol. A moment of madness. Roedd hi'n anodd gweithio gydag un o'r rheiny.'

'Wneith *self-pity* ddim gwella eich perthynas chi a Ceri,' meddai Mr Mukherjee. 'Ewch lawr 'na.' Plygodd o'i blaen nes ei fod yn edrych i mewn i'w llygaid. Roedd tân yn ei rai yntau. 'Weithiau, rhaid i chi fod yn wallgof,' meddai. 'Ry'ch chi'n arbenigwr ar fod yn wallgof, Mrs Williams. Byddwch yn wallgof dros beth ry'ch chi eisiau ei... ei... warchod. Does dim byd arall yn bwysig. Gallwch chi roi cartref i Ceri a'r babi. Dwedwch wrthi... dwedwch wrthi...'

Ond doedd e ddim yn siŵr iawn beth ddylai hi ddweud wrth Ceri. Safodd Efa ar ei thraed.

'Iawn. Ond fe fyddan nhw wedi mynd. Bosib iawn eu bod nhw wedi mynd neithiwr. Dwi'n rhy hwyr.'

Ac i'w gwneud hi'n hwyrach byth, canodd y ffôn.

*

'Helô? Ydw i'n siarad ag Eve?'

Sais. Rhaid mai un o'r galwadau gwerthu 'na oedd hi. Ystyriodd roi'r ffôn i lawr, ond daliai rhywbeth hi rhag gwneud hynny.

'Beth? Na... ddim Eve ydw i.'

'Eve King?'

Rhewodd Efa heb wybod pam. Doedd hi erioed wedi ystyried ei hun fel Eve, er mai dyna oedd ar ei thystysgrif geni unwaith, a doedd hi erioed wedi meddwl bod unrhyw un arall ar y ddaear yn ei galw'n Eve. Ac eto, rhaid bod rhywun.

'Ie,' meddai Efa mewn Saesneg bloesg. 'Ond Efa yw fy enw i.'

'O. Falle 'mod i wedi cael y person anghywir.'

Ar y pen arall, roedd Marcus yn ceisio cael trefn ar ei ffeithiau.

Roedd wedi siarad â pherthynas i dad-cu'r ferch, rhywun na wyddai'n iawn beth oedd wedi digwydd iddi pan fu farw ei thad-cu. Roedd e'n cofio Walter, ond ni chofiai beth oedd enw ei wraig, na'r ferch fach, wyres, a fagwyd ganddyn nhw. Doedd neb arall ar ôl yn y pentref bach a'u cofiai, yn ôl a welai Marcus. Gwyddai y gallai fynd allan i holi yn y ffermydd ac efallai y câi fwy o lwc yn y fan honno nag wrth guro ar ddwsin o ddrysau yn y pentref. Saeson a symudasai yno o fewn y deng mlynedd diwethaf oedd mwy na hanner y bobl oedd yn byw yno bellach.

'Fferm Bryn Gwyn? Oedd, roedd ganddyn nhw ferch fach… ddim mor fach pan fu farw Walter. Fe aeth hi i'r coleg. Chlywais i ddim amdani wedyn, rhaid bod blynyddoedd…'

'Eve oedd ei henw hi?'

'Dwi ddim yn cofio… Beth ddwedaist ti oedd enw'i mam-gu hi? Dwi ddim yn cofio'r enw hwnnw chwaith. Gallai fod yn Eve… Ydi, mae'n canu cloch. Ac roedd 'na rywbeth yn rhyfedd am – ie, rhywbeth fel Eve. Safa funud, ddim y bachan 'na briododd hi…? Beth oedd 'i enw fe? Brian Williams. Ie, 'na fe. Cyfrifydd oedd e, yn arfer gweithio lan yn Aberystwyth. Fawr o gop. Roedd ei syms e bob amser yn anghywir.'

Daethai Marcus oddi yno a rhuthro i'r car a'i ben yn llawn cynlluniau. Roedd e'n eithaf ffyddiog fod yr hen ŵr oedd yn perthyn o bell i Walter yn llygad ei le. Mewn encilfa yn Sir Gaerfyrddin, dechreuodd gynllunio ei gam nesaf.

Ni fu'n rhaid iddo edrych yn hir ar y we ar ei liniadur yn y car cyn cael gafael ar rif ffôn Brian.

Dywedodd hwnnw wrtho fod y ddau wedi ysgaru ers blynyddoedd, a bod Eve wedi symud i fwthyn pellennig i fagu eu merch. Oedodd, a rhestru esgusodion rif y gwlith i'r dieithryn o Gaerdydd pam nad oedd e wedi bod mewn cysylltiad rheolaidd iawn â'i ferch ers dwy neu dair blynedd, fel pe bai gan Marcus ddiddordeb yn hynny. Roedd e'n anfodlon rhoi cyfeiriad Eve i ddieithryn, er hynny, a bu'n rhaid i Marcus dreulio cryn hanner awr ar y ffôn yn ceisio'i ddarbwyllo mai perthynas iddi oedd e – doedd e ddim am ddweud gormod rhag i Brian ffonio'i gynwraig cyn i Marcus gael cyfle i wneud hynny. Roedd Brian yn gyfarwydd â chefndir Eve, neu o leiaf roedd e'n gwybod mai ei mam-gu a'i thad-cu oedd wedi'i magu a bod 'na dad yn rhywle. Cytunwyd yn y diwedd i Marcus alw heibio i Brian er mwyn cael cyfeiriad Eve ganddo. Gallai Marcus ddangos ei dystysgrif geni iddo. Teimlai fel ysbïwr gan mor ddrwgdybus oedd y dyn.

Fel y digwyddodd hi, ni ofynnodd Brian am gael gweld y dystysgrif, a rhoddodd fwy na chyfeiriad Eve iddo. Rhoddodd ei rhif ffôn hefyd. Ddeng munud ar ôl gadael y tŷ ym Machynlleth a rannai Brian gyda'i fam, tynnodd Marcus y car i mewn i encilfa a gwasgodd rif Eve ar ei ffôn symudol, cyn oedi i ystyried ymhellach. Ofnai y byddai petruso yn gwneud iddo golli'i hyder.

Efa yw fy enw i.

A gwyddai Marcus wrth ddweud y gallai fod wedi cael y person anghywir nad oedd hynny'n wir. Efa oedd Brian wedi'i galw hi hefyd.

'Eve Williams.'

Oedi ar ben arall y lein.

'Pwy sy 'na?'

Ni allai Marcus ddweud wrthi'n syth. Doedd e, er gwaethaf y cyfle gafodd e i baratoi, ddim wedi ffurfio'r frawddeg yn ei ben. Doedd e ddim eisiau dychryn y person ar ben arall y lein – ei chwaer – drwy ddweud yn blwmp ac yn blaen, nes peri'r fath sioc fel y byddai perygl iddi daro'r ffôn i lawr a gwrthod siarad ag e. Ond roedd yn rhaid iddi dderbyn y sioc yn hwyr neu'n hwyrach, beth bynnag.

'Dwi'n ymchwilio i hanes y teulu...' dechreuodd yn wamal.

'Teulu pwy?'

'Fy un i,' meddai, cyn ychwanegu. 'A dy un di.'

Saib hir ar y pen arall. Anadlu ei chwaer.

'Pwy wyt ti?'

Unwaith neu ddwy'n unig yn ystod ei bywyd y daethai awydd dros Efa i fynd i chwilio am ei thad, unwaith neu ddwy ar adegau mwy tywyll na'i gilydd. A byddai'r awydd yn diflannu ar amrantiad wrth iddi gofio geiriau'r dyn tal a'r gwallt dros ei glustiau yn y fynwent adeg angladd ei mam-gu.

Fel arall, roedd hi wedi cau ei thad mewn bocs yn ei meddwl, wedi rhoi sawl clo arno i ofalu na ddôi allan ac wedi'i adael yno yn y gobaith y byddai ei anwybyddu'n ddigon hir yn ei ladd yn ei meddwl.

A nawr... dyma fe.

'Dwi ddim moyn siarad â thi,' meddai Efa, cyn i Marcus gael cyfle i'w hateb. 'Dwi ddim moyn gwybod.'

'Plis...' meddai Marcus yn sydyn cyn iddi roi'r ffôn i lawr arno. 'Plis, rho gyfle i fi. Dim ond rai wythnosau'n ôl ges i glywed amdanat ti.'

Yn ei syndod o glywed y llais hwn o'r gorffennol, methai Efa weld trwy'r dryswch. Wythnosau'n ôl? Pwy oedd ar ben arall y lein? Nid Patrick, nid y dyn yn y fynwent. Erbyn meddwl, roedd ei lais e'n rhy ifanc i fod yn llais ei thad. Rhaid bod hwnnw yn ei saithdegau.

Doedd Efa, o fod wedi cau Patrick yn y bocs yn ei phen, erioed wedi ystyried y posibilrwydd y byddai ganddo deulu, a thrwy hynny bod ganddi hithau berthnasau – ddim go iawn. Rhaid ei bod hi wedi gwneud hynny pan oedd hi'n blentyn, neu yn ystod ei harddegau, ond doedd hi wir ddim yn cofio meddwl llawer am y peth. Dyna pa mor llwyr roedd hi wedi cau Patrick allan o'i bywyd, ac mewn ffordd, roedd hynny'n ddychryn iddi nawr, wrth siarad â hwn ar y ffôn.

'Os wyt ti'n fab i Patrick, yna rwyt ti'n frawd i fi,' meddai Efa heb allu cuddio'r rhyfeddod yn ei llais. 'Fy hanner brawd i.'

Taflwyd Marcus oddi ar ei echel braidd. Roedd e bellach wedi ffurfio brawddeg yn ei feddwl – 'Dy frawd di ydw i' – a doedd e ddim wedi cael ei defnyddio. Ond roedd rhyddhad yn ei lais pan gadarnhaodd eiriau Efa.

'Ie.'

Tynnodd Efa anadl mawr ac aeth y lein yn dawel am sbel.

'Oes gen ti enw 'te, frawd bach?'

30

GOLLYNGODD MR MUKHERJEE hi wrth iet y parc carafanau. Safodd yno'n teimlo'n gyfan gwbl ar goll cyn magu digon o blwc i fynd i'r dderbynfa i ofyn. Yno, roedd brawd Christian – â'r un olwg byw-sy'n-cysgu ar ei wyneb – yn chwarae gêm gyfrifiadurol. Amneidiodd at garafán rhif chwech, bron iawn heb dynnu'i lygaid oddi ar ei gêm.

Er mawr ryddhad i Efa, roedd fan Christian yn dal i fod wedi'i pharcio o flaen y garafán. Rhaid bod Ceri wedi'i gweld drwy'r ffenest gan iddi ddod allan i'w chyfarfod.

'Cer o 'ma, ni'n mynd.'

'Pryd?'

'Prynhawn 'ma.'

Sylwodd Efa ar resaid o focsys a bagiau plastig yn pwyso yn erbyn y ris a arweiniai i mewn i'r garafán.

'Wyt ti wedi gweld doctor?'

'Ti sy angen doctor.' Dweud diemosiwn.

Nodiodd Efa. Doedd hi ddim yn mynd i gweryla. Cnôdd ei thafod. Roedd hi wedi addunedu i beidio â dadlau.

'Ma'n ddrwg 'da fi am bopeth,' meddai Efa. ''Na pam dwi 'ma. I weud 'ny. Ac i ofyn i ti ystyried dod gatre. Faga i dy blentyn di, neu fe helpa i ti i'w fagu fe. Galla i fagu chi'ch dau. A neud gwell job ohoni'r tro 'ma.'

Gwelodd Ceri'n cnoi ei gwefus uchaf a theimlodd Efa ei bod hi, drwy beidio mynd i dymer a gwylltio, wedi cyrraedd ymhellach nag a wnaethai ers iddi ddweud wrth Ceri amdani hi a Christian.

Ond roedd hi'n llawer rhy fuan i Ceri anghofio.

'Cer gatre, Mam.'

'Shwt le sy yn Birmingham? Odi fe'n ffit i fagu plentyn?'

Chwarddodd Ceri drwy ei thrwyn.

''Wy'n dy garu di, Ceri.'

'Dyw e ddim yn ddigon, odi fe? Dyw e ddim yn ddigon i anghofio beth nest ti.'

'Oedd y drwg wedi'i neud yn bell cyn 'ny,' meddai Efa.

'Ddim arnot ti mae'r bai, siŵr o fod,' meddai Ceri'n oeraidd. 'Ddim arnot ti mae'r bai dy fod ti fel rwyt ti.'

Cofiodd eiriau Mr Mukherjee – gadael ei neges oedd yn bwysig, nid cael Ceri i newid ei meddwl yn y fan a'r lle. Doedd hynny ddim yn mynd i ddigwydd. Ond os gadawai hi eiriau o gariad i Ceri, byddai Ceri'n cofio hynny, ac ymhen amser – dyddiau, misoedd, blynyddoedd – byddai'n gallu dod yn ôl ati a dechrau o'r geiriau caredig a lefarwyd rhyngddyn nhw y tro diwethaf iddyn nhw gwrdd.

'Oes 'na fabi, Ceri?'

'Cer gatre,' ailadroddodd Ceri gan gadarnhau rhywfaint ar amheuaeth Efa mai yn nychymyg Ceri roedd y babi.

'Dim bod iot o ots. Beth bynnag sy'n dy neud di'n hapus, 'na'r unig beth sy'n bwysig i fi.'

Roedd hi wedi treulio dwyawr dda cyn dod i lawr yn sgrifennu llythyr. Ynddo roedd hi wedi ceisio darlunio'i theimladau dyfnaf, rhai na rannodd â Ceri erioed o'r blaen. Ni wnâi hi hynny er mwyn esgusodi ei diffygion fel mam, ond yn hytrach fel bod Ceri'n cael cyd-destun – ei chyd-destun hi ei hun yn ogystal ag Efa. Dywedodd wrthi'r hyn a wyddai am ei thad a'i mam ei hun. Dywedodd wrthi am y geiriau a'i dilynai holl ddyddiau ei bywyd, y geiriau a ddefnyddiodd ei thad i'w disgrifio hi. Rhoddodd hyn oll yn y llythyr. Wrth selio'r amlen, rhyfeddodd nad oedd hi wedi dweud y pethau hyn wrth Ceri cyn hynny: nid y byddai eu dweud wedi gwneud yr un iot o wahaniaeth, meddyliodd. Ond roedd hi wedi dweud wrth ei chymydog, wedi rhannu'r geiriau yn ei phen ag ef, a heb wneud hynny â'r un person oedd yn golygu cymaint iddi.

Hefyd, rhoddodd wybod i Ceri yn y llythyr am Marcus, a oedd newydd fod yn siarad â hi ar y ffôn.

Estynnodd yr amlen dew i Ceri. Bachodd ei gwynt wrth weld Ceri'n gwrthod ei chymryd.

'Gei di daflu fe i'r bin. Ond 'wy'n gofyn i ti 'i ddarllen e. Mae 'na bethe pwysig i ti ynddo fe.'

Gwthiodd yr amlen i law ei merch.

Trodd ar ei sawdl wedyn, a cherdded yn ôl at iet y parc carafanau heb feiddio edrych i weld a oedd Ceri wedi sgrwnsio'r amlen, neu ei rhwygo, neu ei thaflu. Ni fyddai wedi gallu goddef gwybod.

*

'Mae e moyn i ni gwrdd,' meddai Efa yng nghegin Mr Mukherjee.

'Wrth gwrs,' meddai Mr Mukherjee.

'Fe ddwedes i hynny yn y llythyr wrth Ceri. A gofyn iddi hi ddod hefyd.'

'Cwrdd â Marcus.'

'Ie. 'Na i gyd. Alla i ddim meddwl am gwrdd ag e, Patrick.'

'Falle bod deugain mlynedd yn amser digon hir i faddau.'

'Ers deng mlynedd ar hugain, dwi wedi cofio'i eirie fe,' meddai Efa. 'Dim byd arall. Dwi ddim wedi meddwl am ddim byd arall. Dyna pam ro'dd galwad ffôn Marcus yn gyment o syndod. Do'n i erioed wedi ystyried y posibilrwydd fod gyda fe deulu. Do'n i erioed wedi ystyried unrhyw beth amdano fe. Dim ond ei eirie fe. Eiliad o wallgofrwydd.'

'Ewch i'w gyfarfod e,' meddai Mr Mukherjee a'i lygaid yn ymbil arni. 'Marcus, os nad Patrick.'

'Alla i ddim,' meddai Efa.

'Pam?'

'Yn un peth, eith y car ddim pellach nag Aberystwyth. Dyw e ddim yn ffit.'

'Maen nhw'n siŵr o ddod lan 'ma atoch chi.'

'Na, fydde'n well 'da fi fynd atyn nhw, pe bawn i'n penderfynu mynd o gwbwl...'

Gwenodd Mr Mukherjee arni. 'Trip bach arall i'r car bach melyn 'te.'

Daeth ysfa dros Efa i godi o'r gadair freichiau a symud ato ar y soffa o flaen y lle tân agored, gorwedd i lawr a gosod ei phen ar ei arffed iddo gael rhedeg ei law drwy ei gwallt. Dyna fyddai'n ei hymlacio. Cael rhywun i redeg ei law drwy ei gwallt. Pe bai rhywun yn gwneud hynny, dôi'r cyfan yn glir.

Ond pan gododd hi yn y diwedd, anelu am y drws wnaeth hi.

TRI

31

B U CERI'N GAETH i'r fflat yn Birmingham am ddeuddydd yn esgus bach wrthi ei hun fod gormod o waith cael trefn ar y lle iddi fynd allan i brynu prawf beichiogrwydd. Cawsai drefn go iawn ar ei syms bellach, digon i wybod bod deuddydd neu dri eto cyn y byddai angen iddi ddechrau poeni. Bu'n chwech a saith wythnos arni'n 'dod 'mla'n' droeon. Dyna fyddai'r prawf yn ei gadarnhau. I beth âi hi i wastraffu arian? Doedd hi erioed wedi bod yn un i gyfri'r dyddiau. 'Fe setlan nhw i batrwm' oedd ei mam wedi dweud unwaith wrth i Ceri estyn cynfas y gwely iddi i'w olchi am yr ail fis yn ddilynol, a hithau'n rhy ddibatrwm i fod wedi paratoi.

Doedd Christian ddim callach, a gwnâi hynny i Ceri synnu eto at ei dwpdra: pa mor debyg i 'baby' oedd raid i'r gair 'babi' fod cyn iddi ddechrau gwawrio yn ei feddwl bach mai cyhoeddi newyddion ynglŷn â'r ffaith ei fod e'n mynd i fod yn dad wnaeth Ceri wrth gefnu ar ei mam rai dyddiau ynghynt?

Ystyriodd Ceri'r cyhoeddiad. Rhaid bod amheuon wedi bod yn chwarae ar gwr ei hymwybyddiaeth i beri iddi ddweud y fath beth. Fyddai'r fath bwlsei ddim wedi croesi ei meddwl fel arall.

Ceisiodd feddwl dros y deuddydd diwethaf wrth wrando ar y dieithriaid ar y stryd drwy'r ffenest agored. Clywai acen Christian yn drwch o'i chwmpas ym mhob man, heb fod ronyn yn llai dieithr chwaith o fod yr un acen ag un Christian. Doedd y fflat yn ddim byd tebyg i'r hyn roedd hi wedi'i ddychmygu: cynhwysai bob dim o fewn ei chyfaint prin a allai fod ei angen arni – pob dim ar wahân i le. Lle iddi hi ei hun heb gysgod

Christian a Kevin drosti. Roedd ganddi hi a Christian *wet room* bychan wrth eu hystafell wely – bocs o ystafell, ond heb fod yn llai moethus o'r herwydd. Llenwai teledu plasma y wal o flaen eu gwely fel na fyddai'n rhaid colli un eiliad o lif yr operâu sebon cyson o'i grombil. Ystafell fach Kevin yr un fath wedyn am y pared â nhw a dim lle i lawer mwy na gwely sengl ynddi. Cegin a lle byw bron mor fach â'r ystafell wely, ond yn llawn o'r geriach diweddaraf, wedi'u stwffio'n dynn i'r waliau, y cyfan yn newydd sbon.

Caethiwo'i hun i'r gwely a'r teledu a wnaeth Ceri ar ôl tacluso, a Christian yn dychwelyd o'i shifftiau i holi oedd hi'n iawn. Kevin yn rhoi ei ben rownd y drws i'r un perwyl wedyn pan oedd Christian yn gweithio. Byddai'n well gan Ceri pe bai ganddi'r lle iddi hi ei hun drwy'r amser yn lle bod hwnnw yno weithiau ar ei ben ei hun gyda hi pan nad oedd ei shifftiau ef a rhai Christian yn cyd-daro. Tueddai Kevin i ddefnyddio'r fflat fel swyddfa: dim ond ei ffôn oedd ei angen arno, ymddangosai, a threuliai oriau ar y soffa ledr dwt yn trefnu ei fusnes. Doedd hi ddim awydd ei bresenoldeb na'i sylw gorofalus ohoni. Roedd e lawer yn fwy o faint na Christian, ac ofnai Ceri na fyddai'n gallu ei drechu pe bai ei 'A'right luv?' yn tyfu'n rhywbeth mwy peryglus.

Ac wedi deuddydd, gwelodd ei chyfle pan biciodd Kevin allan i'r gwaith at Christian. Roedd yn rhaid iddi gael gwybod.

Wrth gerdded ar hyd y stryd i gyfeiriad y Boots agosaf, ystyriodd Ceri beidio â mynd yn ei hôl i'r fflat. Gallai alw tacsi a'i chludai i'r orsaf gyn hawsed â throi yn ei hôl i gerdded yr un strydoedd tuag at ei charchar. Ond pen draw pob taith mewn trên, o raid, fyddai Ty'n Mynydd ac ni fedrai oddef meddwl am lyncu ei balchder a mynd yn ôl i'r fan honno. Am y tro cyntaf erioed, ystyriodd ffonio'i thad a gofyn am gael aros gydag ef am gyfnod iddi gael ei thraed dani cyn wynebu bywyd yn annibynnol. Ond doedd hi prin yn gallu dweud ei bod hi'n nabod ei thad yn ddigon da i allu mentro y byddai'n ei chroesawu ato â breichiau agored.

Ceryddodd ei hun am fod yn fabi. Rhaid oedd rhoi cynnig ar Birmingham, gadael i bethau wella cyn ildio – ac roedd yn rhaid mai gwella wnaen nhw gydag amser. Dôi i arfer â Christian, ac i ddysgu gwrthsefyll diddordeb Kevin ynddi. Dôi i hoffi'r lle, a dysgu ei alw'n gartref.

Gafaelodd yn dynn yn y prawf beichiogrwydd a thalu amdano heb ennyn unrhyw ymateb yn y ferch wrth y til.

Yn lle mynd yn ei hôl i'r fflat i wneud y prawf, anelodd am gaffi. Eisteddodd i sipian ei choffi gyda'r bwriad o fynd i'r tŷ bach cyn gadael y lle. Sipiodd yn araf deg, ac awchu am gwmni Shelley i'w chario drwy'r orchwyl y byddai'n rhaid iddi ei hwynebu. Byddai Shelley wedi gwneud iddi chwerthin – piso chwerthin am ben y pren bach a roddai wybod iddi'n derfynol sut beth fyddai ei dyfodol.

Bu'n troi ei llwy yng ngwaddod ei chwpan coffi am ugain munud cyfan cyn gorfodi ei hun i godi yn y diwedd.

Clodd y drws a brysio i wneud yr hyn roedd rhaid ei wneud cyn iddi golli'r owns o hyder oedd yn weddill ynddi.

Gorfododd ei hun i godi'r pren bach i edrych arno a gwelodd y llinell las a oedd yn cadarnhau ei beichiogrwydd yn syth. Sadiodd ei hun yn erbyn ochr y ciwbicl a methu ag atal ei hun rhag rhoi gwich fach o ofn. Byddai wedi gwneud unrhyw beth am bresenoldeb ei mam – unrhyw beth heblaw dychwelyd i bresenoldeb ei mam.

Ymhen munudau, llwyddodd i wasgu'r pren i'w gwdyn a'i stwffio i waelod y bin clytiau mislif. Aeth allan o'r ciwbicl a thaflu dŵr dros ei hwyneb. Sylwodd ei bod hi'n crynu. Daliodd ei hun wrth ochr y sinc rhag iddi lithro wrth i'w phen droi. Prin y gwelai ei hun yn y gwydr. Doedd hi ddim am funud wedi credu yn ei beichiogrwydd, ddim pan ddaeth i'w meddwl gyntaf, ddim pan saethodd y newydd at ei mam. A dyma hi nawr yn cael ei thrywanu gan wirionedd na allai ei ddadwneud.

Bwlsei.

Byddai Shelley wedi dweud yn wahanol wrthi, wedi ei hannog i fynd i gael ei wared ar unwaith. A llifodd y gobaith bach y gallai wneud hynny drwyddi am eiliad. Ond byddai hynny'n galw am help Christian, a beth fyddai ymateb hwnnw? A byddai erthylu'n cyfaddef methiant yn derfynol wrth ei mam, a hithau wedi mwynhau dweud wrthi gymaint, wedi dwli ar weld y dychryn ar ei hwyneb.

Na. Roedd babi y tu mewn iddi, yn ysu byw, babi bach i'w garu ganddi, i wneud gwell gwaith o'i fagu nag a wnaeth ei mam o'i magu hi.

Cryfhawyd hi gan hynny: rhyfedd pa mor sydyn y gafaelodd y gwreiddyn bach di-ffurf y tu mewn iddi, na allai fod yn fwy na chwe wythnos oed i gyd. Rhyfedd y gafael, ystyriodd Ceri wrth adael y caffi, y gafael 'ma sy'n troi merched yn famau.

Aeth yn ôl i'r fflat gan wneud iddi'i hun alw'r lle'n gartre. Yn ôl i'w gwely, ei nyth, a'i llaw ar ei bol i warchod y rhywbeth bach y tu mewn iddi. Ei rhywbeth bach hi.

*

Dôi Christian a Kevin â thamaid o fwyd iddi'i fwyta a byddai'n gwneud hynny'n ufudd. Ceisiodd Christian, fwy nag unwaith, ei chymell i godi a mynd am dro gydag e yn y fan, neu i'r parc, i gael gwneud y pethau hynny y byddai cariadon yn eu gwneud. Ond roedd yr unig gwmni roedd ar Ceri ei eisiau y tu mewn iddi.

Ar ôl wythnos yn ei gwely, roedd Christian wedi dod ati o'i waith a gorwedd gyda hi, er nad oedd hi eto'n amser gwely arno ef. Prin y cydnabu Ceri ei fodolaeth.

'Is it because you don't want me?' meddai Christian yn y diwedd.

'I don't feel well,' meddai Ceri wrtho eto a'i chefn tuag ato, fel roedd hi wedi dweud sawl gwaith yn barod.

'Kevin thinks you might be – ' Methodd Christian orffen y frawddeg.

'He's wrong,' meddai Ceri rhag ei glywed yn dweud.

Châi Christian ddim gwybod. Dim ond hi gâi wybod. Er i feddyliau amdani ei hun yn magu'r babi'n dynn ati fod yn llenwi ei dyddiau effro ers wythnos gyfan gron, doedd Christian ddim yn y llun hapus ohoni hi a'i babi. Neb. Dim ond Ceri a'i babi bach.

*

Dim ond hi oedd. Ceri, a'r dwfe'n dynn amdani, yr unig gysur yn y byd oddi allan. Y tu mewn iddi, roedd rhagor: roedd twlpyn di-ffurf ei dyfodol, yn llawn gobaith o well byd. Ynddi hi ac ohoni hi, i'w fowldio'n fersiwn ceiniach, mireiniach, cywirach ohoni hi ei hun. Hi, a hi'n unig, fyddai'r crefftwr. Ni châi'r edefynnau anweledig rhyngddi hi, y crëwr, a'i chreadigaeth byth freuo.

Ai felly roedd ei mam wedi teimlo pan ddaeth ffaith bodolaeth Ceri iddi? Ai dyma feddyliau pob darpar fam wrth ystyried y dudalen wen, wag oedd yn ymffurfio fesul atom y tu mewn iddi? Ond nid pob darpar fam oedd Ceri, ac nid pob darpar blentyn oedd yn tyfu i fod y tu mewn iddi.

Ni ddeifiai'r papur gwyn drwy ei agor i eraill: ni châi Christian ei ddwyno, na'i mam, na neb. Hi, Ceri, oedd pia'r papur, ac fe luniai hi gampwaith arno. Cyn geni ei phlentyn, byddai wedi dod o wely Christian a sefyll ar ei thraed ei hun yn ei lle ei hun, ymhell rhag eraill, hi a'i babi, yn rhydd o afael pawb. Doedd dim daearyddiaeth eto i'r lle yn ei meddwl, ond fyddai dim daearyddiaeth i'w pherthynas hi a'i phlentyn chwaith. Fyddai'r lle ddim yn creu clymau cyfyngus amdanynt, a chyfrwng eu cyfathrebu fyddai eu hiaith nhw ill dau a neb arall. Cyfrwng yn unig, nid llyffethair fyddai hi, yn union fel yr iaith a siaradent nawr: yn ei gwaed, yn ddieiriau, ddidramgwydd, ddirwymyn rhyngddynt. Hi fyddai iaith y plentyn, ei genedl, ei dras, ei wreiddyn a'i bopeth.

Am nawr, gwnâi gwely Christian y tro fel nyth. Dôi amser eto i benderfynu, i symud ac i ffurfio cartref yn rhywle arall, i greu nyth arall iddyn nhw ill dau, pan fyddai dau yn lle un. Dôi amser i gau'r drws ar y tu allan er mwyn iddi beintio perffeithrwydd ar y ddalen lân. Dôi magu iddi, fel greddf, ac fel greddf byddai'n cryfhau o'i harfer. Dôi amser i dorri'r rhaffau eraill i gyd a chadw dim ond un rhyngddi hi a'i chreadigaeth, y rhaff a wnâi nyth iddyn nhw ill dau. Honno'n unig.

Wedyn, byddai teimlad arall yn mynnu ymwthio drwy haenau ei gweledigaeth am ei dyfodol annibynnol. Teimlad o hiraeth am yr hyn roedd ei mam eisoes yn ei wybod, a hithau heb ddechrau ei ddysgu. Ni ddeallai Ceri pam roedd hi'n teimlo hynny. Sut gallai Efa wybod dim byd? Rhaid oedd ysu'r hiraeth allan ohoni rhag iddi ildio yn ei gwendid wedi'r enedigaeth a mynd yn ôl i botsh Ty'n Mynydd, i'r gors a fyddai'n ei sugno hi a'i phlentyn. Rhaid oedd torri'r rhaffau.

Yna byddai'n clywed ei hun yn canu i'r plentyn yn ei chroth, y caneuon a glywodd hithau'n blentyn. Canu yn ei phen, ond canu clir, y canu greddfol a ddaeth iddi yn Gymraeg, nid yn eu hiaith ddieiriau nhw ill dau. Ceisiodd wthio 'Heno, heno' allan o'i phen, a 'Cysga di fy mhlentyn tlws', am mai caneuon ei mam oedden nhw, nid ei chaneuon hi a'i phlentyn. A pho fwyaf y ceisiai eu cau allan, cliriaf oll y canent yn ei phen. A pho gliriaf y canent, mwyaf oll y chwyddai dyhead Ceri am freichiau ei mam amdani yn lle'r dwfe, a'r awydd am gael newid lle â'r dotyn bach y tu mewn iddi a chael llais ei mam yn canu iddi hi, nes gwneud iddi anghofio am eiliad pa un oedd hi – y fam neu'r dotyn â'r breichiau fel rhaff amdani.

Yn ei chlust, roedd llais ei mam amdani'n canu 'Cysga di fy mhlentyn tlws' nes gwneud i Ceri anobeithio eto am allu diosg y rhaff oedd yn ei thagu.

A deallodd nad oedd modd i nyth bara am byth, mai peth dros dro yw hi, i'w gadael, fel y byddai ei phlentyn hi yn ei gadael hi yn y pen draw.

*

'You'll 'ave to go to the doctor, luv,' meddai Kevin a dod i mewn i'r ystafell ati. 'This can't be right, you shuttin' ya'self in 'ere all day, every day.'

Teimlodd Ceri ei chyhyrau'n clymu'n sownd wrth iddo nesu ati. Eisteddodd Kevin ar y gwely a rhoi ei law ar ei hysgwydd. Aeth ias oer drwyddi.

'Might be you need a pick-me-up.'

Mwythodd ei hysgwydd.

'Don't touch me,' llwyddodd Ceri i'w rybuddio.

Tynnodd yntau ei law yn ôl ar unwaith. Teimlai Ceri fel sgrechian, ond doedd sgrech ddim yn mynd i fynd yn bell yn Birmingham. Gafaelodd yn y dillad gwely amdani.

'I won't. I just want you to get better, it's been nearly three weeks. We can't 'ave you like this.'

Eiliad eto a byddai wedi bachu'r dillad gwely oddi amdani ac wedi gwthio'i hun arni.

'Christian's worried,' meddai wrthi'n dyner. 'And I am as well. Talk to me. Tell me what's wrong. If you can't tell Christian, maybe you can tell me. You only get up to go to the bog,' meddai wedyn, gan atgoffa Ceri ei bod hi bron â marw eisiau mynd i'r tŷ bach. Ond doedd dim yn y byd a'i cymhellai i adael i'r dillad gwely lithro o'i dwylo rhag hwn.

'Listen,' meddai'r creadur wrthi wedyn, 'maybe there's something I could do…'

'No!' gwaeddodd Ceri a thynnu'r dillad yn dynnach amdani.

'Listen!' meddai Kevin yn fwy penderfynol. 'It's not that I want to do anything behind Christian's back, but I'm worried about you.'

Mwythodd Ceri ei bol mewn ymgais i gysuro'i hun a stopio'r hyn oedd yn mynd i ddigwydd rhag digwydd.

'I'll take you home.'

Prin oedd y geiriau wedi treiddio i ymennydd Ceri cyn iddo ymhelaethu a dweud wrthi eto nad oedd hyn yn iawn, ei bod hi'n amlwg yn anhapus ac mai gartref gyda'i mam oedd ei lle hi a hithau'n amlwg yn dioddef…

'I'll take you home to your mum,' meddai Kevin eto i wneud yn siŵr ei bod hi'n deall.

Teimlodd Ceri'r dagrau'n llifo wedyn.

'I can't,' llefodd. 'I can't go home to her.'

Daeth yn ymwybodol o'r gnofa yng ngwaelod ei stumog a oedd wedi bod yno ers sbel. Rhaid fyddai codi a mynd i'r tŷ bach. A nawr ei bod hi'n gwybod na fyddai'r ci yma'n cnoi, dyna a wnaeth. Gwthiodd y dillad gwely'n ôl yn sydyn ac anelu am y toiled. Wrth iddi sefyll, gwyddai fod rhywbeth o'i le.

Gwaethygodd y boen, a chael a chael oedd hi iddi gyrraedd.

'Of course you can,' clywodd lais Kevin y tu ôl iddi yn yr ystafell wely. 'At times like this, you need your mum.'

Beth bynnag am weddill Birmingham, clywodd Kevin ei sgrech.

32

'Barod?' gofynnodd Mr Mukherjee.

Daeth Efa at y car ac estyn ei bag mawr i mewn i'r sedd gefn cyn camu i'r sedd flaen.

Dywedwst iawn oedd Mr Mukherjee, yn ôl ei arfer, wrth iddo ganolbwyntio'n llwyr ar y gyrru.

Methai Efa'n lân â chael gwared ar y gân yn ei phen. 'One, two, three, four, five, Once I caught a fish alive.' Doedd hi ddim yn cofio gweddill y geiriau ond wnâi hynny ddim lleddfu dim ar y gân a oedd wedi gwreiddio yno dros y rhan fwyaf o'r diwrnod.

Arni hi roedd y bai. Er ei bod hi'n bendant bellach nad oedd babi'n bod go iawn, bu'n dychmygu Ceri'n canu i'w phlentyn. Canu Saesneg, nid 'Dacw Mam yn dŵad', na 'Mynd drot drot', na 'Bwrw glaw yn sobor iawn' na 'Si hei lwli, 'mabi' a myrdd o rai eraill roedd hi wedi'u canu i Ceri pan oedd hi'n fabi. Yr unig gân Saesneg a fynnai wthio i'w phen oedd 'One, two, three, four, five', a honno a fu'n troi rownd a rownd yno ers oriau bwygilydd.

Aethai bron i fis heibio ers i Ceri fynd. Chlywodd Efa ddim smic ganddi ers iddi adael y llythyr yn ei dwylo, ac er i Efa obeithio ar y cychwyn ei bod hi wedi darllen ei gynnwys, roedd hi'n eithaf siŵr bellach na wnaethai hynny. Roedd yn well gan Efa gredu hynny na meddwl bod Ceri wedi'i ddarllen a'i bod hi'n casáu ei mam gymaint fel na chreodd y llythyr ddigon o argraff arni i godi'r ffôn, hynny bach, hyd yn oed.

Glaniodd car Mr Mukherjee ar fuarth yr ysgol, a rhoddodd Efa ochenaid o ryddhad.

'Ma gole 'na, ma gobeth, Mr Mukherjee.'

'Anil,' meddai yntau, bron yn rhy dawel iddi ei glywed.

Wnaeth Efa ddim ailadrodd ei enw. Gwyddai y byddai ei alw wrth ei enw cyntaf yn teimlo fel pe bai hi'n cyfarch dieithryn.

Dair gwaith dros yr wythnosau diwethaf, roedd y ddau wedi cyrraedd yr ysgol a gweld nad oedd neb arall yno i allu cynnal y dosbarth. Dair gwaith, roedd Mr Mukherjee wedi gwenu'n galonogol arni a dweud y dôi gwell lwc wythnos nesaf. Dair gwaith roedd Efa wedi ffonio gweddill aelodau'r dosbarth a chael llu o esgusodion ac addewidion gan un neu ddau y doent i'r dosbarth yr wythnos ganlynol. Ni chafodd nac esgus nac addewid gan Adrian y Feathers. Roedd e'n teimlo, wir, ei fod e wedi dysgu digon o Gymraeg – eglurodd wrthi'n Saesneg – ac nad oedd angen iddo barhau i ddod i'r gwersi bellach. Wnaeth Efa ddim trafferthu anghytuno ag e. I beth yr âi hi i ymlafnio i dynnu gwaed o garreg?

'Fine,' meddai Efa wrtho. 'Totally fine by me. I've come to the conclusion that I've drunk enough alcohol in my life as well, so you won't see me in the Feathers from now on either.'

Rhoddodd y ffôn i lawr arno a theimlo mor ddwl â merch fach bump oed am ddweud y fath beth gwirion. Wiw i ni bechu'r bobl rydyn ni'n ceisio'u diwygio. Ond meddyliodd wedyn, stwffio Adrian Feathers.

Dywedodd Roberta wrthi – mewn Cymraeg gloyw – ei bod hi'n gorfod rhoi'r gorau i'r gwersi am ei bod hi'n symud yn ôl i Lundain at y teulu. Wrth glywed y newydd, plymiodd calon Efa. Pam na allai Adrian symud yn ôl i Loegr a gadael Roberta ar ôl ym Mhen-cwm, o gofio am ei brwdfrydedd a'i hawydd a'r cynnydd digamsyniol a wnaethai'n dysgu'r iaith?

Rhyw addewidion tila eu bod am wneud ymdrech i ddod i'r wers nesaf gafodd hi gan y gweddill.

Daeth Efa allan o'r car a thynnu ei bag o'r cefn. Caeodd Mr Mukherjee ei ddrws ef a dod rownd i'w helpu hi i gario'r bag yn llawn o lyfrau a phapurau a deunydd dysgu, a gynhwysai fyrdd o amrywiol ddulliau i gymell yr iaith o gegau'r dysgwyr.

Gwen oedd yno, yn gweithio'n hwyr.

'Ffansi gwers Gymraeg?' holodd Efa'n ddigalon, gan eistedd yn swyddfa'r brifathrawes.

'Niferoedd yn gostwng?' holodd Gwen a gwên fach o gydymdeimlad ar ei gwefusau.

'Diflannu, nid gostwng,' atebodd Efa. 'Ar wahân i Mr Mukherjee, wrth gwrs.'

Gwenodd yntau wrth nodio'i ben i gyfarch y brifathrawes.

'Steddwch, Mr Mukherjee. Gymrwch chi baned? Ar fin gwneud un o'n i.'

Gwrthododd Efa a Mr Mukherjee gan ddiolch am y cynnig. Doedd fawr o bwrpas iddyn nhw gynnal y wers yn yr ysgol. Dair gwaith yn ddiweddar, roedd Mr Mukherjee wedi dweud mai rheitiach fyddai iddyn nhw gynnal y wers gartre, naill ai yn Nhy'n Mynydd neu Dy'n Rhos, a dyna oedd wedi digwydd, er mai sgwrs dros baned oedd y gwersi bellach.

Sgwrsio am Ceri yn amlach na pheidio. Gwrandawsai Mr Mukherjee am oriau ar ei gofidiau. Ystyriodd Efa fwy nag unwaith pa mor anodd oedd hi i rywun – na, i Mr Mukherjee, oedd yn llawer mwy na 'rhywun' – glywed yr un peth drosodd a throsodd a throsodd a methu cynnig fawr ddim cysur gan fod yr amser, wrth iddo fynd heibio, yn cadarnhau'r anorfod, fod Ceri wedi mynd am byth.

Siarad am Marcus hefyd. Marcus, y brawd nad oedd hi erioed wedi clywed am ei fodolaeth. Y llais dieithr, anghysurus o ddieithr, dros y ffôn. Bodlonodd ar adael llonydd iddi nes ei bod yn barod i'w gyfarfod – fe neu'i thad, hi oedd pia'r dewis. Roedd Efa wedi treulio'r wythnosau'n ceisio ei anghofio tra byddai hi'n llosgi ei hegni yn poeni am Ceri. Ond roedd chwilfrydedd, yn fwy na dim, yn ei gadw yn ei meddwl ac ar flaen ei thafod. Ni chynigiodd Mr Mukherjee air o gyngor iddi, dim ond gwrando. Gwyddai y byddai'n rhaid iddi gysylltu eto â Marcus cyn bo hir i ddweud wrtho beth roedd hi wedi'i benderfynu, er nad oedd ganddi syniad sut i ymateb.

Gwyddai Efa mai parodrwydd Mr Mukherjee i wrando arni a'i cadwodd hi rhag ei cholli hi'n llwyr. Dôi heibio bob bore i gynnig ei help yn yr ardd, ac roedd Efa'n ddiolchgar am hynny gan mai prin y byddai hi wedi codi o'r gwely fel arall, a dim diddordeb o fath yn y byd ganddi yn ei gardd. Gwnaeth Mr Mukherjee iddi ei ddilyn allan a rhoi cyfarwyddyd iddi, nes yn y diwedd iddi ailddechrau mynd allan o'i gwirfodd i chwynnu, neu i godi llysiau, neu i ailosod y bwgan brain. Pan aethai Ceri gyntaf, teimlai Efa mai maen melin am ei gwddw oedd Ty'n Mynydd a difaru iddi erioed ystyried dod i fyw i'r fath le anghyfannedd. Bellach, roedd Mr Mukherjee wedi adfer rhywfaint o'i serch at y lle.

Ef hefyd fu'n gyfrifol am ei chymell i'r gwersi Cymraeg. Bwriadu ffonio'r aelodau i ganslo'r wers gyntaf ar ôl i Ceri ei gadael oedd hi, ond dylanwadodd e arni i beidio. Fel y digwyddodd hi, ddaeth neb, felly ni fu'n rhaid iddi ymdrechu i gynnal gwers â chalon ddiflas. Ond yr un anogaeth gafodd hi ganddo i gynnal y wers yr wythnos wedyn, a'i chalon yr un mor ddiflas, a ddaeth neb y tro hwnnw chwaith. Na'r wythnos diwethaf. Heno, roedd ei chalon hi ychydig bach yn llai diflas, fe wyddai, achos roedd hi wedi dechrau ystyried, cyn dod, beth fyddai hi'n ei wneud yn y wers, a heb gymryd llawer o sylw o'r ffaith na ddaeth neb y tair wythnos flaenorol, fel pe bai rhyw obaith newydd yn hau ei had ynddi.

Wfft i'r fath obaith, meddyliodd Efa nawr wrth eistedd gyferbyn â Gwen.

'Mae'n amser cyfaddef methiant,' meddai Efa. 'Fe dria i eto ym mis Medi. Tra bydd yr ysgol 'ma, ma gobeth.'

Gwenodd Gwen yn gynnes arni.

'Rydw i'n dal eisiau dysgu,' meddai Mr Mukherjee a oedd yn dal ar ei draed.

'Ry'ch chi'n siarad Cymraeg yn ddigon da,' meddai Efa. 'Yn hen ddigon da.'

'Prin bod "digon da" yn ddigon da,' meddai Mr Mukherjee yn ddwys.

Roedd yn rhaid i Efa chwerthin.

'Beth sy mor ddoniol?' holodd Mr Mukherjee.

Gwnaeth hynny i Efa chwerthin mwy. Yna edrychodd Mr Mukherjee ar Gwen, ac roedd honno'n ceisio'i gorau i guddio'i chwerthin hefyd. Ysgydwodd Efa ei phen a gwneud ymdrech lew i roi'r gorau i chwerthin. Newidiodd y pwnc.

'Shwt mae pethe fan hyn?' gofynnodd Efa i Gwen. 'Ydyn nhw wedi penderfynu'n derfynol?'

'Hongian yn yr awyr,' meddai Gwen. 'Dim penderfyniad y naill ffordd na'r llall hyd yn hyn. Felly, ry'n ni'n dal ein gwynt.'

'Dyna sy ore ganddyn nhw,' meddai Efa. 'Ein cadw ni mewn ofn. Dyna'r ffordd maen nhw'n ein rheoli ni.'

'Dala'n gwynt, fel person ag un goes yn hopian ar ymyl y dibyn,' meddai Gwen.

'Reit,' meddai Efa a chodi ar ei thraed. 'Mae gynnoch chi a fi wers i fynd iddi yn Ty'n Mynydd,' meddai wrth Mr Mukherjee, gan ei fod e mor bendant nad oedd e wedi dysgu digon.

'Yn Nhy'n Mynydd,' cywirodd Mr Mukherjee hi. Anelodd Efa belten chwareus i'w gyfeiriad.

'Shwt ma Ceri?' holodd Gwen wrth hebrwng y ddau at y drws.

Taflwyd Efa oddi ar ei hechel. Swniai'r cwestiwn mor ddidaro, doedd dim posib fod Gwen yn gwybod am ymadawiad Ceri. Gan ei bod wedi llwyddo i wthio Ceri i gwpwrdd bach o'r neilltu yn ei hymennydd ers awr neu ddwy tra bu'n paratoi ar gyfer y wers, ac wedi teimlo gymaint yn well y dyddiau diwethaf hyn ar ôl wythnosau anoddaf ei bywyd, daethai'r cwestiwn fel bwyell o'r awyr ar ei phen.

'Iawn,' meddai Efa.

'Da iawn,' meddai Gwen yn ysgafn. 'Mae'n bwysig edrych ar ôl y genhedlaeth nesa o Gymry. Wiw i ni ei phechu.'

Tynnu coes oedd hi, heb wybod dim am hanes diweddar Ceri. Ffarweliodd yn gynnes â'r ddau.

Teimlodd Efa law Mr Mukherjee yn chwilio am ei llaw hi, yna'n ei gwasgu, wrth iddyn nhw gerdded gyda'i gilydd at y car.

'Pam na ddwedwch chi wrthi?' meddai'n dawel. 'Mae hi'n ffrind i chi.'

'Lletchwith…' meddai Efa. Sut oedd dweud wrth Gwen mai Grandma fyddai hi, ddim Mam-gu: os nad nawr, yna ymhen amser yn sicr, â Ceri'n byw yn Birmingham?

'Carchar yw lletchwith,' meddai Mr Mukherjee.

'Rwbryd eto,' meddai Efa gan agor drws y car.

*

'Gallen i fod wedi ca'l lifft o'r pentre 'da chi,' meddai Ceri wrth i Efa ddod i mewn i Dy'n Mynydd a Mr Mukherjee wrth ei sodlau.

Dychrynodd Efa nes y bu bron iddi â disgyn. Safai Ceri o'i blaen, ei bag ar lawr wrth ei thraed, heb wên ar ei hwyneb.

'Safio fi gerdded yr holl ffordd lan.'

A hithau'n dal yn benysgafn gan y sioc, tynnwyd llygaid Efa'n reddfol at fol Ceri. Os rhywbeth, edrychai'n deneuach, ac yn welwach.

Trodd Mr Mukherjee i fynd allan, rhag iddo ymyrryd. Estynnodd Efa ei llaw i afael yn ei fraich i'w rwystro, heb dynnu ei llygaid oddi ar Ceri.

'Fyddech chi cystal ag aros, Mr Mukherjee?'

Trodd yntau yn lletchwith gan ei anghysur, ond ni roddodd gam ymhellach i mewn i'r gegin o ffrâm y drws.

'Chi byth wedi croesi i "ti", 'te?' holodd Ceri.

'Wyt ti 'nôl?' holodd Efa, heb allu rhoi trefn ar ei meddwl.

'Na, rhith dy feddwl gwallgo di ydw i.'

Disgynnodd Ceri i'r soffa ac agor y paced o greision o'r cwpwrdd a oedd ganddi yn ei llaw.

'Wyt ti'n iawn?' Ceisiodd Efa roi mwy o synnwyr i'w chwestiynu. Symudodd tuag at Ceri, ond ymataliodd rhag gafael ynddi. Doedd Ceri ddim mewn hwyliau maldodus.

'Mor iawn ag y galla i fod.'

'Beth am y babi?' holodd Efa, gan dybio wrth lefaru'r cwestiwn ei fod yn gwestiwn twp.

'Pa fabi?' mwmiodd Ceri'n ddiamynedd.

'O'n i'n ame,' methodd Efa atal rhag dweud.

'O't ti?' holodd Ceri heb ddangos dim chwilfrydedd mewn gwirionedd.

'Sdim ots,' meddai Efa.

''Wy ddim moyn bod 'ma, i ti ga'l dyall,' dechreuodd Ceri er mwyn adfer rhyw oruchafiaeth eto fyth. ''Wy ddim tamed o isie bod 'ma.'

'Lle ma Christian?'

'Birmingham.'

Anelodd Efa tuag ati.

''Wy ddim yn madde i ti, Mam.' Tynnodd Ceri yn ôl rhagddi. ''Wy byth yn mynd i fadde i ti.'

Bodlonodd Efa ar hynny fel man cychwyn. Daeth yn ymwybodol o sŵn bach tawel y tu ôl iddi wrth i Mr Mukherjee fynd allan a'u gadael.

*

Aethai Kevin â hi i'r clinig. Archwiliodd y doctor hi'n drylwyr a'i chadw i orwedd am rai oriau. Barnodd yn y diwedd nad oedd angen iddi fynd i'r ysbyty, ond roedd hi wedi erthylu a doedd dim y gallai ei wneud: gwelai lawer o erthyliadau buan – tua naw wythnos yn feichiog fyddai hi wedi bod, barnodd, ar ôl gwneud i Ceri gyfrif. Dylai ystyried yr anffawd yn un o'r pethau 'ma sy'n digwydd, bron yn fawr gwaeth na mislif hwyr, a bwrw ymlaen i feichiogi eto ar ôl gadael rhyw fis bach neu ddau i fynd heibio. Yn union fel pe na bai wedi sylwi mai plentyn oedd Ceri ei hun.

Daethai Christian i'r clinig wedyn, ar ôl i Kevin ei ffonio a dweud wrtho fod Ceri wedi colli babi. Daeth â bwnsiad bach tila o flodau garej iddi. Derbyniodd Ceri nhw heb allu gwenu ei diolch iddo.

'When can you come home?' holodd yn bryderus.

Dechreuodd Kevin ei arwain allan o'r ystafell – roedd Ceri eisoes wedi dweud wrth y brawd mawr beth oedd ei bwriad.

'No!' galwodd Ceri nhw 'nôl. 'I'll do it.'

Aeth Kevin allan a'u gadael. Roedd yr olwg ar wyneb Christian yn dangos ei fod wedi deall beth oedd yn dod.

'I have to go,' meddai Ceri. 'I need to go.'

'Back home?'

Prin y gallai gael ei eiriau allan. Cyn iddi ateb, roedd e wedi dod ati a gafael yn ei breichiau. Ymbiliodd arni i aros a chrefu y dôi babi arall, os mai hynny oedd ei dymuniad.

'I'm sixteen,' meddai Ceri a rhyfeddu at ei anallu yntau eto i ddeall.

'So that's it then,' meddai Christian yn chwerw. 'You're going to let her get away with what she did.'

'With what you *both* did,' meddai Ceri. 'Yes.'

Yna aeth saeth o hiraeth drwyddi am y tro cyntaf yn iawn – ond y tro cyntaf o sawl tro arall – am y bwndel bach y byddai wedi bod wrth ei bodd yn ei gario gartre i'w ddangos i'w mam.

*

Wrth chwilio am hances bapur yn ei bag ar y trên y glaniodd bysedd Ceri ar yr amlen a roesai ei mam iddi bron fis ynghynt, cyn iddi adael am Birmingham. Roedd hi wedi'i stwffio i bellafion y bag o dan ei holl annibendod.

Doedd hi ddim wedi meddwl am y llythyr tra bu'n gorwedd yn ei gwely yn y fflat, ddim wedi ystyried edrych arno. Sylweddolodd gymaint roedd y sioc o wybod ei bod hi'n feichiog go iawn wedi'i llorio dros yr wythnosau diwethaf.

Ac eto, roedd colli'r babi'n brifo'n ddwfn y tu mewn iddi, wedi'i llorio mewn ffordd wahanol. Doedd hi ddim yn barod i arllwys y cyfan wrth ei mam eto: câi hynny aros. Rhoddodd ei llaw ar ei bol a hiraethu am rywun na ddôi byth i'w adnabod.

Agorodd yr amlen a darllen geiriau ei mam iddi. Wrth iddi wneud, daliodd i fwytho'i bol gwag.

*

Bachodd Ceri lond llaw o Haribos o'r cwpwrdd cyn gadael ei mam yn y gegin. Camodd i mewn i'w hystafell wely gan lyncu'r gyms melys, yn barod i ailafael yn edefynnau ei phlentyndod.

33

Yn yr Angel roedd y cyfarfod.

Doedd dim dwywaith ym meddwl Efa mai'r dyn tal a eisteddai yn y gornel gyda'r ddynes â'r gwallt drud oedd Patrick, er nad oedd e prin wedi edrych arni pan gerddodd hi i mewn i'r bar moethus. Gwyddai hefyd mai Marcus oedd yn eistedd wrth ymyl ei fam. Edrychai'n iau na'i bum mlwydd ar hugain, neu ai hi oedd yn mynd yn hen?

Roedd hi'n weddol dawel yno, fawr o gwsmeriaid yn yfed, ar wahân i bâr ifanc a grŵp o ddynion mewn siwtiau drudfawr yn mwynhau peint amser cinio cyn dychwelyd i'w swyddfeydd a'u swyddi breision.

Penderfynodd archebu diod iddi'i hun cyn mynd draw at y soffa esmwyth lle roedd y tri'n eistedd. Roedd hi angen cael trefn ar ei hanadlu, ac ar y gwrid a wyddai oedd ar ei bochau, cyn mentro draw.

Derbyniodd wydraid o win gan y barman. Gallai fod wedi troi a cherdded allan tra bu'n disgwyl amdano – ac ni fyddai Patrick na'r ddau arall ronyn callach ei bod hi wedi bod yno o gwbl – ond wnaeth hi ddim. Gwyddai fod hon yn orchwyl na allai droi ei chefn arni.

Nesaodd atynt, a chraffu'n fanwl ar wyneb Patrick wrth iddo sylweddoli mai hi oedd hi.

'Eve!' ebychodd, fel pe bai'n chwythu cannwyll ar gacen benblwydd.

'Efa,' cywirodd Efa, heb ymroi i gwrteisi gwên.

Cododd Patrick yn llawn cynnwrf fel pe bai rhywun newydd danio'r switsh arno. Symudodd tuag ati gyda'r bwriad o'i chofleidio, ond mae'n rhaid ei fod wedi'i synhwyro hi'n gwingo cyn iddo'i chyffwrdd gan iddo gilio'n ei ôl a chyfuno'r symudiad ag ystum i'w gwahodd hi i eistedd.

'Plis… plis, dere i eistedd gyda ni.'

Eisteddodd Efa ar ôl rhoi ei gwydr gwin i lawr ar y bwrdd isel o'u blaenau.

Doedd y wraig ddim wedi symud cyhyr, dim ond gwenu'n siwgraidd arni. Nodio arni a chymryd sip o'i beint a wnaeth Marcus.

'Felly ti yw'r Sais,' meddai Efa wrth Patrick a theimlo'r Saesneg yn ddieithr yn ei cheg.

Doedd hi ddim am wneud pethau'n hawdd iddo. Ddim eto.

'Mae e'n chwarter Cymro,' meddai'r wraig, yn amlwg yn warchodol ohono. 'Mae ganddo waed sy'n siarad Cymraeg.'

'Ro'n i'n disgwyl taw gwallt hir fyddai gen ti,' meddai Patrick.

'Sori,' meddai Efa, gan wneud ymdrech ddiffuant i beidio â gadael i'w llais fradychu'r coegni a deimlai.

'Na, na,' meddai Patrick. 'Dim ond taw gwallt hir oedd 'da ti'r tro dwetha gweles i ti.'

Eiliad o wallgofrwydd, cofiodd Efa, a rhoi ei llaw ar ei phen i gyffwrdd â'r sbeics.

'Well 'da fi fe'n fyr,' meddai hi. 'A dwi wedi ca'l digon o amser i'w dorri ers hynny.'

Gwyddai nad oedd hi'n gwneud llawer o synnwyr, felly penderfynodd beidio â siarad mwy nag oedd raid. Roedd y cyfarfod yn ddigon lletchwith yn barod, a'i bwriad oedd gwneud iddo fe deimlo'n fwy lletchwith byth, nid siarad rwtsh ei hunan.

Pwysodd Patrick ymlaen.

'Ofynnes i i 'ngwraig, Sheila, ddod gyda ni. Does dim ots 'da ti, gobeithio.'

Edrychodd Efa ar 'fy ngwraig, Sheila' a gwenu'n denau. 'Ddim o gwbwl.'

Gallai fod wedi gofyn i Mr Mukherjee ddod i mewn gyda hi, wedi'r cyfan. Dau yn erbyn tri yn lle tri yn erbyn un. Ond sut byddai 'Ofynnes i i 'nghymydog, Mr Mukherjee, a oedd yn ddigon caredig i ddod â fi lawr 'ma, i ddod 'da fi, gobeithio nad oes ots 'da chi' wedi swnio?

Astudiodd Efa ei wyneb. Dyn hunanymwybodol, hunanhyderus, hunan-falch, a golwg gwybod-y-cyfan ar ei wyneb. Ni allai weld ei hun ynddo o gwbl. Dyn a edrychai ar ôl ei hun, hefyd, dyn nad oedd am ildio i henaint. Doedd e ddim yn edrych ddiwrnod yn hŷn na Mr Mukherjee, ac roedd yn llawer llai blêr na hwnnw.

'Dwi wedi bod yn meddwl dod i gysylltiad ers amser,' meddai Patrick. 'Ond roedd bob math o bethau'n fy rhwystro. A nawr…'

'Nawr, mae dy fab wedi gwneud hynny drosot ti,' meddai Efa. Gwenodd eto'n sydyn i dynnu'r colyn o'i geiriau, a thaflu cipolwg ar Marcus, a oedd i'w weld yn barod i eistedd yn y sedd ôl a gadael i'r cyfarfyddiad rhwng y tad a'i ferch ddarganfod ei rigol ei hun.

'Do.' Symudodd Patrick ei din yn anghysurus ar y soffa. 'Roedd Marcus o'r farn y byddai'n syniad da.'

'A ti…?' gofynnodd Efa.

Edrychodd Patrick i'w llygaid a gwelodd Efa fod 'na her ynddyn nhw: doedd e ddim am adael i'w chwerwder hi ddifetha'r cyfarfyddiad bron cyn iddo ddechrau.

'Mae 'da fi lawer o waith egluro,' dechreuodd Patrick a'i lais yn gadarnach nag y bu ers iddo siarad â hi gyntaf.

Ond wnaeth e ddim bwrw ati i egluro ar unwaith chwaith, gan iddo eistedd yn ôl yn y soffa ac ysgafnu ei lais.

'Yn gynta, dwed wrthon ni amdanat ti dy hun.'

Er iddi ffieiddio at y modd roedd e'n siarad â hi fel pe bai hi'n groten ifanc yn ei chyfweliad cyntaf am swydd, teimlai Efa'n barod i ddweud wrtho.

'Mae 'da fi ferch, Ceri. Fe fydd Marcus wedi dweud hynny wrthot ti.'

Cymerodd Marcus sip arall o'i beint. Roedd tair galwad ffôn wedi bod rhyngddo ac Efa ers iddo gysylltu y tro cyntaf, a phob un wedi para'n hirach na'r alwad cynt wrth i'r ddau gyfnewid ffeithiau am deuluoedd ei gilydd.

'Un ar bymtheg.'

'Ie. Fe wrthododd hi ddod heddi.'

Doedd Efa ddim wedi gwasgu arni, dim ond cynnig. Ateb Ceri oedd ei bod hi eisoes wedi gwneud trefniadau gyda Shelley i fynd ar y bws i siopa i Gaerfyrddin. Gallai fod wedi cynnig lifft i'r ddwy ddod gyda hi a Mr Mukherjee ar eu ffordd i Gaerdydd, ond wnaeth hi ddim. Fyddai Ceri ddim wedi derbyn y cynnig hwnnw chwaith.

'Ry'n ni wedi cael tipyn o siwrne, rhwng popeth,' meddai Efa. 'Ceri a fi. Dydw i ddim wedi'i chael hi'n hawdd magu plentyn yn ei harddegau.'

'Pwy sy?' Ceisiodd Patrick ysgafnu pethau ond bachodd y chwerthin ar ei wynt braidd.

Gwenu a wnaeth Marcus.

'Ar 'y mhen fy hun,' ychwanegodd Efa, gan obeithio nad oedd e'n dehongli hynny fel cyfeiriad at ei thor-briodas yn unig. Roedd i'r 'ar fy mhen fy hun' ystyr llawer mwy estynedig na hynny.

Bwriodd rhagddi: 'Mae hi wedi bod yn anodd heb neb i fod yn esiampl.'

'Wrth gwrs.' Plygodd Patrick ei ben i astudio'r pedwar gwydryn ar y bwrdd o'i flaen, cyn penderfynu mai dim ond bwrw i'r dwfn a wnâi'r tro, gan nad oedd hon, ei ferch, yn mynd i ildio dim. 'Doedd amgylchiadau dy eni di ddim yn hawdd,' meddai.

'Felly o'n i'n deall. Yn angladd Mam-gu, fe alwest ti fi'n eiliad o wallgofrwydd.'

Rhythodd Patrick arni. Roedd y fechan eurwallt yn llaw ei thad-cu wedi bachu ar ei eiriau – ychydig o'i eiriau – ac wedi'u cario yn ei phen dros ddeng mlynedd ar hugain. Y geiriau *hynny*.

'Glywest ti hynna?' ebychodd. 'Ti'n cofio *hynna*?'

'Galle fe fod wedi swnio'n wahanol allan o'i gyd-destun.' Plygodd Sheila ymlaen i achub cam ei gŵr.

'Mae'n iawn, She.' Estynnodd Patrick ei law i'w chyfeiriad er mwyn ei thewi, heb dynnu ei lygaid oddi ar Efa. 'Ddim *ti* oedd 'y ngwallgofrwydd i.'

Roedd Marcus a Sheila'n ei wylio, a Marcus, bellach, yn gwybod beth oedd i ddod.

'Dreisies i dy fam,' meddai Patrick, a thrawodd y geiriau Efa fel picelli. Pedwar gair. O'r holl wahanol resymau roedd hi wedi'u dychmygu dros iddo'i galw hi'n 'eiliad o wallgofrwydd', doedd hi erioed wedi dychmygu'r fath eglurhad.

'Ond roeddet ti'n briod â Mam.' Ceisiodd Efa wneud synnwyr o'i eiriau ar ôl rhai eiliadau o ddistawrwydd.

'O'n,' meddai Patrick a phlygu ymlaen i afael yn ei wydr fel rhyw fath o gynhaliaeth. 'Ond fe gafodd hi'r ddamwain 'ma, ti'n gweld.'

''I bwrw 'da car, do,' meddai Efa.

'Doedd hi ddim yn iawn wedyn. Fe gest ti dy genhedlu ar ôl y ddamwain.' Oedodd iddi gael ystyried arwyddocâd ei eiriau. 'Wrth ddweud hynna, be dwi'n olygu yw – wedi'r ddamwain, roedd hi mewn cyflwr diymateb parhaol, sy'n golygu…'

'Dwi'n gwbod beth mae e'n 'i olygu,' meddai Efa, yn fwy llym nag y bwriadai, ond roedd hi ar frys i glywed.

'Fe alwodd dy fam-gu a dy dad-cu fe'n drais.'

Parchodd Efa fe am beidio ag ychwanegu 'ond'.

'Ac fe fyddet ti'n ei alw'n eiliad o wallgofrwydd,' llenwodd hi'r saib hir.

'Byddwn,' cyfaddefodd Patrick gan edrych yn syth i mewn i'w llygaid nes gwneud iddi eu troi i edrych ar y wal y tu ôl i'w ben. 'Doedden nhw ddim am adael i fi dy gadw di. Wnes i ddim ymladd yn galed. A falle dyliwn i fod wedi gwneud. Ond doeddwn i ddim yn fy iawn bwyll.'

'Felly, cynnyrch trais ydw i,' meddai Efa.

'Dyna fel roedd dy fam-gu'n ei weld, ie.'

'Fel y'ch chi'r Saeson bob amser wedi treisio'r Cymry.'

'Wela i ddim beth sydd gan wleidyddiaeth i'w wneud â'r peth,' meddai Sheila'n ddistaw, fel pe bai arni ofn i'w gŵr anghydweld â hi.

'Mater o iaith yw e, nid gwleidyddiaeth,' meddai Efa. 'Mae dyfnder eich annealltwriaeth chi o'i phwysigrwydd hi bob amser wedi fy rhyfeddu.'

'Mae trais yn air cryf,' meddai Sheila wedyn.

'Ond yn un cyfiawn,' meddai Efa.

Gallai dyngu iddi weld gwên ar wefusau ei hanner brawd.

'Falle am ein bod ni'n eich caru chi,' meddai Patrick yn dawel gan edrych ar y bwrdd. 'A falle am eich bod chi mor hawdd eich treisio. Dyw'r gwahaniaeth ddim bob amser yn glir rhwng caru a threisio, fel mae dy fodolaeth di'n ei brofi. Ddim bob amser. Ro'n i'n caru Rachel gymaint, ro'n i ei heisiau hi 'nôl gymaint, nes 'y ngwneud i'n wallgof.'

34

OEDODD LLAW GRYNEDIG uwch cloch drws y tŷ teras bach ar y llethr a edrychai i lawr dros Bontypridd.

Twyllodd Marcus ei hun y gallai ailfeddwl, troi'n ôl, ymatal rhag neidio i'r anwybod, ond gwyddai ar yr un pryd na allai wneud hynny chwaith. Byddai Beca yr ochr arall i'r drws yn aros amdano am dri ar y dot, a Mali fach yn ei breichiau.

Bedwar diwrnod ynghynt, gadawsai ei fam ac yntau ei dad i siarad ag Efa yn yr Angel. Doedd y cyfarfyddiad ddim wedi bod yn hawdd, a pha ddisgwyl iddo fod? Roedd blynyddoedd o ddieithrwch i'w cydnabod a'u mapio, a dyfnderoedd o faddeuant i ofyn amdano a'i gynnig.

Er iddo amau ar ôl siarad dros y ffôn ag Efa mai dyma fyddai pen draw'r daith iddo ef, doedd e ddim wedi ffonio Beca tan iddo adael ei dad yn siarad ag Efa yn y bar. Aethai Sheila i'r tŷ bach a'i adael e yn y lobi yn dal ei ffôn yn ei law. Doedd e ddim wedi dweud wrthi hi chwaith beth oedd ei fwriad: prin roedd e wedi dweud wrtho'i hun.

Sgroliodd drwy'r rhifau nes glanio ar y rhif a roddodd wybod iddo dri mis ynghynt ei fod e bellach yn dad. Oedodd e ddim cyn gwasgu'r botwm bedwar diwrnod yn ôl fel roedd e'n oedi nawr.

Fu hi ddim yn hawdd perswadio Beca. Bu'n rhaid iddo addo na fyddai'n mynnu mwy ganddi na'r cyfle i weld Mali fach o bryd i'w gilydd, a chymryd pethau'n hynod o ara deg i Beca allu dygymod. Roedd hi mewn perthynas â rhywun cyn iddi gysgu â Marcus, a hwnnw bellach yn magu Mali fach fel ei blentyn ei hun. Addawodd Marcus beidio â difetha hynny, ond i Mali gael gwybod y gwir pan fyddai'n ddigon hen i ddeall, ac iddo yntau gael ei gweld bob hyn a hyn. Câi pethau ddatblygu o'r fan honno, barnai Marcus. Doedd dim byd o gwbl o'i le ar i blentyn gael dau dad.

Roedd clywed y gwir am Eve – Efa – gan ei dad wedi gwneud gwahaniaeth wedi'r cyfan. Ar ôl i sioc y stori gilio, yr hyn a'i trawai'n fwy na dim oedd dyfnder yr effaith ar ei dad ar hyd ei oes – effaith bodolaeth Efa – ac yntau ond wedi cael wythnos o'i nabod hi.

Ystyriodd eto ei fod ar fin camu i fywyd arall.

Daeth sŵn gwaedd fach – crio bychan babi – o'r tu ôl i'r drws, a chanodd Marcus y gloch heb oedi eiliad yn rhagor.

35

Tynnodd Efa'r plethi o bellafion y drôr. Ystyriodd alw ar Ceri, oedd â'i thrwyn mewn drama deledu, ond wnaeth hi ddim. Gwyddai na fyddai croeso i'w chais iddi ddod ati.

Mwythodd Efa blethi ei mam a chofiodd yn sydyn am blethi Alys, morwyn Siwan. Mae'n rhyfedd pa mor debyg i raffau ydyn nhw, meddyliodd. Hawdd credu i Siwan grogi Alys â'i phlethi hi. Plethiadau a all glymu a chrogi ydyn nhw.

Nid dyma'r gwallt a fwythodd Patrick: roedd hwn wedi'i dorri cyn i'w mam ei gyfarfod. Ond yr un gwallt er hynny – y gwallt a aeth i'r bedd gyda'i mam.

Dychmygodd y plethi'n sownd wrth ben ei mam, a'i mam hithau, mam-gu Efa, yn tynnu wrthynt i'w sodro'n sownd yn y lastig. 'Sefa'n llonydd, ferch!' Plwc bach ar y rhaff. 'Sytha!' Pysgotwraig foreol yn tynnu'r rhaffau'n dynn, dynn fel cadwynau, a'r plentyn oddi tanynt yn ysu am ei rhyddid. Taclusrwydd, yn nesaf at lendid, yn nesaf at... A'i mam hithau cyn hynny yn tynnu'n dynn, dynn ar ei phlethi hithau i'w chadw hi yn ei lle, yn ôl ac yn ôl drwy'r mamau a'r merched oll.

A'r bore olaf hwnnw, sut roedd ei mam yn teimlo wrth gael creu ei phlethi a hithau'n gwybod y caent eu torri y diwrnod hwnnw gan farbwr ei phlentyndod? Sut roedd y bysgotwraig ei hun yn teimlo wrth blethu am y tro olaf a gwybod mai ymddeoliad rhag yr orchwyl foreol a ddilynai ddiwrnod torri'r gwallt, diwrnod torri'r plethi – y diwrnod pan dyfodd ei merch yn ddynes?

I beth oedd eisiau eu torri? Ai rhyw gofio yn pigo rhwng pawb oedd yn gyfrifol, am wersylloedd o ofid a phentyrrau plethi a gwallt arall digyfnewid ochr yn ochr â'r pentyrrau cnawd yn pydru?

Neu ai defod o dyfu'n ddynes oedd hi a rhoi heibio ryfyg gwallt am ysgwyddau'n chwifio'n rhydd er mwyn gwisgo helmed o steil fel capan o gyfrifoldeb am ei phen?

Doedd arni ddim awydd dangos y gwallt i Patrick. Doedd ganddo ddim hawl arno. Er nad oedd hi'n teimlo fel cynnyrch trais ar ôl i Patrick egluro wrthi, wedi i Sheila a Marcus eu gadael, am yr eiliad ynfyd a roddodd fod iddi, gwyddai na fyddai'n mentro i berthynas glos ag ef. Roedd e'n rhy ddieithr iddi allu gwneud hynny, ystyriodd. Ceri oedd yn bwysig, Ceri a'u bywydau nhw ill dwy – tra byddai Ceri'n aros yno – yn Nhy'n Mynydd, a'u cyfeillgarwch â'u cymydog.

Fel pe bai hi wedi'i wahodd yno trwy feddwl amdano, daeth yn ymwybodol o bresenoldeb Anil Mukherjee y tu ôl iddi, wrth i ddrws yr ystafell agor a gadael chwa o awyr oer i mewn gydag e. Ni chadwodd Efa'r plethi. Penderfynodd eu dangos iddo er mwyn iddo weld yr unig beth oedd ganddi i ddangos o ble roedd hi wedi dod.

'Welwch chi'r rhain…?' dechreuodd wrth droi ato.

Ond Ceri oedd yno.

'Gei di alw fi'n "ti"', meddai wrth Efa wrth ddod ati.

Doedd dim angen iddi egluro wrthi beth oedd ganddi yn ei dwylo. Gafaelodd Ceri yn y plethi a'u mwytho rhwng ei bysedd.

'Ma'n nhw mor llyfn,' meddai.

'Yn llyfn ac yn gryf ar yr un pryd, fel rhaff,' meddai Efa.

Gwyliodd ei merch yn tynnu ei bys dros blethi ei mam-gu.

''Wy ddim yn mynd i aros 'ma,' meddai Ceri, a dechreuodd Efa ofidio, ond aeth Ceri yn ei blaen. 'Ddim am byth.'

'Wrth gwrs 'ny,' meddai Efa, a theimlo'r rhyddhad yn llifo drwyddi. Ddim am byth.

'Gallet ti 'i gyfarfod e,' meddai'n ddistaw wedyn. 'Dy dad-cu.'

'Oes raid?'

'Nag o's. Ddim os nad wyt ti isie.'

Tawodd Efa wedyn. Ystyriodd ddweud wrth Ceri eto gymaint roedd hi'n ei charu.

Yn lle hynny, caeodd y plethi'n ôl yn y drôr a throi am y gegin i ddechrau coginio swper llawn cariad i'w merch.

'Mam,' dechreuodd Ceri wrth ei dilyn i'r gegin, "wy moyn gweud rwbeth wrthot ti…'

Hefyd gan yr awdur:

Lleucu Roberts

SIARAD

Trychineb yn Efrog Newydd.
Damwain yng Nghaerdydd.

y Lolfa

£5.95